O Último Chef Chinês

SUMA de letras

Nicole Mones

O Último Chef Chinês

Tradução
Ana Ban

SUMA de letras

Editora Objetiva Ltda.
Rua Cosme Velho, 103
Rio de Janeiro — RJ — Cep: 22241-090
Tel.: (21) 2199-7824 — Fax: (21) 2199-7825
www.objetiva.com.br

Título original
The Last Chinese Chef

Capa
Lian Wu

Imagens de capa
© Rayshader | Dreamstime.com
© Hdconnelly | Dreamstime.com
© yuyangc, 2008 Used under license from Shutterstock.com
© John Lock, 2008 Used under license from Shutterstock.com

Revisão
Eduardo Carneiro
Tathyana Viana
Tamara Sender

Editoração eletrônica
Abreu's System

CIP-BRASIL. CATALOGAÇÃO-NA-FONTE
SINDICATO NACIONAL DOS EDITORES DE LIVROS, RJ

M75u Mones, Nicole
O último chef chinês / Nicole Mones ; tradução Ana Ban. - Rio de Janeiro : Objetiva, 2008.

290p. ISBN 978-85-60280-32-2
Tradução de: *The last Chinese chef*

1. Romance americano. I. Ban, Ana. II. Título.

08-4943. CDD: 813
CDU: 821.111(73)-3

1

Aprendizes já me perguntaram qual é o ponto máximo da culinária refinada. Seriam os ingredientes frescos, os sabores mais complexos? Seria o rústico, ou o raro? Não é nenhuma dessas coisas. O auge não é nem o comer nem o cozinhar, mas sim o oferecer e o compartilhar do alimento. Iguarias nunca devem ser consumidas em solidão. Que prazer uma pessoa pode tirar da culinária refinada se não convidar amigos queridos para comer, se não contar os dias até a realização do banquete e se não compuser um poema auspicioso para a carta com o convite?

— LIANG WEI, *O Último Chef Chinês*, Pequim, 1925

Maggie McElroy sentiu sua alma rodopiar para longe no ano que se seguiu à morte do marido; ela se sentia deslocada em qualquer lugar. Precisava de paredes para contê-la. Não conseguia encontrar um apartamento pequeno o suficiente para morar. Acabou se mudando para um barco.

Primeiro, vendeu a casa. Isso era compreensível. Os amigos concordaram que era a atitude certa a se tomar. Ela se recolheu a um apartamento, e logo começou a achá-lo muito grande; precisava de uma cela. Encontrou um lugar ainda menor e reduziu mais ainda suas posses ao se mudar para lá. Cada ciclo de eliminação liberava um pouquinho de sua dor, mas, no fundo, o que a movia era a crença adicional, vinda não do conhecimento, mas de uma teimosia instintiva, de que alguma parte de sua alma poderia ser chamada de volta se ela pelo menos conseguisse abrir o caminho.

Até que ela encontrou o pequeno barco em seu atracadouro na Marina. Assim que subiu a bordo, percebeu que queria ficar ali, embaixo, observando as variações de luz, encontrando paz no estalo dos cabos, ignorando as mensagens no celular.

Aquela embarcação tinha uma pureza. Quando não estava trabalhando, ficava deitada no leito. Observava os bandos de pares de tênis andando para lá e para cá no píer. Escutava o estrondo do vento na lona, a água batendo no casco. Dormia no barco, dormia de verdade pela primeira vez desde que Matt morrera. Percebia que nada restara. Mais tarde, ao reavaliar a situação, perceberia que, se não tivesse chegado a este ponto, nunca poderia estar preparada para a mudança que já naquela época estava a caminho. Mas na ocasião parecia inevitável, ela simplesmente teria de aceitar: nunca mais se sentiria ligada a nada.

Ficava sozinha. Vamos jantar. Venha conosco ao cinema. Tem uma festa. Mesmo quando ela não respondia, as pessoas a perdoavam. Esperam-se coisas estranhas das pessoas de luto. Concessões são feitas. Quando precisava dar uma desculpa, dizia que estava viajando, e tudo bem, porque viajava com freqüência mesmo. Era jornalista de gastronomia. Viajava todo mês para visitar uma comunidade americana diferente em função de sua coluna. Adorava seu trabalho, precisava dele e não tinha intenção de perdê-lo. Todo mundo sabia disso, e por isso era possível simplesmente pedir desculpas, estaria fora, adeus, e então se deitava em seu pequeno leito para continuar a lembrar. As pessoas se preocupavam com ela, e ela se preocupava com as pessoas: isso não tinha mudado. Simplesmente não queria vê-las naquele exato momento. Sua vida estava diferente. Tinha se afastado para uma região distante, que elas não conheciam, onde todo o trabalho era a função do luto. Era difícil demais conversar com os outros. Por isso ficava sozinha, com sua vida encolhida até o tamanho da cabeça de um alfinete, e lentamente, dia após dia, ia achando que estava se sentindo melhor.

Na noite de setembro que marcou o início destes acontecimentos, ela estava saindo do barco para achar um lugar para jantar. Isso foi alguns dias depois de seu aniversário de 40 anos, pelo qual ela passou batido, evitando a data com cuidado. Deparou com o estacionamento vazio, pontuado apenas pelos gritos das gaivotas. Quando chegou ao carro, ouviu o telefone tocar.

O som era abafado. O aparelho estava no fundo da bolsa. Morar no barco fazia com que sua bolsa estivesse sempre sobrecarregada: um preço baixo a se pagar. Enfiou a mão lá dentro, seguindo a luzinha verde que tremelicava a cada toque. Ela não atendia o telefone com muita freqüência, mas sempre conferia quem estava ligando. Nunca deixava de atender algumas ligações: do trabalho, da melhor amiga, Sunny, da mãe.

Quando olhou para a tela, sentiu suas sobrancelhas se unirem na testa franzida. Não era um número que ela reconhecesse. A seqüência de números era longa. Abriu o aparelho.

— Alô?

— Maggie? Aqui é Carey James, de Pequim. Está lembrada de mim?

— Estou.

Ela tremeu de surpresa. O escritório de advocacia de Matt tinha filial em Pequim, e Carey era um dos advogados que trabalhavam lá em tempo integral. Matt viajara até lá um bom punhado de vezes, a negócios. Maggie chegara a ir com ele uma vez, três anos antes. Tinha conhecido Carey: alto, elegante, levemente desleixado. Matt dizia que ele era um negociador brilhante.

— Sim, estou lembrada.

— Que ano, hein — ele disse, deixando a formalidade um pouco de lado.

— Nem me diga.

Ela destrancou o carro e entrou.

— Está tudo bem com você?

— Estou sobrevivendo.

O que ele queria? Fazia meses que o assunto estava encerrado com a firma, até mesmo as ligações de gentileza tinham cessado, e também as ligações de preocupação dos amigos mais próximos de Matt aqui do escritório de Los Angeles. Fazia tempo que não recebia notícia nenhuma dessa gente.

— Na verdade, estou ligando porque dei de cara com uma coisa aqui. Eu realmente deveria ter visto isto antes. Infelizmente, não vi: é uma ação legal, aqui na China. Envolve Matt.

— Matt?

— É — Carey respondeu. — É um processo.

— Como assim? De que tipo?

Carey respirou fundo. Ela sentia a hesitação na voz dele.

— Eu estava torcendo para haver uma chance de que você já soubesse — ele disse.

— Saber *o quê*, Carey? Que tipo de processo é?

— De paternidade — ele respondeu.

Ela ficou imóvel por um longo momento. Parecia que um sino tinha caído em cima dela, isolando-a de todos os sons. Ficou olhando através do pára-brisa coberto de maresia para a fileira de palmeiras, a ciclovia, a areia de coloração irregular.

— Então tem alguém dizendo...

— Ela tem um filho dele. Então parece que você não sabia nada sobre isso.

Ela engoliu em seco.

— Não, não sabia. Você sabia? Sabia de alguma criança?

— Não — ele respondeu com firmeza. — Não sabia de nada.

— Então o que acha que é?

— Honestamente, não sei. Mas uma coisa eu sei: isto não pode ser ignorado. É sério. Um processo foi instaurado. De acordo com o novo Tratado dos Direitos das Crianças, tudo pode ser decidido aqui na China mesmo, de uma forma que afete você. E vai ser decidido mesmo, em breve. — Ela ouviu quando ele virou páginas. — Em... pouco menos de três semanas.

— E aí?

— Aí que, se a pessoa que entrou com o processo vencer, leva uma parcela dos bens dele. Tirando a casa, é claro, a residência principal.

A isto ela não respondeu nada. Tinha vendido a casa.

— Só me diga o seguinte, Carey: o que devo fazer?

— Só há uma opção. Fazer um exame para provar se é verdade ou mentira. Se for mentira, podemos dar conta do assunto. Se não for, aí a coisa muda de figura.

— Se for verdade, você quer dizer? Como é que pode ser verdade?

— Você não pode querer que eu responda a esta pergunta — ele disse.

Ela ficou em silêncio.

— A coisa mais importante agora é fazer um exame de DNA. Se eu tiver isto em mãos antes do julgamento, posso cuidar de tudo. Sem isto, nada.

— Então siga em frente. Mande fazer. Eu pago o escritório para realizar o teste.

— Não vai adiantar — Carey respondeu. — A questão já está na pauta do Ministério da Família, e nós somos um escritório de advocacia. Teríamos que encarar a burocracia toda: entrar com documentação para obter permissão da família da menina, por exemplo. Seria impossível fazer isso no prazo. Não daria para a gente. Mas outra pessoa poderia conseguir a permissão da família e mandar fazer o teste, e assim nós tomaríamos providências de acordo com os resultados. Dessa forma, daria tudo certo.

— Eu, você quer dizer — ela disse.

— Não sei quem mais pode ser. É importante, Maggie. Nós ajudamos. Conseguimos um tradutor. Você pode usar o apartamento da empresa. Ainda está com a chave de Matt?

— Acho que sim.

— Então, pegue um avião. Venha até o escritório quando chegar. — Ele fez uma pausa. — Sinto muito, Maggie — ele disse. — Por tudo, por Matt. Isto é terrível.

— É mesmo.

— Nada disso deveria estar acontecendo.

Ela respirou fundo. *Ele está falando de Matt ter sido atropelado na calçada. Morto com mais duas outras pessoas. Uma fatalidade.*

— Já me remoí muito por causa disso — ela respondeu. — Então, essa criança...

— Uma menininha.

Ela fechou os olhos.

— Essa menina tem quantos anos?

— Cinco.

Isso significa que alguma coisa teria acontecido seis anos atrás. Maggie retrocedeu no tempo, atordoada. Não fazia sentido. Eles eram felizes na época.

— Se você me der os meses em questão, eu dou uma olhada nos meus diários para ver se ele estava na China na ocasião. Quer dizer, talvez nem seja possível. Se ele não estava aí...

Desta vez Carey a interrompeu.

— Inverno de 2002 — ele disse baixinho. — Eu já conferi. Ele estava.

Na manhã seguinte, ela estava esperando no corredor quando Sarah, sua editora, saiu do elevador.

— O que você está fazendo aqui? — Sarah perguntou. — Está com uma cara péssima.

— Passei a noite em claro.

— Por quê?

— Más notícias sobre Matt.

— Matt?

Os olhos de Sarah se arregalaram. Matt estava morto. Não podia haver mais nenhuma má notícia.

— Alguém entrou com um processo.

O queixo de Sarah caiu, mas ela logo fechou a boca.

— Um processo de paternidade.

Sarah ficou pálida.

— Paternidade! Vamos entrar.

Ela destrancou a porta e guiou Maggie para a cadeira confortável na frente de sua mesa.

— Então, que história é essa?

— Uma mulher entrou com um processo na China, dizendo que tem uma filha dele.

— Está falando *sério*? Na China?

— É, e por causa dos acordos entre os nossos países, esse processo pode ser concluído na China e cobrado de lá.

— Cobrado — Sarah repetiu.

— Em somas generosas — Maggie respondeu.

— O que você vai fazer?

— Vou para lá, imediatamente. Não tenho escolha. Nunca te pedi, em 12 anos, nem quando Matt morreu, mas agora vou precisar de um mês de licença.

— Faça-me o favor! Querida! Publicamos colunas antigas o tempo todo, quando alguém tem uma emergência. Você é a única que nunca pediu. Nem se preocupe. E há um ano — Sarah olhou para ela, com os olhos doces de solidariedade há muito reservada — eu disse para você tirar uma folga. Está lembrada? Eu praticamente implorei.

— Eu sei. — Maggie esticou o braço e pegou a mão da amiga. — A verdade é que o trabalho me fez seguir em frente. Eu precisava dele. Sempre fui assim. Fico mais forte quando estou trabalhando. Não sei se teria conseguido sobreviver sem trabalhar. — Ela ergueu os olhos. — Ando melhor ultimamente. Só para você saber.

— Que bom. Aliás, seu último cheque voltou. — Sarah lhe mostrou o envelope. — Está de endereço novo?

— Tenho uma caixa postal nova, mais perto de onde estou morando.

— Onde você está morando?

— Na Marina — ela respondeu, e deixou assim.

Sarah anotou o novo endereço de correspondência.

— Obrigada. Aliás, claro que você pode ir, tire um mês de licença, nós usamos um texto antigo. Nem se preocupe com isso. Para falar a verdade, talvez seja bom para você. Veja se aproveita. Recarregue as baterias.

Maggie falou com cuidado.

— Você acha que eu estou precisando recarregar as baterias?

— Não, não é isso. É só que... — Sarah fez uma pausa, empacada entre a amizade e a responsabilidade. — É que, ultimamente, você não parece estar muito animada com a comida. Também já deve ter percebido. Não estou sentindo aquele velho gostinho de deslumbramento.

Eu também não, Maggie pensou, triste.

— Quais foram os textos que a incomodaram?

— Bom, aquele sobre os *amish* da Pensilvânia. Você não conseguiu achar nada charmoso neles, de verdade?

— Está falando de gente cuja principal contribuição à gastronomia é o pretzel. De um pessoal que faz pessoas totalmente desconhecidas se sentarem à mesa para compartilhar frango frito. Cuja idéia de salada é um tomate fatiado. E nem me faça começar a falar das tortas deles!

Sarah sorriu.

— Viu? Você continua ótima como sempre. Continue assim. Se solte.

Maggie deu risada.

— E também não se esqueça desta parte: você sempre achou alegria na comida.

— Vou tentar.

Mas então o pequeno sorriso de Sarah se desmanchou e foi substituído por preocupação.

— Você acha... não há chance de isso ser verdade, há?

— Está falando de Matt? Não faço idéia. Se ele me disse alguma coisa ou me fez pensar que houvesse alguma coisa? Não. Ele ia à China a negócios às vezes, mas o mesmo vale para todos os advogados do escritório dele.

— Você foi lá com ele.

— Fui uma vez, passei uma semana. Faz três anos. Nada. E você me conhece. Vivo de olho em tudo. Estar atenta é como eu consigo escrever, e isso afeta o resto. Não senti nada. Mas se isso aconteceu, deve ter sido alguns anos antes da minha viagem. Para falar a verdade, eu não consigo pensar assim, Sarah; eu ficaria louca. Preciso ir lá conseguir um teste de laboratório, e é isso. Daí eu vejo o que fazer.

— Vai ser uma viagem difícil — Sarah disse, agora falando como amiga.

Maggie fez que sim.

— E bem agora que eu estava conseguindo acomodar o sujeito na minha cabeça, sabe como é? E no meu coração. Além do mais, para ser sincera, Sarah, apesar de ser necessário e tudo o mais, realmente não é bom para mim não trabalhar, nem mesmo por um mês. Eu faço tudo melhor quando estou trabalhando.

— Está dizendo que preferia trabalhar? — Sarah perguntou.

— Claro que eu preferia trabalhar, mas não posso. Preciso ir até lá cuidar dessa questão.

Então um novo sorriso, diferente, o sorriso maroto de uma idéia, abriu-se no rosto de Sarah.

— Quer trabalhar enquanto estiver na China?

Maggie só ficou olhando para ela. Ela escrevia unicamente sobre comida americana.

— Como?

— Faça uma coluna de lá. Podemos publicar um texto antigo, eu já disse, não tem problema, você realmente tem alguns clássicos que eu gostaria de ver de novo... mas também temos uma pauta na China. Acabou de chegar. Posso passar para qualquer pessoa, e neste caso eu teria que mandar alguém para lá. Ou posso passar para você, já que vai viajar mesmo, e a reportagem pode virar uma das suas colunas.

— Você acha que tem a ver comigo? — Maggie perguntou.

Claro que ela escrevia sobre comida étnica. Dos pratos ao estilo do País Basco de San Joaquin Valley às lingüiças alemãs da região central do Texas, era impossível não fazê-lo. A culinária americana recebia muitos sabores afluentes. Ela conhecia todos. Mas nunca tinha escrito sobre comida estrangeira.

— É o perfil de um chef. É um sujeito americano, nascido e criado aqui, mas meio chinês.

— Hmm. Assim tem mais a ver.

— Ele não faz receitas americanas — Sarah disse. — É o oposto: está retomando as tradições antigas. Ele é descendente de um chef que cozinhava para o imperador e que, em 1925, escreveu um livro que se transformou em um grande clássico da culinária, *O Último Chef Chinês*. O nome dele era Liang Wei. O nome do neto também é Liang, Sam Liang; ele está traduzindo o livro para o inglês. É cozinheiro. Tudo que ele faz é ortodoxo, tudo de acordo com o avô, apesar de Pequim aparentemente estar seguindo na direção oposta, nova, global.

— Gostei — Maggie disse.

— Ele está para abrir um restaurante. Vai ser uma grande inauguração. A pauta é esta, o restaurante.

— Olhe, não vou mentir, para mim seria perfeito. Eu adoraria escrever essa reportagem — Maggie respondeu. — Isso sem falar que, assim, conservaria minha sanidade mental. É só que... não sei como você pode passar isso para mim. Eu sou a rainha da comida americana.

— Às vezes é bom misturar as coisas. E você vai para lá de qualquer forma. Quando viaja?

— Hoje à noite.

— Hoje à noite! Já deve estar com a passagem.

— Estou. E o meu visto de urgência sai ao meio-dia. Olhe só, Sarah, se você me pagar a passagem, eu dou conta de todos os outros gastos. Tenho que ir para lá, de qualquer forma.

E ela ainda tinha o apartamento da empresa.

— Posso providenciar — Sarah respondeu.

Ela reluzia de satisfação. Adorava resolver um problema.

— Então, estamos acertadas? Você está dizendo que vai fazer?

Elas se conheciam bem. Maggie só precisou colocar um sorrisinho no olhar para a amiga entender que ela estava de acordo.

— Ótimo — disse Sarah. — Então. — Entregou a pasta a Maggie. — Sam Liang.

Em Pequim, era tarde da noite. No entanto, as pessoas continuavam na rua, porque a noite de outono estava gostosa e fresca, levemente acentuada pelo perfume dos crisântemos que ladeavam a calçada. O que Sam Liang mais gostava na cidade que adotara era a vida local, como aqui, pessoas fazendo compras e passeando em Gulou, a rua que se estendia até o pagode escuro e silencioso de onde tirava seu nome. Sam mal olhava para a construção do século XV que se erguia no meio da rua mais à frente. Ele não olhava para as vitrines coloridas das lojas nem para o rosto dos camelôs que se instalavam aqui e ali pela calçada. Seu olhar se fixava adiante. Havia uma loja de utensílios de cozinha neste quarteirão. Xie, seu Terceiro Tio, tinha lhe falado dela. Xie morava em Hangzhou; quando viajava para o norte, até Pequim, sempre dava uma passada aqui.

Sam queria encontrar uma tábua de corte, pesada, redonda, uma fatia de tronco completa, do tipo que os chefs chineses sempre usaram. Ele tinha duas para o restaurante e precisava de uma terceira; um restaurante movimentado realmente precisava de três. Todas as lojas que visitara tinham tábuas de corte, mas eram as de plástico: a nova e moderna alternativa que tinha tomado conta de toda a capital. Diziam que o plástico era mais higiênico, mais seguro; era o futuro.

Sam não concordava. Não tinha se deslocado até a China para trocar o naco de árvore tradicional pelo plástico. O plástico acabava com uma bela lâmina. Além do mais, o que o avô dissera era verdade: a madeira é uma coisa viva embaixo da faca de um cozinheiro. Ela tem seu próprio vigor.

Ah, avistou a loja, logo à frente: as luzes estavam acesas, estava aberta. Se algum lugar fosse ter tábuas de corte à moda antiga, seria este.

Mais de uma vez, Xie lhe explicara como escolher:

"Nunca compre uma tábua feita de uma árvore nova, só de uma antiga. Assegure-se de que os anéis estão bem próximos, devido à idade. Confira se a tábua foi condicionada adequadamente com óleo, que tem brilho. Não leve a escolha errada para casa."

"E o tipo de madeira?"

"Quando eu era mais novo, todos os chefs usavam saboeiro. Agora, a maior parte usa um tipo de bétula, apesar de alguns gostarem da madeira do tamarineiro do Vietnã. Ouça seu Terceiro Tio. Escolha a madeira que lhe parecer mais agradável ao toque. Esqueça o resto."

Sam abriu a porta da loja. Numa olhada esperançosa, registrou as prateleiras compridas com *woks* e grelhas e peneiras e suportes para cozinhar ao vapor empilhados. Viu as tábuas de corte, de plástico branco, em sua seção específica. Só viu plástico; nada de madeira, nada de troncos de árvore.

— *Ni zhao shenmo*? — disse uma voz de mulher. O que procura?

Era a dona do estabelecimento, uma senhora de cabelos brancos que Sam reconheceu pela descrição de Xie.

— Senhora Minha Irmã — Sam disse, com educação. — Procuro uma tábua de corte. Mas do tipo antigo, de madeira.

— Não temos mais.

— Mas por quê?

— Não são tão higiênicas quanto as de plástico. Principalmente agora, sabe como é, quando tudo precisa estar sempre limpo.

Ele sabia do que ela estava falando: das Olimpíadas.

— Mas, se me permite perguntar, quando pararam de vender, não sobrou nenhuma?

— Não — ela respondeu.

A esperança dele se esvaía.

— *Zhen kelian*. É uma pena. Meu tio Xie disse acreditar que eu conseguiria encontrar uma aqui. A senhora o conhece? Seu antigo cliente? Xie Er?

Os olhos envelhecidos da mulher se arregalaram.

— Você conhece Xie Er?

— Ele é meu tio.

Ela olhou para ele com firmeza. Dava para sentir que ela avaliava a mistura ocidental no rosto dele. Todo mundo fazia isso. Estava acostumado. Era a luz por cima da cabeça dele, a maneira como caminhava. Mas ela realmente não encontraria nada no rosto dele, porque Xie Er era seu tio não de sangue, mas por meio de outros laços.

— O pai dele e o meu avô eram irmãos no palácio.

— Você é um Liang — ela disse.

— Sou — ele respondeu, surpreso.

Ela desceu da banqueta e abriu uma porta atrás de si. Sam se aproximou. Ela acendeu um interruptor e iluminou um depósito de prateleiras abarrotadas e de caixas.

— Venha aqui — ela disse, e ele a seguiu. — Está aqui. — Afastou alguns papéis para o lado.

Assim que ele a viu, soube. Tinha uns 60 centímetros de diâmetro, de 15 a 18 centímetros de espessura, ainda com a casca da árvore, com acabamento de brilho fosco. Um anel de metal grosso estava fincado em um dos lados, para pendurar, já que uma tábua dessas tem que ser guardada na vertical quando não está em uso. Ele era capaz de imaginá-la dali a dez, vinte anos, a superfície de corte desgastada em uma sugestão sutil de concavidade, transformando-se junto com ele, com sua culinária, sob suas mãos. Ele a desejou.

— Posso pagar em dinheiro — disse. — Fico feliz de pagar assim.

— Você cozinha? — ela o observava. — Cozinha? — disse isso com um aceno enfático da cabeça. — Então, me dê só um momento. Vou pensar em um preço.

— Por favor, não se apresse — ele disse com delicadeza, mas por dentro estava transbordando. Passou a mão cheia de prática pela superfície de corte. — E, irmã, será que sabe que tipo de madeira é esta?

— Esta? — ela respondeu. — É do tipo antigo. Saboeiro.

Maggie estava no aeroporto, parada na frente do balcão de doces. Matt sempre lhe dava balas em forma de milho. Era o doce especial dos dois, e ela costumava dizer que todo relacionamento devia ter um. Para eles, era mais um sacramento do que um alimento. Na primeira vez que ele levou aquilo para casa, a intenção era fazer piada com a especialização dela em comida americana, mas isso logo foi esquecido e se transformou na marca de despedida dele. Ele dava um saquinho para ela sempre que ia sair de viagem. Ela ainda era capaz de visualizar uma certa manhã no quarto deles, quando ele estava de malas prontas, já vestido para partir sob a luz do amanhecer que entrava preguiçosa pela janela. Quando? Há um ano e meio? Os dois viajavam com tanta freqüência que raramente acordavam quando o outro saía cedo. Naquela manhã específica, ela estava meio acordada, devaneando; ouviu o roçar do tecido da calça dele e o barulhinho do plástico quando ele enfiou a mão no bolso à procura das balas. Ela ouviu quando ele colocou o doce ao lado do abajur de cabeceira dela e se abaixou para beijar seu cabelo. Só isso. Gentil demais para acordá-la. Então o barulho da porta fechando. O remorso fervilhou dentro de Maggie agora. Ela o deixara partir daquela maneira vezes sem conta.

Ela foi até o tubo transparente cheio de grãos de milho brancos e alaranjados e abriu um saquinho plástico embaixo dele. No dia em que ele viajou para São Francisco, a última vez que o vira, não lhe dera balas em forma de milho, pois iria voltar naquela mesma noite.

No ano que se passara desde então, ela não comera nenhuma bala dessas. Puxou a alavanca e o doce caiu no saquinho, cem, mil balas. Entrou no avião comendo sem parar, enfiando os grãos de milho macios na boca um por um e deixando que dissolvessem até seus dentes doerem e até parecer que sua cabeça se transformaria em um balão e sairia flutuando. Enjoada, farta, recusou as refeições quando foram servidas. Começou a assistir a um filme e desligou a tela. Ficou lá parada, banhada por ondas de culpa. Era a mesma culpa que sentira tantas vezes naquele ano, sempre que lhe vinha à mente a lembrança de que, para falar a verdade, ela e o marido sempre tinham se amado mais quando estavam longe um do outro. E agora era para sempre. Fechou os olhos.

Sentiu a bolsa com o computador entre os pés. Ainda não tinha pensado sobre a pauta. Com tantas providências para tirar o visto, recolher uma amostra de sangue de Matt do hospital para onde ele doara, entregar para o laboratório de DNA, pegar o kit de coleta, fazer a mala e sair correndo para o aeroporto, ela não tinha parado para pensar em sua entrevista com o chef. Na verdade, foi um alívio ter de se apressar tanto. O luto, que se tornara semi-reconfortante para ela, quase um companheiro, finalmente pareceu dar um passo atrás. Ela voltou a se sentir uma pessoa, mesmo mal tendo chegado ao portão a tempo com sua bolsa de mão.

E logo ela estava lá, com o cinto afivelado, com suas balas em forma de milho. Tentou encarar a situação. Será que era possível? Será que a alegação poderia ser verdadeira? Deixou que a mente retrocedesse mais uma vez. Demorou-se em cada obstáculo, em cada momento de discórdia; sabia onde cada um deles se localizava. Estavam todos dentro dela, organizados desde a morte de Matt, ao lado do amor, do arrependimento e da afeição. Neste momento, ela examinava tudo isso. Outra mulher? Uma criança? Simplesmente era impossível acreditar que ele podia ter guardado esse segredo dela. Ele confessava tudo. Era uma piada entre as pessoas que o conheceram. Esse era o tipo de coisa que ele nunca, jamais conseguiria guardar para si.

Principalmente porque a questão de filhos era algo que tinha surgido entre eles. Originalmente, os dois estavam de acordo. Não queriam filhos. Mas, na metade da década que passaram juntos, Matt mudara de idéia.

No início, quando tudo começou, ela relembrou os motivos por que eles não seriam bons pais. Ela viajava todo mês, ele também. Se tivessem um filho, alguém precisaria parar. Obviamente, teria que ser ela; ele ganhava a maior parte do dinheiro. O negócio é que ela não queria parar, não por um bom tempo. Adorava sua coluna. Deixe-me trabalhar mais um ano, era o que dizia. Matt era paciente. Afinal, ele é que tinha mudado de idéia. Mas o assunto sempre retornava.

Ele nunca teria sido capaz de esconder uma filha. Essa idéia parecia clara a ela no silêncio do zumbido do avião. Os outros passageiros dormiam. Depois de um bom tempo agitando-se desconfortável na poltrona, ela se levantou e foi para o fundo do avião, para o espaço vazio onde sempre há uma janelinha. Olhou para a escuridão profunda através das linhas de umidade presas entre os vidros, refletindo. Finalmente, esgueirou-se de volta a seu assento e caiu no sono.

Quando aterrissaram em Pequim, ela se sentia um pouco enjoada por causa do açúcar e foi arrastando os pés até os agentes da Imigração que carimbaram seu passaporte e fizeram sinal para que ela seguisse em frente. Parou em um guichê de câmbio para trocar algumas centenas de dólares e, assim preparada, deixou a área restrita e entrou no saguão do aeroporto apinhado de gente.

Espertalhões se lançaram para cima dela.

— Olá? — disse um. — Quer táxi?

— Não, obrigada.

— Táxi. Por aqui.

— *Não.*

Arrastou a mala na direção das portas de vidro, através da qual enxergava pessoas em fila para pegar táxi. Pela direita, passou por um europeu.

— Quanto custa até Pequim? — ouviu-o dizer a um dos homens.

— Trezentos — o homem respondeu, e o europeu concordou.

Ela continuou em frente.

Nesse ínterim, o primeiro homem continuava atrás dela.

— Táxi — disse, e então de fato agarrou o braço dela, o que a aturdiu.

— Sai de perto de mim — disse, e o repeliu com tanta força que até ela mesma se surpreendeu.

Ele deu um passo atrás, o babaca, com um sorriso de escárnio. Ela caminhou até seu lugar na fila do táxi e aprumou o corpo um pouco mais.

Chegou sua vez e ela mostrou ao motorista o cartão de visita do escritório em Pequim, que trazia o endereço do apartamento, e então largou-se no banco de trás. Tinha conseguido, tinha chegado. Uma estrada navegava junto com ela do lado de fora, salpicada por outdoors iluminados em chinês e em inglês, anunciando software, metais, produtos químicos, aeronaves, café, logística. O que é logística? Sentiu-se velha por não saber.

Ainda tinha algumas pessoas queridas, pelo menos. Abriu o telefone. O aparelho reviveu com um apito. O primeiro número era de sua mãe. Maggie não ligava para ela com freqüência, mas, de todo modo, sempre que comprava um telefone novo, era o primeiro número que anotava, no topo da lista. A mãe a criara sozinha com eficiência, apesar de não ter sido exatamente capaz de criar um lar aconchegante para Maggie. Merecia ocupar a posição mais alta.

Em seguida vinha Sunny, sua melhor amiga e o número para o qual mais ligava. Depois Sarah; seus outros amigos. E os pais de Matt. O coração dela apertava, como sempre, ao pensar neles. O sofrimento deles tinha sido igual ao dela.

Fechou o telefone quando o carro saiu da via expressa e entrou na cidade. Logo viu que esta não era a Pequim de que se lembrava, de três anos antes. Os bulevares tinham sido alargados, os prédios de escritórios tomaram conta da paisagem, a iluminação pública tinha sido renovada. Talvez fosse a aproximação das Olimpíadas. Ou talvez fosse apenas o modo de Pequim crescer. Ela se lembrava de Matt dizendo que tudo estava sempre em obras, e isso remontava a mais de uma década. Sempre construindo, investindo, expandindo, ganhando dinheiro.

O motorista virou numa rua lateral e parou na frente do prédio de que ela se lembrava. Pagou a tarifa: 95 iuans. Sorriu ao se lembrar do sujeito no aeroporto que concordara em pagar 300. Era como se ela tivesse voltado a ser a velha e boa Maggie por um minuto: sempre adorara ser a turista esperta.

Entrou, subiu pelo elevador, abriu a porta do apartamento 426 e acendeu as luzes do teto. Continuava a mesma coisa. O sofá, a televisão, as janelas com vista para a cidade.

Ela arrastou a mala até a parede. Seus passos eram ruidosos naquele silêncio. Havia um envelope na mesinha de centro. *Para a sra. Mason*, dizia. Do escritório de advocacia. Ela abriu. *Bem-vinda à China. Por favor, vá ao escritório pela manhã.*

Só uma pessoa que não a conhecesse a chamaria de sra. Mason. Ela nunca mudara o sobrenome. Não havia dúvidas de que não a conheciam; provavelmente Carey era o único que ainda estava no escritório depois de passados os três anos de sua visita. Ela se lembrava de Matt lhe dizer que, à exceção de Carey, o escritório de Pequim nunca conseguiu segurar estrangeiros por muito tempo. Essa era uma das razões por que os advogados do escritório de Los Angeles, como Matt, precisavam ir sempre para lá. Então, nos últimos anos, tinham contratado dois advogados chineses que tinham estudado Direito nos Estados Unidos e depois retornaram a seu país, e assim a pressão acabou. Matt não tinha ido até lá nenhuma vez no ano e meio antes de morrer. Em todo caso (conferiu o telefone mais uma vez), era tarde demais para ligar para o escritório agora. A Calder Hayes estaria fechada.

Mas ainda era cedo o suficiente para ligar para o chef, só que, primeiro, precisaria ler um pouco. Pegou a pasta com a letra de Sarah na etiqueta, *Sam Liang*, e se aninhou com ela no sofá.

A primeira coisa que viu foi que se tratava de um chef de renome nacional, o que devia estar próximo dos melhores no sistema chinês, e havia uma lista de prêmios e distinções. Ele tinha subido rápido, pensou. Só fazia quatro anos que estava lá. Então reparou num trecho do livro do avô dele, *O Último Chef Chinês*.

> A comida chinesa tem características que a diferenciam de todas as outras comidas do mundo. Primeiro, seu equilíbrio conceitual. O domínio é exercido pelo *fan*, os grãos, sejam de arroz ou de trigo, transformados em massas e pães e bolinhos. *Song* ou *cai* é o alimento saboroso que o acompanha, verduras e legumes temperados, às vezes carne. Destas, o porco vem primeiro, seguido pelos animais aquáticos em toda sua variedade. A soja é usada em muitos produtos, fresca e fermentada. *Dian xin* são petiscos, que englobam tudo da cozinha *dim sum* cantonesa, além de castanhas e frutas. Ferver, cozinhar no vapor ou refogar são preferíveis, nesta ordem, empilhando os alimentos quando possível para economizar combustível. Pauzinhos são usados. Entre as culinárias do mundo, apenas a japonesa e a coreana compartilham estas características, e todos sabem que sua influência deriva da China.

Ela desviou o olhar para Pequim, além da janela. Os contornos urbanos do progresso reluziam para ela, os guindastes com suas luzinhas piscantes, os esqueletos altos e meio acabados. Aquela obviamente era uma cidade em movimento. E, no entanto, esse chef parecia estar se remetendo ao passado.

Ótimo, ela concluiu. Contradições prometiam. Conferiam profundidade. Esticou a mão para pegar o celular e digitou o número dele.

Tocou duas vezes, então alguém atendeu.

— *Wei* — foi o que ela ouviu.

— Olá, gostaria de falar com Sam Liang.

No mesmo instante, ele se transformou em americano.

— Sou eu.

— Aqui é Maggie McElroy. Da revista *Mesa*.

— Ah, sim — ele respondeu. — O artigo sobre o restaurante. Pera aí. Não acredito que você já chegou. Está em Pequim?

— Estou...

— Ainda não mandei o e-mail, nem liguei. Já deveria ter feito isso.

— Como assim?

Ele mexeu no telefone e então retornou.

— Espero que não tenha vindo até aqui só para falar comigo.

— Como?

Não era essa a idéia? Não era isso que ela deveria fazer? Sarah lhe dissera que ele já estava pronto para recebê-la.

— Apenas em parte — ela disse a ele então ao telefone. — Tenho outro assunto de que tratar.

— Fico feliz em saber — ele disse. — Porque neste momento, desde hoje de manhã, meu restaurante não vai mais abrir.

— Por quê?

— Parece que perdi meu investidor.

— Mas você vai conseguir outro, com certeza... não vai?

— Espero que sim. Vou tentar. Mas enquanto isso não ocorrer e estiver tudo incerto, sinto muito, não vou poder fazer a matéria.

Maggie não raciocinava bem de bate-pronto. Sempre descobria a reação adequada posteriormente, quando já era tarde demais. Escrever dava mais certo: assim ela tinha tempo para refletir sobre as coisas; por isso escolhera aquela profissão.

Mas agora precisava inventar algo bem rápido.

— A matéria não precisa ser sobre o restaurante. Um perfil seu seria ótimo.

— Um perfil meu? Falando que o meu restaurante não vai abrir?

— Não é bem isso...

— Com o que acabou de acontecer, não posso dizer que considere esta uma boa idéia. Espero que compreenda.

— Pode ser um erro. — A cabeça dela era um redemoinho, buscava estratégias e não encontrava nenhuma. — De verdade.

— Por favor... srta. McElroy, é isso?

— Maggie.

— Aceite minhas desculpas. E por favor diga também à sua editora que sinto muito, de verdade. Eu não fazia idéia de que isto aconteceria.

— Compreendo — Maggie respondeu. — Não quer pelo menos dar uma pensada sobre o assunto? Porque vou ficar aqui alguns dias.

— Vou pensar, se prefere assim. Mas não sei como posso dar uma entrevista sobre um restaurante que não vai abrir. Nem como o meu perfil pode ser publicado depois disso que acaba de acontecer.

— Compreendo — ela respondeu.

Estava decepcionada, mas também se compadecia. A inauguração tinha requisitado muito da atenção dele.

— Aproveite a sua viagem.

Aquilo era uma coisa muito americana de se dizer, educada, levemente forçada, distante. *Ele quer se livrar de mim.*

— Em todo caso, anote meu telefone.

— Certo — ele respondeu.

Anotou o número obedientemente e agradeceu quando ela lhe desejou boa sorte. Então os dois se despediram, sorriram para o telefone e desligaram.

2

Três características da China a transformaram em terreno fértil para o florescimento da boa culinária. Primeiro, seu território contém todas as possibilidades: montanhas, desertos, planícies e cinturões férteis; grandes oceanos, rios de correnteza forte. Em segundo lugar, a massa de chineses é numerosa, porém pobre. O povo sempre precisou extrair cada pedacinho possível de sabor e de nutrição de cada migalha de terreno e de combustível, economizando em tudo, menos na mão-de-obra humana e na criatividade, que abundam. Em terceiro lugar, há a elite chinesa. Deste mundo de gostos distintos deriva o gourmet. Nele, o alimento se transformou não apenas em uma ferramenta complexa de rituais e da conquista de prestígio, mas também em uma forma de arte, seguida por homens passionais.

— Liang Wei, *O Último Chef Chinês*

Sam Liang desligou o telefone e o guardou no bolso antes de voltar a encarar seu Primeiro e Segundo Tios, Jiang Wanli e Tan Jingfu, que olhavam fixamente para ele. Eram 35 anos mais velhos do que ele, amigos de seu pai e, com Xie Er em Hangzhou, a coisa mais próxima que tinha de parentes de sangue na China. Eles também tinham sido seus guias na cozinha e seus laços com o passado. Por todos os ângulos concebíveis, tinham direitos ilimitados de dar bronca nele.

— Era uma pessoa do sexo feminino? — quis saber Jiang, no chinês em que sempre conversavam.

Sam suspirou.

— Era.

— Acredito que a tenha convidado para conhecê-lo.

— Não, Primeiro Tio.

— As vezes que eu lhe disse para se esforçar mais foram mais do que algumas! Por acaso já não conversamos sobre isso? E, no entanto, sempre que uma oportunidade com uma pessoa do sexo feminino se apresenta no seu caminho, você amarela!

— Tio. Foi uma ligação profissional. Qualquer outra atitude teria sido inapropriada.

— Ah! — Tan ergueu o dedo. — Meu inglês não está assim tão ruim! Ela era da revista americana. Jornalista. Provavelmente especialista em comida!

— Isso mesmo — Sam respondeu. — E agora o restaurante está em suspenso. Não tem pauta.

— Não está se esforçando muito — disse Jiang. — Deveria fazer um artigo com ela. Chamaria atenção para você.

Tan se intrometeu.

— Poderia ao menos ter sugerido que vocês dois tomassem um chá! Poderia ter discutido a questão como uma pessoa civilizada.

Sam compreendeu. Uma pessoa civilizada significava uma pessoa chinesa. Após os primeiros anos de instruções na cozinha (ambos rosnando instruções, berrando a cada erro, limpando a garganta para mostrar aprovação quando ele cozinhava bem), os dois senhores passaram a ensinar-lhe etiqueta. Mostraram-lhe a teia de bons modos e considerações que garantia a coesão do mundo chinês. Infelizmente, ele tinha sido criado nos Estados Unidos; tinha modos estrangeiros teimosos. E era apenas meio chinês. Sua sorte era que a outra metade era judia, já que os judeus eram admirados pela inteligência, mas, ainda assim, aqui na China, era ruim ser apenas em parte chinês. Esta era sempre a primeira coisa que passava pela cabeça dos detratores de Sam.

Aqueles críticos o chamavam de forasteiro, apesar de seus métodos tradicionais. Pareciam não se importar com o fato de que ele era um dos poucos que ainda cozinhavam de acordo com o método ancestral, que todos os outros chefs de primeira linha da China demonstravam algum tipo de característica moderna. Mas ele estava determinado a fazer o que o avô tinha escrito e o que os tios tinham ensinado. Sabia que a melhor vingança era cozinhar bem.

— Eu gostaria que tivesse convidado a pessoa do sexo feminino para se encontrar com você — Tan disse.

— Sim, tio.

Sam não discutiu. Na cabeça deles, estar solteiro na idade dele era quase uma afronta à natureza. Era algo que eles se sentiam no dever de corrigir. Ele compreendera fazia muito tempo que a melhor maneira de amá-los era permitir que interferissem. Eles podiam lhe dar bronca e insistir para que conhecesse suas parentas ou suas conhecidas. Esses encontros eram, na melhor das hipóteses, perda de tempo e, na pior, dolorosos. E não só para ele. Logo percebeu que as mulheres também não queriam ser apresentadas a homens assim como ele não queria ser apresentado a mulheres. Elas também só queriam agradar a parentes de mais idade.

Era certo que havia chinesas bonitas e inteligentes na camada social mais alta e internacionalizada da sociedade de Pequim, mas até agora Sam não encontrara a conexão desejada. Parte disso era culpa delas. Para as chinesas que gostavam de estrangeiros, ele não era estrangeiro o bastante. Para as que buscavam um chinês, ele era estrangeiro demais. Sua condição o situava em algum ponto abaixo de todos os outros na escala do desejo instantâneo.

Em Ohio, onde nascera, as coisas não eram assim. Lá, seu rosto moreno de bochechas cheias parecia exótico às mulheres, em especial às garotas alimentadas a milho com passadas atléticas e sorriso doce. As mulheres aqui também eram adoráveis, mas difíceis, sinuosas, cerebrais, de pele delicada. Eram cultas. Ele as considerava fascinantes. Nunca era difícil dar início a casos com elas. O difícil era estabelecer uma conexão.

Isso, ele desconfiava, era sua culpa: ele desejava uma conexão completa. Aqui, nunca superava a sensação de que estava usando apenas metade de si, a metade chinesa. Tudo de antes, dos Estados Unidos, ficava escondido. E ele queria que aquilo fosse enxergado. Em sua cidade natal, na região oeste dos Estados Unidos, ele sentia algo parecido, só que lá era sua metade chinesa que parecia adormecida. Tinha a idéia de que vir para cá mudaria as coisas. Não. Continuava sendo metade.

— Você poderia ter falado com a americana sobre o livro — Tan disse.

Sam sacudiu a cabeça.

— Com todo o respeito, Segundo Tio, não sei como podem querer fazer uma reportagem sobre um livro lançado em 1925... ah, e em *chinês*.

— Você está traduzindo.

— Não está pronto.

— Não avançou nada? — Jiang perguntou.

— Eu deveria me empenhar mais — Sam disse, que era a evasiva chinesa adequada à situação.

Na verdade, era o pai dele que estava atrasando a tradução. Depois de se aposentar do correio, Liang Yeh passava a maior parte do tempo em um quarto escuro com livros e as coisas de que se lembrava. Sam não conseguia fazer com que ele cumprisse sua parte, que era transformar o mandarim formal pré-moderno do pai dele em uma mistura tosca de inglês e chinês que Sam fosse capaz de compreender.

Ele não contara isso a Tan e Jiang, preferia deixar que eles continuassem admirando o pai. Para eles, Liang Yeh triunfara. Tinha ido para a América. Estabelecera uma família. Não sabiam que Sam fora criado quase que só pela mãe, a prática e incansável Judy Liang, com sobrenome de solteira Blumenfeld, enquanto o pai mostrava-se mentalmente afastado. O exílio residia no coração, e Liang Yeh o carregava consigo para todo lado. Parecia determinado a nunca abrir mão dele. Com o passar do tempo, o exílio se transformou em sua característica mais importante, sua sombra, mais próximo dele do que a família jamais foi.

Portanto, quando surgiam reclamações sobre a tradução, Sam assumia a culpa. Ouvir elogios ao pai aliviava uma parte carente dele, que sofria de tristeza crônica, e ele fazia todo o possível para manter a opinião positiva dos tios intacta.

— Você termina quando puder — disse o Segundo Tio, porque apesar de serem severos com ele, sempre o perdoavam.

Tan agora saía da cozinha, onde estivera remexendo nos apetrechos para o chá.

— Tio, não precisa se incomodar — Sam disse. — Eu preparo o chá.

— Não! — Jiang ergueu a mão. — Fique sentado. Temos uma questão especial a tratar.

— O senhor quer me apresentar a mais outra parenta sua — Sam disse.

— Muito bem! — disse Jiang. — Minha sobrinha-neta está vindo de Jilin. Mas vai ser só no mês que vem. Mais Novo! Você diz a ele.

— Muito bem — Tan falou.

Pousou a bandeja cheio de cerimônia. Seu avô fora o grande chef Tan Zhuanqing, um dos principais cozinheiros do palácio, e cujo aprendiz fora o jovem Liang Wei, o avô de Sam. O nome Tan já era importante naquela época. Tan se inclinou por sobre a xícara e abanou o vapor na direção de seu rosto com mãos inchadas.

— Muito secreto! — disse, com ar de importância. — Pouca gente sabe! O comitê chinês para as Olimpíadas de 2008 vai organizar sua própria disputa aqui, uma Olimpíada de cultura. Vai haver disputas em Pequim de ópera Kunqu, dança, o que incluirá artes marciais e culinária! Competições na televisão! A China inteira vai assistir!

— Está vendo? — disse Jiang. — O nome Liang vai voar aos quatro ventos!

— Está se antecipando, tio.

— Você está na lista de testes! — Tan exclamou. — Podemos confirmar!

Sam sentiu um nó no estômago. Uma ótima oportunidade, mas o momento era péssimo. O restaurante dele nem ia abrir.

— Por que eu?

— Tolo! — Tan ergueu a mão, como se fosse dar um tapa nele. — Se lhe dissemos uma vez, é igual a cem! Você é descendente direto de Tan Zhuanqing. Seu avô foi instruído por ele. As pessoas comem seus pratos e comentam por toda a cidade. Ainda nem abriu um restaurante, e já é famoso.

Sam engoliu em seco.

— Quantas pessoas vão participar do teste?

— Dez, para duas vagas. Duas vagas para cozinheiros do norte no time nacional. O resto da equipe vai vir de Cantão, Sichuan, Hunan e Xangai.

— Como vai ser o teste?

Ele se sentia como se estivesse agarrado a uma corda bem alta, por cima de uma corredeira.

— Cada candidato vai preparar um banquete para o comitê. Sobrinho! Você precisa preparar uma refeição celestial para eles!

— Claro — Sam respondeu.

Com uma pontada, deu-se conta da complexidade da questão. Não se tratava de quatro ou cinco receitas, como os chefs faziam naqueles concursos da TV: isto aqui seria um banquete. Tratava-se da sinfonia completa, do Graal sagrado da arte da comida chinesa. Exigia, além de receitas ótimas, também conceito, formato, sutileza e força narrativa.

— Quem são os outros?

— Wang Zijian — Tan respondeu. — Pan Jun. Lu Fudong também.

— Certo — Sam disse.

Ele os conhecia. Bons chefs.

— Zhan Ming — prosseguiu Jiang.

— Sim — Sam disse. — Ele também é bom.

— E Yao Weiguo — concluiu Tan.

— Ah.

Aqui estava seu verdadeiro rival. Yao era excepcionalmente bom. E ele fazia exatamente o que Sam não fazia: inventava algo novo toda vez. Improvisava. O método de trabalho de Yao era como o de um europeu ou de um americano. Ele fazia uma performance, cozinhava ao estilo do jazz, enquanto Sam permanecia como o formalista antiquado.

— Estou preocupado — Sam disse. — Yao sabe cozinhar.

— Você também sabe — afirmou Jiang, pegando no braço dele. — Não precisa ser nada complicado. A refeição perfeita é equilibrada, não enfeitada. Lembre-se das palavras de Yuan Mei. "Não coma com os olhos. Não cubra a mesa de travessas nem multiplique demais as receitas. Na verdade, queijo de soja é melhor do que ninho de andorinha."

— Esses são belos sentimentos naturalistas, tio, mas não acha que as pessoas dessa banca vão comer com os olhos?

— Claro que sim! Tem razão! E é preciso impressioná-las. Mas isso é secundário. A verdadeira perfeição na comida é uma coisa surpreendente de tão modesta. É o que é certo. Ali, vai encontrar o que busca.

Sam suspirou.

— *Zhen bang*. Ótimo.

Na manhã seguinte, Maggie acordou com uma pontada de medo de o recorte que trouxera consigo não estar na mala do computador. Saiu da cama tateando e foi até a pequena sala, onde abriu o zíper do bolso lateral. Lá estava. Um quadradinho de jornal, com a foto do marido, caído, provavelmente já morto, no local do acidente. Tinha sido tirada momentos depois de um carro dirigido por um senhor idoso ter subido em uma calçada de São Francisco, matando Matt e mais duas pessoas. Lá estava ele. Pessoas a seu redor, debruçadas por cima dele. Uma mulher ajoelhada.

Ela não conseguia olhar para aquilo. Só precisava se assegurar de que ainda o trazia consigo. Estava lá, por isso voltou a fechar o zíper e se concentrou no dia que começava. A manhã lá fora estava coberta de cinza. Os prédios pareciam pontas de chumbo.

Pegou um táxi até o prédio New World e subiu de elevador até o décimo sétimo andar.

Então empurrou a porta do escritório da Calder Hayes e sentiu que estava pisando novamente nos Estados Unidos. Revistas americanas na mesa da sala de recepção: parecia uma empresa do seu país. Quando estivera ali com Matt, era tudo igual.

— Posso ajudar? — disse a recepcionista, jovem, chinesa, com ar esperto.

— Sou Maggie McElroy — ela disse e, como a moça não parecia ter entendido nada, completou: — A sra. Mason.

— Ah! Olá! Seja bem-vinda.

— Obrigada. Carey está?

— O sr. James hoje está em Bangcoc. Por favor, espere um minuto.

Ela digitou um código numérico no telefone e falou em um fluxo rápido de chinês. Ergueu os olhos, enxergou Maggie ainda à sua frente e abriu um sorriso reluzente, apontando para as cadeiras.

— Por favor.

Maggie se sentou, desacelerando a respiração, acalmando-se. Logo uma mulher pequena e resoluta chegou pisando firme, ajeitando os óculos em cima do nariz.

— Prazer em conhecê-la — disse. — Sou a srta. Chu.

O sotaque dela era entrecortado, preciso, levemente britânico.

— Maggie McElroy. O prazer é meu. Seu inglês é perfeito.

— Mais ou menos — a mulher avaliou. — Sinto muito pelo seu marido.

Com um leve apertão solidário e simpático, ela pegou no braço de Maggie para conduzi-la pelo corredor.

Na sala de reunião, a srta. Chu lhe entregou uma pasta de arquivo que se abria para revelar o processo. Maggie examinou superficialmente as linhas em inglês e em chinês, que repetiam a informação que Carey lhe dera.

— Acredito — Maggie disse — que primeiro deveríamos ir falar com a mãe. Imediatamente. Preciso da permissão dela para tirar uma amostra da criança.

— Mas, veja bem — disse a srta. Chu —, no momento não sabemos onde a mãe está.

Maggie sentiu suas sobrancelhas se unirem na testa franzida.

— O endereço dela está aqui? — perguntou, apontando para a pasta.

— É o dos avós. Foram eles que entraram com o processo. A criança mora com eles.

— Não com a mãe?

— Não.

Maggie se recostou na cadeira.

— E a mãe...

— Simplesmente não sabemos onde ela está no momento — disse a srta. Chu.

— Certo. — Recue, Maggie pensou. — A questão principal é a criança, a permissão, a amostra. — *Mas eu quero ver esta mulher. Eu preciso ver esta mulher.* — Então, se os avós são os guardiões, vamos procurá-los.

— Mas esse endereço não é em Pequim. Fica em uma cidade chamada Shaoxing. Fica no sul.

Maggie fechou os olhos.

— Então vamos até lá.

— Fica longe.

— Quanto?

— É perto de Xangai. O problema é a passagem — disse a srta. Chu. O sotaque britânico dela se atenuava com as consoantes em mandarim. — Um dos nossos maiores feriados está chegando, o Dia da Pátria. Todo mundo vai estar de folga. Todas as passagens já se esgotaram faz muito tempo.

— Como no Natal? — Maggie perguntou.

— É — respondeu a srta. Chu. — Assim mesmo.

— E trem?

— O mesmo problema.

— Podemos ir de carro?

— É possível. Podemos alugar um carro. Mas vai demorar muitos dias.

— Então, o que sugere?

— Acho que o mais rápido é esperar. Deixe-me tentar conseguir passagens.

A srta. Chu viu que a americana tinha olhos grandes com cílios bastos e seria bonita se não fossem as sardas que se espalhavam pelo nariz e pelas bochechas, e o queixo excessivamente pontudo, quase masculino. Mas o cabelo dela era fora do comum, até mesmo para uma *laowai*, uma massa escura de cachos em forma de mola pendurados ao redor de seu rosto, que lhe atenuavam os ângulos. Cabelos e olhos assim eram bens preciosos, mas esta estrangeira parecia não lhes dar valor. Usava roupas comuns, nada de jóias, pouca maquiagem. As mãos pareciam calejadas. Também tinha ar ansioso. E tinha razão para tanto, pensou a srta. Chu.

— Tente esperar um pouco — ela disse. — Tenho um almoço mais tarde que pode ajudar.

Almoço?, Maggie pensou.

— Tudo bem. Eu espero.

Ela não queria esperar, queria agir. A pauta da revista *Mesa* já tinha ido por água abaixo. Não podia deixar que o teste de DNA também escorresse pelo ralo.

— Então, vamos conversar depois do almoço. Ah, e me chame de Zinnia. É o meu nome inglês.

— Zinnia — Maggie repetiu. — E qual é o seu nome verdadeiro?

— Chu Zuomin.

— É bonito — disse Maggie —, mas eu pronunciaria errado. Tudo bem. Zinnia. — Ela se levantou. — Tome isto. — Entregou a ela seu cartão de visita, com o número do celular destacado. — Este telefone fica sempre ligado. Vou ficar esperando. — Fez uma pausa para respirar. — Aliás, além de Carey, será que ainda tem alguém aqui, agora, que conheceu o meu marido?

— Acho que não — respondeu a srta. Chu. — Só Carey. Ele volta amanhã no fim do dia.

— Diga a ele que estive aqui — Maggie pediu.

Na rua, ela viu seu reflexo na vitrine de uma loja, com o rosto sombreado, seus passos conduzindo-a pela multidão chinesa. Ouviu o seu telefone apitar. Tirou-o da bolsa. Quando voltasse para os Estados Unidos, ela o deixaria desligado por ao menos uma semana. Será que já era Zinnia? Não, uma mensagem de texto da *Mesa*. Ela a abriu.

Como está tudo? Lembrei de você, mando abraços. Sarah.

A culpa apertou o pescoço de Maggie. Ela deveria responder. Deveria dizer a Sarah que a pauta sobre Sam Liang tinha caído, que o restaurante dele não abriria e ele cancelara a entrevista. Enviaria um e-mail ou uma mensagem de texto. Ficou olhando para a tela do telefone. Realmente, não deveria esperar mais.

Mas primeiro precisava comer. Fazia muito tempo que deixara Los Angeles, e nesse período tinha comido pouquíssima coisa além de balas em forma de milho.

Tinha levado consigo o guia turístico que encontrou no apartamento. Nele, examinou a seção de restaurantes na cidade, até achar um que tinha espaço ao ar livre, próximo, que servia 19 tipos de bolinho. Isso lhe pareceu bom e saudável. Ela precisava comer. Fez sinal com a mão para parar um táxi.

No restaurante, acomodaram-na numa mesa de um pátio enfeitado com lanternas e deram-lhe um cardápio em inglês, com fotos. Muitas das pequenas criações se pareciam com os bolinhos que ela comia nos Estados Unidos, mas com recheios exóticos. Outras eram fantásticas criações esculpidas de modo a parecerem com frutas de durião em miniatura, cravos com pontas brancas e peixes roliços com a cauda em forma de leque e pontos vermelhos no lugar dos olhos. Cada um era uma maravilha. Mas ela estava faminta demais para os exóticos, por isso escolheu um bolinho simples, algo substancioso, recheado de berinjela, coentro e endro.

O formato era conhecido, mas o bolinho parecia diferente de qualquer coisa que ela já tivesse experimentado, e parecia bom. A verdade era que ela nunca gostara muito de comida chinesa. Claro que só tinha experimentado comida chinesa nos Estados Unidos, e isso obviamente era só uma parte da história. Sempre ouvira gente dizendo que na China era tudo diferente. Mesmo assim, três anos antes, quando visitara o país com Matt, tinham comido mais em restaurantes italianos e tailandeses do que chineses.

O problema da comida chinesa nos Estados Unidos, para ela, era que tudo parecia igual. Até quando um restaurante tinha 150 itens no cardápio, ela podia pedir todos e ainda assim obter sempre os mesmos poucos sabores a cada vez. Havia o molho marrom picante, o feijão-preto salgado, o gengibre, o alho, a cebolinha, o limão xaropento. Tinha ainda aquele caldo pardacento que geralmente era chamado de molho de lagosta, independentemente de uma lagosta ter ou não chegado perto dele.

O cardápio em suas mãos trazia um quadrado de texto, emoldurado por uma borda toda enfeitada no estilo de madeira entalhada. No alto, dizia: UMA BREVE INTRODUÇÃO À COMIDA CHINESA. Para turistas, ela pensou, e começou a ler.

> Independentemente de como você enxergue a História, o povo chinês se preocupa mais com comida do que qualquer outro no mundo. Compare nossos textos antigos com as obras clássicas do Ocidente: os nossos versam infinitamente sobre utensílios e métodos e rituais ligados à alimentação, principalmente sobre os rituais. A comida sempre foi cercada de comportamentos codificados que por si só carregavam forte significado. Considere, também, a economia envolvida no ato de comer. Tome qualquer dinastia: os chineses gastavam mais do que qualquer de seus contemporâneos no mundo com comida. A China sempre reverenciou grandes cozinheiros, e sempre os pagou bem. Até mesmo as descrições mais arcaicas das cidades mais antigas falam de restaurantes e casas de vinho apinhadas ao longo das ruas de terra ou às margens dos rios. Com as portas abertas para o cheiro de comida e os sons de risadas, com faixas ao vento anunciando as delícias que se encontravam lá dentro. Wu Ching-Tzu, em seu romance *Os Eruditos*, do século XVIII, descreveu esses lugares como "abarrotados de carne gorda de carneiro pendurada, com os balcões cobertos de travessas fumegantes em que se empilhavam pés de porco, lesmas marinhas, conserva de pato no vinho e peixes de água doce. Bolinhos de carne ferviam nos caldeirões e enormes pães enchiam os suportes de cozimento a vapor". Até hoje, poucas coisas nos são mais importantes.

Estava assinado por um tal de professor Jiang Wanli, da Universidade de Pequim. O que ele descrevia com certeza não parecia o tipo de comida que ela conhecia em seu país. Além do mais, o ar a sua volta estava indiscutivelmente tomado por aromas agradáveis e pelo som de conversas prazerosas. Todas as mesas estavam ocupadas. Os garçons passavam a todo momento com cestinhas de cozer ao vapor erguidas. Bolhas de risadas flutuavam pelo ar. Ela foi absorvendo lentamente os arbustos, as lanternas com borlas, as janelas de treliça escancaradas que revelavam outros salões lotados, como esse pátio, com chineses ruidosos e alegres, em sua maioria jovens.

Será que a comida na China era verdadeiramente excepcional? Talvez fosse, pensava agora. Bom, então ela comeria; manteria a mente livre de preconceitos. Claro que, se fosse escrever a matéria sobre o chef, seria o caminho para aprender muito mais. Mais uma vez, sentiu a pontada de pena por ele ter cancelado, tão pungente desta vez que a mão dela entrou no bolso e repousou em cima do telefone. Será que ela devia mesmo desistir? Não. Devia ligar de novo para ele. Mais uma vez.

Repassou os últimos números para os quais tinha ligado até chegar ao dele, respirou fundo e apertou ENVIAR.

Tocou, e ela ouviu um ruído confuso.

— *Wei* — ele disse quando aproximou o aparelho da boca.

— Sr. Liang? Aqui é Maggie McElroy de novo.

— Oi. — Pausa. Ele ficou surpreso. — Como vai? — perguntou.

— Bem, obrigada.

Ela ouvia um emaranhado de vozes atrás dele. Ele meio que cobriu o bocal, disse algo por entre os dentes e então retornou.

— Desculpe. Meus tios estão aqui.

— Estou interrompendo...

— Não. Eles querem que eu fale com você.

— Por quê?

— Perceberam que é uma pessoa do sexo feminino.

— Ah. — Engraçado, pensou. De algum modo, tinha se esquecido de olhar para a questão desse ângulo. — Na verdade, estou ligando uma última vez para falar da reportagem. Não quero insistir muito, mas... eu precisava perguntar mais uma vez, já que estou aqui. Não quer pensar um pouco a respeito?

— Olhe...

— Não preciso escrever sobre o restaurante. Tem tanta coisa... O livro. Você não está fazendo um livro?

— Estou traduzindo, com o meu pai. Estamos fazendo juntos. É um livro que o meu avô escreveu.

— *O Último Chef Chinês* — ela completou.

— Você está a par — ele disse.

Naturalmente. Você é a minha pauta.

— Nós poderíamos falar sobre isso.

— Desculpe, mas não é um bom momento. Devo fazer isso quando o livro for lançado.

— É verdade — ela reconheceu.

— Além do mais — ele disse —, estou abarrotado de trabalho.

Ela entendia os sinais, mas não o escutara dizer *Não*. Pelo menos, não de primeira.

— Com que trabalho?

— Vou fazer um teste para entrar no time de culinária nacional da China. As Olimpíadas de 2008 de Pequim vão ter uma competição paralela de cultura, coisas como ópera, artes marciais. Vai ocorrer em paralelo com as cerimônias de abertura. Culinária é uma das categorias.

— Um teste para a equipe nacional? — Ela digeriu a informação. — O que você vai ter que fazer?

— Preparar um banquete para o comitê. São dez chefs competindo por duas vagas para comida ao estilo do norte do país. O restante da equipe tem mais seis vagas — duas para o estilo do sul, como o do Cantão; duas para o do oeste, que inclui Hunan e Sichuan; e a escola do leste, que engloba Xangai, Jiangsu e Zhejiang, basicamente o delta do Yang-tsé.

— Então, dez pessoas estão disputando as duas vagas do norte?

— Isso. Nos próximos dez dias, a cada noite um de nós servirá um banquete para o comitê. Vão escolher dois. Parece que eu fiquei com a última data: o meu vai ser no sábado da semana que vem. Na décima noite.

— O último. O melhor. Então, dois entre os dez vencem. O que o diferencia dos outros?

— Sou o único com raízes imperiais, e isso é muito raro. Os imperadores mandavam trazer iguarias de todas as províncias, então, de certo modo, eu tenho mais flexibilidade, mas meus padrões artísticos também são mais rígidos.

— E você tem dez dias para se preparar.

— É. Bom, nove. O primeiro banquete é hoje à noite.

— Mas isto é maravilhoso para eu fazer uma reportagem para a revista! Deixe o restaurante para lá. Falando sério, sr. Liang. *Isto* seria fantástico.

— Sam.

— Sam. Eu poderia acompanhá-lo durante o processo. Eu não atrapalharia. Você poderia me mostrar... só um pouco, só o que o fizer se sentir à vontade. Eu escreveria um bom texto. Concursos são uma das minhas especialidades.

Por que ela precisava se esforçar tanto para convencê-lo? A maior parte dos chefs pagava assessores de imprensa para conseguir um espaço na revista *Mesa*.

Mas ele respondeu:

— Não sei. Talvez eu nem tenha a mínima chance. Eu sou meio que um forasteiro... e, além de tudo, também sou o único que usa métodos tradicionais.

— Vença você ou não, a pauta é ótima. Posso quase garantir que vai ficar satisfeito com o resultado — ela disse.

De fato, só com esse vislumbre, ela já via a coisa tomar forma. Pequim era uma cidade nova e reluzente, com todo aquele aço e vidro formando uma fachada apenas parcial por sobre seu passado célebre. O velho e o novo se atracavam numa dança. Quem permanecesse de pé ao final venceria. Seria o novo ou o antigo? Algum vanguardista agitador local ou este sujeito, que voltava para retomar tudo do ponto em que seu avô tinha parado? Acontecesse o que acontecesse, aquilo tinha vida. Fazia um tempo que ela não sentia esse potencial numa matéria. *Por favor*, implorou em silêncio.

— Deixe-me pensar sobre o assunto.

— Eu vou ao lugar onde você estiver trabalhando. Quando você der permissão, não antes.

Ela parou de falar. Não podia avançar mais do que isso.

Mais uma vez, ouviu a bolha de chinês cochichado por trás dele.

— Shh! — ele disse e voltou a ela. — Tudo bem. Eles vão me matar se eu disser não. E você tem razão. Vai ser bom para mim.

Ela ficou na expectativa.

— Mas você vai ter que ser compreensiva. Não vou poder me arrumar todo para encontrar com você em restaurantes e ter longas conversas. Não neste momento.

— E por que eu desejaria isso? Só vou observar enquanto você trabalha. Você fala quando puder. Eu escuto.

— Certo. Deixe-me pensar... Basicamente, vou ficar trabalhando que nem um escravo o tempo todo para conseguir organizar tudo. Amanhã? Quer vir amanhã?

— Tudo bem.

Um sorriso se ergueu nas pontas dos lábios dela. Mais uma vez, aquela estranha sensação de que algo bom aconteceria.

— À tarde? Às duas?

— Ótimo — ela disse.

— Ligue ao entrar no táxi. Eu direi ao motorista aonde levá-la.

— Certo — ela disse.

Logo antes de desligar, ela o escutou falando com os tios, passando para o chinês sem nem mesmo pestanejar, sem parar para respirar, aquele tom melódico, o som suave e fluido das palavras, e então, *click*, já não estava mais lá. Ela ficou sorrindo para o celular durante um segundo, agitada de tanto alívio, e então digitou um texto de resposta a Sarah: *Obrigada pela mensagem. Estou me virando. Vou falar com o chef amanhã. Bjs, M.*

Ergueu os olhos. Um garçom se aproximava dela atravessando os bolsões de luz elétrica, o barulho da louça batendo e as vozes: Será que a cestinha que carregava era para ela? Era sim. Ela se inclinou por cima da iguaria: um invólucro delicado, transparente, com um picadinho de legumes delicioso dentro. O aroma a envolveu. Ela teve a impressão de que seria capaz de comer tudo que havia naquele lugar. Experimentou o molhinho com o dedo: soja, vinagre, rodelinhas de cebolinha.

— Obrigada — ela disse em inglês, erguendo os olhos. Mas ele já tinha desaparecido no meio da multidão.

3

Yuan Mei, um dos maiores gourmets da China, certa vez perguntou a seu cozinheiro por que ele escolhera permanecer na casa deles, relativamente modesta, tendo em vista que era tão talentoso e capaz de produzir iguarias fantásticas utilizando até os ingredientes mais comuns. O cozinheiro respondeu: "Encontrar um patrão que aprecie o que se faz não é fácil. Mas encontrar um que entenda alguma coisa de cozinha é ainda mais difícil. Na confecção de cada receita há tanta imaginação e esforço mental envolvido que é bem possível dizer que eu sirvo minhas receitas junto com toda a minha mente e o meu coração."

— Liang Wei, *O Último Chef Chinês*

O chef morava em um prédio baixo, com aparência antiga, de frente para a ponta estreita ladeada de árvores de um lago chamado Houhai. A rua que margeava o lago era cheia de construções cinzentas, desgastadas pelo tempo. Algumas eram residências, com a roupa lavada transbordando pelas janelas e mulheres na frente, em banquinhos. Outras tinham sido convertidas em cafés e bares, os últimos marcados pelos baldes de garrafas vazias da noite anterior que tinham sido colocados para fora. A casa do chef dava de frente para a rua com nada além de um muro de pedra e um enorme portão vermelho de madeira. Sem marca nenhuma a não ser um número esmaltado na lateral. Maggie bateu.

Do outro lado do muro, ouviu passos no cascalho, e então um homem, quase precisamente do mesmo tamanho que ela, com bochechas saltadas e cabelo preto preso em um rabo-de-cavalo bem apertado, abriu o portão.

Ele podia ser um estrangeiro sul-americano ou mediterrâneo, mas pela maneira de ficar em pé, relaxado em cima das juntas, ela viu logo que era americano.

— Sam — ele disse e estendeu a mão.

— Maggie.

— Estou na cozinha.

Ele esperou até que ela passasse pelo lintel elevado, então voltou a trancar o portão.

À frente deles, havia uma tela vazada de cerâmica em verde-e-amarelo. Ela fez uma pausa, incapaz de se segurar para não tocar naquele desenho em porcelana de alto-relevo de dragões em movimento.

— Isto aqui não tem alguma coisa a ver com maus espíritos?

— Tem. Supostamente, eles só conseguem se deslocar em linhas retas. Isto está aqui há muito tempo. Quando eu reformei para o restaurante, deixei aí, achando que precisava de toda a ajuda que pudesse obter dos espíritos. Para fora com os maus, que venham os bons.

— Não sei se funciona — ela disse. — Mas é lindo.

Do outro lado da tela estendia-se um pátio aberto com árvores em vasos e caminhos pavimentados com mosaicos. Quatro salões com varandas cobertas e ornamentadas davam para dentro.

— Esta casa tem o desenho tradicional do estilo de Pequim. Não sobraram muitas. Aqui em cima — ele disse, e conduziu-a por três degraus que levavam à varanda coberta do salão que dava de frente para o portão.

— Você aluga ou comprou? Dá para comprar imóveis aqui atualmente?

— Dá, mas aqui não temos a mesma segurança em longo prazo do Ocidente... as coisas podem mudar. Mas esta casa é da minha família desde 1925. Era bem maior na época, tinha oito pátios, não um. Mas quando voltamos, há poucos anos, tinha sido reduzida a isso.

— Eu não sabia que as pessoas recebiam propriedades de volta.

— Algumas receberam, quando o governo não as usava para nada. E eu também sei que existe a possibilidade de não ser minha para sempre. Mas por enquanto é minha, então vou usá-la.

— Que sala ótima — ela disse, seguindo-o por um salão de refeições escuro e de pé-direito alto, vazio a não ser por uma mesa e a superfície brilhante das lajotas pretas no chão.

— Está vendo o piso? As lajotas ficam mergulhadas em óleo durante um ano. Faziam isso na Cidade Proibida. Eu tirei as mesas ontem. Guardei no depósito. Eu não conseguia mais ficar olhando para elas depois que o meu investidor desistiu. Aqui está a cozinha.

Ele segurou uma porta vai-e-vem aberta para que ela entrasse antes dele. Ela tomou fôlego. Tinha entrado em muitas cozinhas, mas esta aqui era estonteante de tão organizada. Cada centímetro de parede estava forrado de prateleiras que continham tigelas e potes e frascos e jarros cheios de pastas, molhos e especiarias. De um lado havia dois fogões de restaurante no estilo oriental e uma fileira formidável de utensílios. Atrás ficavam os refrigeradores grandes e as pias de preparação. Uma ilha formava um balcão elevado no centro, com três tábuas de cortar polidas e redondas, como se fossem fatias de um tronco de árvore.

— Você realmente pensou em tudo.

— Tive ótimos professores.

— Quem foram?

— Meus tios. Dois aqui, um em Hangzhou.

— A sua cozinha é linda. — Ela foi na direção de uma banqueta enfiada embaixo de uma das pontas da ilha. — E eu falei sério, não quero atrapalhar. Vá trabalhar. Posso me sentar aqui?

— Pode se sentar ali. Está bem. Há quanto tempo está em Pequim?

— Este é o meu segundo dia.

— O que está achando da comida?

Ela ergueu os olhos e seu rosto se iluminou.

— Fantástica! Até agora, só comi algumas vezes, é claro, mas não teve nada a ver com qualquer comida chinesa que eu já tenha experimentado. Não que eu seja especialista.

— Você não escreve sobre comida asiática?

— Não. — Maggie desencavou seu caderninho da bolsa junto com a caneta. — Eu escrevo sobre comida americana, e também não é sobre as coisas refinadas. Sobre a comida do dia-a-dia, comida regional, as histórias humanas. Sabe como é: concursos, feiras, festivais.

— O que muita gente realmente come — ele disse.

— Exatamente.

— Para o modo de pensar chinês, isso pode ser muito profundo. Nós temos uma longa tradição de valorização do rústico. De todos os tipos de comida, essa é para nós a mais próxima da natureza, a mais humana. Há quanto tempo você faz isso?

— Doze anos.

Ele a estudou.

— Então, por que a escolheram para fazer isso?

— Porque eu tinha que vir para cá de qualquer forma.

— Certo. Você disse alguma coisa sobre outros assuntos.

— Disse — ela respondeu, e mudou de assunto. Quanto menos ele soubesse sobre aquilo, melhor. Com ele, ela tinha um trabalho a fazer. Além do mais, nada era mais eficiente em fazer com que ela parecesse velha e sofrível do que dizer que era viúva; atestara esse fato com clareza desde a morte de Matt. — Mas, pensando na sua pergunta, para mim, a comida chinesa aqui parece completamente diferente. Posso não ser especialista, mas, quer dizer... eu trabalho para uma revista de *comida*, pelo amor de Deus. Já comi na minha cota de restaurantes chineses. E as coisas que comi a vida inteira *não* têm o sabor das coisas que experimentei aqui. Nem de longe.

— Mas qualquer pessoa que conhece a comida daqui poderia ter lhe dito isso.

— É mesmo? — ela abriu o caderno em uma folha em branco.

— A culinária sino-americana é completamente diferente. Realmente, não tem nada a ver com a chinesa. Tem seus encantos, sem dúvida. Mas não é a mesma.

— Como assim?

— A culinária sino-americana evoluiu por uma razão diferente: para fazer com que os americanos aceitassem uma maneira de cozinhar e de comer fundamentalmente diferente. Atingiram a meta mirando na familiaridade, o que é brilhante, de uma forma estranha. Desde que as primeiras casas de chop suey abriram, era isso o que ofereciam, algo que parecia exótico, mas na verdade era familiar. Confiável. Não é fast-food, mas é confiável da forma que a fast-food é. Aqui é diferente. É o oposto. Cada receita tem que ser única, diferente de todas as outras. No entanto, todos seguem princípios rígidos, e todos têm o objetivo de alcançar coisas que a cozinha ocidental nem tenta fazer, muito menos consegue.

Ela anotava com a maior rapidez possível.

— É melhor eu começar a trabalhar — ele disse.

Tirou um avental de um gancho na parede, colocou a alça por cima da cabeça e amarrou. Virou as costas para ela e ficou parado por um segundo, com a cabeça abaixada, em silêncio.

Ela ficou olhando para o cabelo preto no rabo-de-cavalo dele por um segundo e continuou a escrever. *Baixa os olhos enquanto amarra o avental.*

Procura alguma coisa, como uma âncora caindo em busca das profundezas. Ela ficou observando sem dizer nada.

Primeiro, encheu um escorredor de camarões graúdos e lavou com água fria, então enxugou com uma toalha até ficarem bem secos. Juntou clara de ovo, sal e alguma coisa em pó que chiava ao ser manuseada, parecida com amido de milho. Ela observava os nós dos dedos morenos dele, magros e saltados, reluzindo no meio da mistura. Colocou na geladeira e lavou as mãos.

— Pronto — ele disse.

Ela gostou do fato de ele ter ficado de costas para ela para trabalhar. Era bom ele se sentir à vontade com ela ali. Assim, ela se sentia confortável também. Parecia que ele tinha terminado com o camarão, pelo menos por ora, de modo que ela arriscou mais uma pergunta.

— Você disse que a culinária chinesa na China tenta alcançar certos objetivos.

— Sim.

— Objetivos que a diferenciam das culinárias ocidentais?

— É. — Ele refletiu. — Para começar, nós temos ideais formais de sabor e de textura. Esses são os princípios rígidos que mencionei. Cada um é como um objetivo que cada chef tenta alcançar; seja independentemente ou em combinação com os outros. Depois tem o artifício. A culinária ocidental não tenta fazer absolutamente nada com artifício.

— Artifício.

Ela queria se assegurar de que tinha escutado direito.

— Artifício. Ilusão. A comida deveria ser mais do que comida; deveria estimular e provocar a mente; temos muitas receitas que chegam à mesa parecendo uma coisa e se revelam outra completamente diferente. O exemplo mais óbvio seria um pato ou um peixe que na verdade é vegetariano, criado inteiramente com soja e glúten, mas há vários outros exemplos de receitas ilusórias. Nós nos esforçamos para iludir o comensal por um instante. Isso adiciona uma camada de brincadeira intelectual à refeição. Quando funciona, o gourmet se delicia.

— Certo — ela disse. — Artifício.

— Pode chamar de teatralidade. A sociedade chinesa tem muito a ver com teatralidade. Não apenas na culinária. Depois tem a cura. Usamos a comida para promover a saúde. Não estou falando de nutrição balanceada; toda culinária faz isso, até certo ponto. Estou falando do fato de cada alimento ter uma indicação medicinal específica. Acreditamos que cada ingrediente tem certas propriedades: quente, frio, seco, molhado, apimentado, amargo, doce etc. E acreditamos que desequilíbrios sejam causados quando essas propriedades estão fora de eixo. Então, um cozinheiro competente é capaz de criar receitas que curarão o comensal.

— Está falando da cura de doenças?

— Estou, mas é mais do que isso. Os problemas das pessoas também têm camadas mentais e emocionais. Os alimentos certos são capazes de deixar a mente e o coração mais leves. É tudo um sistema só.

— Você cozinha assim? — ela perguntou. — Você, pessoalmente?

— Não exatamente. É uma especialidade.

— Certo — ela disse, anotando. — Cura. — *Até parece que comida é capaz de curar o coração humano.* — É isso?

— Mais uma coisa. A mais importante de todas. É a comunidade. Cada refeição consumida na China, seja o banquete dos mais grandiosos ou o almoço mais pobre comido por operários em um beco, toda refeição é compartilhada pelo grupo.

— Isso é verdade no mundo todo — ela retorquiu.

— Não. — Ele a encarou e, pela primeira vez, ela viu frieza em seu rosto. Não tinha apreciado a discordância dela. — Não servimos porções individuais. Quase todas as outras culinárias funcionam assim. De maneira geral, no Ocidente, tudo se serve sempre em porção individual. Reflita sobre isto.

— Bom... — Era verdade. Todo restaurante chinês em que já estivera colocava a comida no meio da mesa. — Dou o braço a torcer — ela disse.

Ia escrever *Não gosta de ser contestado*, mas, em vez disso, escreveu *Toda comida é compartilhada*, porque era verdade. Ele tinha razão.

Agora ele tinha tirado uma peça de costeletas de porco de um saco plástico de marinada e as separava umas das outras com um cutelo. O tronco de árvore dele mal se mexia. Ela o observou movimentando o braço e o ombro. Ele era esbelto porém forte.

— O seu avô era chef — ela disse.

— Sim.

— E o seu pai também?

Ela o viu hesitar por um instante antes de retomar. *Então: tem um problema aqui.*

— Era.

— Então, foi ele que o ensinou a cozinhar?

— Não. Meu pai parou de cozinhar quando foi para os Estados Unidos. Eu aprendi aqui.

— Como?

— Bom, em primeiro lugar, eu sempre cozinhei. Aprendi o básico com a minha mãe: peito, canja de galinha, chalá. Mas, há quatro anos, resolvi mudar de vida e aprender a cozinhar de verdade. Vim para cá. Eu disse a você, meus tios. São chefs incríveis, são mais velhos, estão aposentados; eles me ensinaram. Em tempo integral. Passei os primeiros anos praticamente agachado embaixo deles. Eles eram severos. Pode chamar de ensino à moda antiga.

— Foram eles que eu ouvi ao telefone?

— Dois deles. Naquela hora, eram Jiang e Tan, que eu chamo de Primeiro e Segundo Tio. Jiang Wanli e Tan Jingfu. Tem um terceiro, tio Xie, que mora em Hangzhou. Xie Er.

— São irmãos do seu pai?

— Não. Xie é filho de um homem que trabalhou com o meu avô na Cidade Proibida. Tan é neto do professor do meu avô, Tan Zhuanqing, que foi um chef muito famoso. Jiang foi criado em Hangzhou com Xie; eram melhores amigos. Então, não somos parentes de sangue, mas nossos laços se estendem por gerações. Esse tipo de conexão é muito forte aqui. Mais do que no Ocidente.

— E todos os três eram chefs?

— Tan e Xie eram chefs. Jiang é catedrático em alimentação, é professor aposentado.

— Eu sabia que tinha visto esse nome em algum lugar. Li um pequeno texto dele em um cardápio de restaurante.

— É ele mesmo. Ele também cozinha; diz que não, mas cozinha.

— E eles foram severos com você?

— Terríveis! Eles me xingavam. Eles me ameaçavam, gritavam comigo, jogavam utensílios no chão se eu não era rápido o suficiente... e quando eu preparava alguma coisa que não estivesse suficientemente boa, eles mandavam para o lixo.

— Ah! — Ela escrevia, saboreando as palavras dele e o barulho da caneta arranhando o papel. — E depois, o seu pai. Você disse que ele simplesmente parou de cozinhar. Por quê? — Ela ergueu os olhos.

Mais uma vez ele hesitou, a mão parada no ar com o cutelo. Então, voltou a cortar.

— Era difícil demais para ele nos Estados Unidos.

— Mesmo assim, fico aqui imaginando por que ele não ensinou você.

Para Sam Liang, responder a essa pergunta era sempre difícil. Todo mundo na China se lembrava de seu avô como chef; menos gente se lembrava de seu pai. Ainda assim, todo mundo partia do princípio de que seu pai o ensinaria. Na verdade, Sam daria qualquer coisa para que seu pai o tivesse ensinado, para que ele tivesse se importado: mesmo que gritasse com ele, que o insultasse e que lhe desse tapas, como os tios faziam. Mas o pai se recusara. Ele dizia que nenhum Liang jamais voltaria a cozinhar, e certamente não o filho dele. A culinária chinesa tinha acabado. Estava morta. Boa comida precisava de mais do que chefs, precisava de gourmets para apreciá-la. Essas pessoas eram tão importantes quanto os chefs. Mas os comunistas tinham tornado ilegal o ato de apreciar comida refinada e até mesmo se lembrar de que ela algum dia existiu. Fizeram as massas comerem cozidos toscos e cartilagem e acharem que estava ótimo assim. Na América e na Europa também, os gourmets chineses eram quase inexistentes. Tinham sobrado alguns em Hong Kong ou em Taiwan, mas era só. Pelo menos era o que dizia Liang Yeh.

Quando Sam tentou sugerir ao pai que as coisas tinham mudado, que um mundo de arte, discernimento e bom gosto estava renascendo na China, e que voltar podia valer a pena, o velho explodiu. "Nunca volte para a China! Nunca coloque os pés lá! É um lugar perigoso, governado por brutamontes!"

Na verdade, apesar de Liang Yeh ter ficado feliz com o fato de Sam ter se formado na Universidade Northwestern e ter se tornado professor, só tinha lhe feito dois pedidos na vida. Um, que nunca voltasse para a China. Dois, que se casasse e tivesse um filho. Sam não o satisfizera em nenhuma das frentes. Desceu o cutelo mais uma vez por entre as costeletas.

A americana parecia ler o silêncio dele.

— Então, tudo bem, seu pai não o ensinou, foram os seus tios. Mas estou certa em dizer que você ainda cozinha no estilo do seu avô?

— Certamente.

— E, assim como ele, você se sente o último chef chinês?

— Não o último — ele disse. — Talvez um dos últimos. Acho que sou mais otimista do que o meu avô. Ele achava que tudo tinha chegado ao fim. Estava convencido de que o estilo imperial morreria com a geração dele. A geração do meu pai pensava a mesma coisa. E, no entanto, parece que sempre houve algumas poucas pessoas que o mantiveram ativo.

— Por quê?

— Porque era a coisa mais elevada que existia. Além de incorporar todas as regiões da China, todas as escolas de culinária, era o maior sonho de um chef. Nas cozinhas da Cidade Proibida, era possível criar qualquer coisa. Lá havia os ingredientes mais refinados de todo o mundo. Centenas de pessoas cozinhavam para uma família só.

— Então, quem se tornava cozinheiro?

— Ah — ele respondeu. — Não é o que você pensa. Não eram só pessoas específicas. Qualquer um podia vir a ser cozinheiro. Era um dos aspectos estranhos da China feudal. Alguns chefs eram ricos e educados, outros eram pobres. Ser cozinheiro era uma das profissões que dependiam unicamente de talento. Qualquer pessoa que se destacasse nesse ramo era capaz de chegar ao topo. As pessoas respeitavam os grandes cozinheiros. Aliás, um grande chef do século XVIII a.C. se tornou primeiro-ministro, de tão boa que era a comida dele. Seu nome, Yi Yin, ainda é citado com admiração, milhares de anos depois. Até hoje, quando as pessoas falam sobre a negociação de assuntos de Estado, dizem "ajustar os tripés" em homenagem a ele e às panelas de bronze de sua época. Você verá por si só, quanto mais tempo ficar aqui: somos ultra-sérios na questão da alimentação.

Ele fala sobre os chineses e diz "nós", ela escreveu. *O rosto dele é moreno, indeterminado. Se eu não soubesse que ele era sino-judeu, nunca teria adivinhado. Podia ser grego, afegão, egípcio. Poderia ser de qualquer lugar.*

— Então, que tipo de pessoa o seu avô era antes de se tornar chef?

— Escravo.

— Havia escravidão até tão tarde assim?

— A China foi feudal até 1911.

— Então, ele tinha dono.

Ela escreveu: *Descendente de escravos.*

— Mas ele não nasceu assim. Ele se vendeu. Era ou isso ou morrer de fome com a família dele.

— De onde ele era?

— Daqui. De Pequim. Dos becos. Você devia ler a história. — Ele apontou a faca para a outra ponta do balcão. — Eu que organizei. É o prólogo do livro. Foi a primeira coisa que eu passei para o inglês. Pode levar, se quiser. Ou pode ler aqui.

— Sério?

Ele retornou às suas costeletas.

— Tanto faz. Agora eu preciso cozinhar.

— Devo ir para a sala ao lado? — ela perguntou, apesar de não ter visto nenhum lugar para se sentar lá. Só uma mesa. Sem cadeiras.

— Como quiser.

Ele estava juntando cebolinha verde picada em um montinho.

Maggie o observou por um segundo. Ela apreciava os ritmos dos sons que ele produzia e também os aromas brutos e sem misturas. Tudo que ele pensava e sentia e dizia se condensava no alimento sob suas mãos. E o lugar era confortável; isso era estranho para ela, porque geralmente, quando estava na cozinha dos outros, Maggie se sentia igual a quando estava em uma casa que não era sua: com vontade de ir embora o mais rápido possível. Fazer a entrevista, anotar suas observações e cair fora.

— Acho que vou ficar aqui — ela disse.

Agora ele estava concentrado no preparo da comida e só lhe lançou um aceno distraído. Assim, ela se apoiou sobre os cotovelos, virou a página com o título, *O Último Chef Chinês*, e começou a ler.

* * * Meu nome é Liang Wei. Nasci no décimo nono ano do reinado de Guangxu, o ano que no Ocidente é chamado de 1894, na camada mais baixa da sociedade. Minha família morava no beco. Cinco de nós vivíamos no mesmo quarto, mas tínhamos o orgulho da cidade. Éramos gente da capital. Pelo menos sabíamos que éramos melhores do que milhões de outras pessoas.

Meu pai era um vendedor que ia todos os dias às grandes praças abertas dentro do Portão de Fucheng, para vender copos de chá aos homens que passavam junto com filas de camelos e carroças puxadas por mulas. No calor do verão e no gelo entorpecente do inverno, ele ia. As caravanas compravam, ou não compravam. Era comum que não comprassem. À medida que os anos foram passando, seu rosto foi ficando marcado pelos entalhes de sua sina.

Quando eu tinha sete anos, estávamos morrendo de fome. Foi tomada a decisão para que um dos filhos fosse vendido. Geralmente, a família vendia uma menina, mas a menina da nossa família era a mais nova. Pequena demais para ser vendida. Eu disse que iria. Estava na hora de eu ser homem.

Pelo menos, com esse movimento, eu sabia que teria o que comer. Havia uma razão por que famílias pobres como a minha vendiam os filhos para o ramo dos restaurantes. Era escravidão, mas vinha com refeições quentes, três vezes por dia. E se o jovem se mostrasse talentoso, realmente não havia nada que o impedisse de chegar ao topo. Com a comida, um homem era capaz de avançar apenas por seus méritos, sem dinheiro, linhagem nem educação.

E foi assim que aconteceu comigo. Ter sido vendido foi o início da minha vida. Um negociante me revendeu para ser empregado no palácio. Nunca antes um lugar assim existiu; nunca mais existirá outro igual. Naqueles anos, os últimos do reinado de Ci Xi, havia cinco divisões: carnes, vegetais, cereais — que significava arroz, pão e macarrão —, petiscos e confeitos. Uma variedade incrível de alimentos era trazida ao palácio, não apenas carne de caça e aves e frutos do mar de todas as descrições, mas também frutas e legumes escolhidos especialmente nas fazendas específicas, cada exemplar colhido da base da planta, o lugar mais próximo da raiz, e, portanto, da vida. Os tributos vinham dos representantes espalhados por todo o império. Do noroeste vinham melões *hami* redolentes e uvas doces; do sul, laranjas, tangerinas, longans, açúcar cristal e lichias. O governador de Shandong enviava sementes de lótus, tâmaras, caquis secos e amendoins. De Liaoning e da Manchúria vinham frutinhas de visco e peras. O repertório da cozinha do palácio cobria 40 mil receitas. As criações mais importantes — as preferidas da família imperial — às vezes se transformavam no objetivo único de toda a vida de um cozinheiro famoso.

Eu morava com mais dois garotos, Peng Changhai e Xie Huangshi, num pequeno quarto alugado na Cidade Tartar, a meia hora a pé do palácio. Nesse enclave murado, que rodeava a Cidade Proibida como uma praça maior, viviam os Manchus. Parentes do imperador e senhores das Oito Bandeiras, eles por sua vez mantinham todo um segundo mundo de criados, artesãos, obreiros. Nós, os assistentes de cozinha, em nosso quartinho de tijolos com suas poucas janelas pequenas, estávamos na base desse setor geralmente privilegiado da cidade.

Mas pelo menos éramos escravos e não eunucos. Os eunucos podiam morar no palácio. Eles detinham poder inimaginável. Mas qualquer homem que ainda tivesse seus três preciosos, suas partes pudendas, tinha que sair de lá antes do pôr-do-sol. E, então, nós vínhamos para cá, para a Cidade Tartar, para o nosso quartinho.

Xie Huangshi era o irmão muito mais novo do eunuco Xie, que dirigia a cozinha exclusiva da imperatriz viúva, que se chamava Cozinha Ocidental. A família deles também fora pobre — no passado. Então, o irmão mais velho dos Xie passara pela faca e entrara para o mundo brilhante e pintado da Cidade Proibida. Ele assumiu o controle das cozinhas e rapidamente ganhou poder. Finalmente, levou o irmão mais novo, Xie Huangshi — mas como escravo, não capado. O eunuco passava a impressão de descaso, mas todos sabiam que ele protegia o menino. Colocou-o sob as ordens de um dos maiores cozinheiros do palácio, Zhang Yongxiang. Zhang não conhecia limites. Sua receita mais famosa incluía brotos gordos de feijão-da-china de que se tirava a polpa com um arame para depois serem enchidos com carne de porco picadinha temperada e assada no vapor com perfeição delicada. Xie Huangshi o seguia como uma sombra, sem nunca sequer levantar o braço sem tentar fazer como seu mestre fazia.

Peng e eu ficamos sob o comando de Tan Zhuanqing. Não houve nenhum acidente na minha vida mais fortuito do que esse. E não era só pelo fato de lorde Tan ser o melhor chef de sua geração, como era; pelo fato de ele ser um homem de grande talento. Todos os Manchus recebiam pensão ao nascer — lorde Tan costumava dizer que esta tinha sido a ruína da tribo —, mas mesmo entre eles, Tan Zhuanqing vinha de uma família especialmente abastada e poderosa. Desde muito pequeno, já era famoso por suas conquistas intelectuais. Aos 26 anos, era membro da Academia de Hanlin. Dizia-se que tinha escrito o melhor ensaio das oito pernas de que alguém se lembrasse. Sabia tudo sobre antiguidades e era especialista disputado na questão de relíquias culturais. Ele era aristocrata. Tinha dinheiro, posição. Poderia ter passado a vida fazendo o que bem entendesse. E o que gostava de fazer era cozinhar no palácio.

"Por quê?", eu perguntava. "A venerável Buda[1] só dá algumas mordidas."

"Não é ela. Dez mil anos para ela, é claro, mas ela só se importa com bolinhos que lhe trazem conforto e a levam de volta a outros tempos. São os príncipes! Gong, Chun e Qing — Diretor-geral Li Lianying. É para eles que eu cozinho."

---

[1] Título oficial dado à imperatriz lixi (N. da E.)

Nada mais do que uma pequena observação, mas foi algo que me fez ver como todas as coisas se encaixam. Havia uma platéia-sombra para as cozinhas do palácio, que era muito exigente e altamente apreciativa. O que acontecia com a comida todos os dias, depois de cada refeição, não era acidente.

Sempre que a Imperatriz Viúva entrava no salão e comia, deixava várias dúzias de pratos elaborados intocados. Nós os acondicionávamos em grandes caixas laqueadas, divididas em seções, com uma refeição para uma família de oito pessoas em cada caixa, e as amarrávamos com cânhamo. Elas eram carregadas pelos eunucos até a casa dos príncipes e dos altos oficiais. Lá, recebiam gorjetas e presentes inimagináveis.

Quando eu ia até a cidade, era com Tan Zhuanqing. Ele gostava de escolher suas próprias provisões. Todo mundo o conhecia. Ele era famoso. Ouvi pessoas perguntarem a ele: Por que não sai do palácio? Abra seu próprio restaurante. E ele sempre dizia que não poderia haver vocação mais elevada do que cozinhar para o imperador. Estava certo. Mas, atrás daquela verdade, havia outra, que era o fato de ele também cozinhar para os conhecedores. O gourmet era tão importante quanto o chef. *Liang tiao tui zou*: a arte caminha em duas pernas. Para ter uma, você precisa da outra.

Eu aprendi com ele. Às vezes, via quando ele ia até uma panela de caldo quando achava que ninguém estava olhando e adicionava uma pitada secreta de alguma coisa que carregava no bolso. Todos nós víamos, todos implorávamos para que ele dissesse o que era, mas eu era o único para quem ele contava. Daí, é claro, eu contava a Peng e a Xie. Éramos irmãos.

Lorde Tan providenciou a nossa educação. Viu que Peng, Xie e eu tínhamos dons, e isso significava que precisávamos aprender a ler. "Vocês devem ler os clássicos da culinária", ele dizia. "Nenhum chinês pode dizer que é chef sem isso." Nós teríamos nos jogado do alto de montanhas por ele, faríamos qualquer coisa, por isso nos esforçávamos muito para o tutor dele. Queimávamos velas até o raiar do dia, e assim a porta das palavras se abriu. Lorde Tan nos forneceu uma passagem para um mundo mais elevado. Ali, tudo tinha sido registrado, a verdade acumulada de todas as coisas passadas. De certo modo, parecia que eu estava deixando meu velho mundo quando aprendi a ler — certamente deixava para trás o mundo limitado do imediatismo, que até então era o único mundo que eu conhecia. Descobri que tudo de que eu precisava já tinha sido conhecido em algum lugar, e estava escrito em algum lugar. Agora que, neste paraíso de comida, a fome dos meus primeiros anos tinha sido satisfeita, meu apetite era por palavras. Eu queria saber tudo que a humanidade soube antes.

No entanto, o que eu lia não eram receitas; estas quase nunca eram anotadas. A maneira de se preparar uma iguaria era sempre secreta, e exclusiva, e a única forma de aprender era por meio da observação. Assim, nos meus anos de estudo, o que fiz foi observar lorde Tan.

Certo dia, estávamos preparando uma refeição de meio-dia para a imperatriz. Ele estava criando seu pato glaceado. O segredo dele para essa receita era a concentração total na essência primária do alimento em si. Assim, ele usava gordura de pato, tirada de outro pato, e caldo de pato, destilado de vários outros ainda. O pato deveria ter sabor inteiramente de pato, o pato deveria ser usado de todas as maneiras. Foi o que ele me ensinou. Não fazia diferença se quatro ou cinco patos eram usados para fazer um só. Esta era a busca da perfeição. E este era o segredo dele: ao dobrar e triplicar a essência do pato, ele era capaz de chegar ao *nong*, o sabor concentrado e pungente e um dos sete picos de sabor e de textura.

Ele era mais sábio do que qualquer alquimista. Suas receitas lhe trouxeram toda a glória sob o céu. E ele fazia isso com a mesma facilidade com alimentos básicos e simples e com iguarias raras. Costumava dizer que a melhor comida era simples e aconchegante; a que nos lembrava de quando éramos crianças, ou de quando nos sentíamos amados, ou de quando nos animávamos com a crença em alguma coisa. Era por isso que a Imperatriz Viúva sempre pedia *xiao wo tou*, bolinhos toscos de sorgo-vassoura feito com farinha de castanha, *osmanthus* e tâmaras. Eles a lembravam de quando a família real fugiu para o noroeste durante a Rebelião dos Boxers. Não que os fugitivos fossem heróicos, ele sussurrou para nós, seus jovens protegidos — eles abandonaram sua capital. Mas agora estava acabado, era passado, e ela podia se lembrar de como era estar na estrada, a céu aberto, comendo bolinhos toscos de sorgo.

Naquele dia, lorde Tan prestava muita atenção ao pato. *Nong* era uma qualidade que passava do ponto com facilidade. O cálculo do tempo exato era tudo.

Mas Tan era um mestre que sintetizava o conhecimento sem esforço. Sempre sabia remover o pato em seu momento mais sublime. Quando chegou a hora de servir a comida, fui para fora e me enfileirei com os outros aprendizes, todos nós paramentados com nossas vestes azuis com mangas brancas sobrepostas. A imperadora comia no Salão da Felicidade e da Longevidade. Eu mal o enxergava no final do longo caminho de tijolos. Naquele momento, estavam arrumando as mesas lá.

Então veio o chamado. Cada um de nós colocou uma caixa laqueada em cima dos ombros e avançou em uma fileira de pés sussurrantes. No salão, dispusemos as travessas em locais escolhidos pelos geomantes e pelos oficiais de protocolo da Cozinha Ocidental. Tudo era feito de acordo com o padrão, a ordem, a harmonia. Havia receitas quentes e frias, aves assadas, sopas, peixes fritos e no vapor e grelhados, e todo tipo de produtos de confeitaria no estilo do norte, doces e salgados. Do sul distante vinham caranguejos preservados no vinho e geléia de lichia fria fresca. Havia barbatana de tubarão enviada pelo rei das Filipinas, e ninho de passarinho do estreito de Málaca.

Pousamos as travessas e nos retiramos, como sempre. Naquele dia, não voltamos para a Cozinha Ocidental, mas esperamos em outro salão ali próximo, vazio, amadeirado e empoeirado, ecoando com os nossos passos e as risadinhas das nossas piadas. Então voltamos para lá e acomodamos a comida nas caixas laqueadas com dragões entalhados, como sempre. Amarramos as tampas com barbantes verdes e vermelhos e as fixamos em hastes.

Então o Velho Li, o eunuco que sempre pegava a minha haste, aproximou-se e ficou parado. "Menino", ele disse, "você conhece o distrito de Houhai?

"Claro que sim, senhor", respondi, porque tinha sido criado ali.

"Então, leve isto ao palácio da família Gong. Você conhece a rua?"

"Como a palma da minha mão. Mas, honorável senhor, não é meu papel ir até lá. É o seu."

"E você acha que eu não sei? Maldito destino! Mas é urgente. Estão me chamando. Você leva?"

"Levo, honorável senhor." Antes mesmo de eu ter terminado de falar, ele ajeitou suas vestes e se afastou. A haste dele continuava nas minhas mãos.

Coloquei no ombro. Encaixou com facilidade por cima do osso. A mansão do príncipe Gong ficava perto do lago. Eu conhecia o lugar. Caminhei na direção dos fundos do palácio, porque seria melhor sair pelo portão de Shen Wu.

Então, lá estava eu, no meio da cidade lotada de gente, minhas vestes azuis e brancas esvoaçando, cheias de importância, a caixa laqueada imperial agitando-se com os meus passos. As pessoas saíam da minha frente. Multidões se abriam. Eu estava usando as cores do palácio.

No portão de entrada da mansão dos Gong, a haste e a caixa foram reconhecidas no mesmo instante, mas eu não fui. "Honorável lorde", eu disse para o guarda do portão, "Mestre Li não pôde carregar estas caixas hoje. Sou um aprendiz indigno."

O guarda do portão gritou para alguém. Um portão para os jardins internos se abriu e uma linda jovem saiu com um criado. "Ah! Onde está tio Li?"

"Ele ficou preso."

"Você veio no lugar dele?"

"Sim, senhorita." Fiz uma reverência.

Ela assumiu expressão de surpresa e colocou a mão dentro da bolsa em busca de moedas. "O que há aí dentro?", perguntou.

"Lorde Tan preparou seu pato glaceado."

"Ah! Maravilhoso." Ela me entregou as moedas.

"O prazer pertence todo a mim, senhorita. Obrigado." Fechei o punho ao redor delas. Fiz uma mesura bem longa e baixa, até que ela e o criado com a comida tivessem se afastado.

Rapidamente, saí para a rua. Caminhei ao longo do lago com suas copas ondulantes de árvores até me encontrar debaixo de uma cobertura de luz amarela, embaixo do zumbido e do assobio de uma lamparina a gás. Só então abri minha mão para olhar.

Cinco moedas. Pareciam...

Mordi uma. Ouro. Eu nunca tinha visto aquilo, mas sabia. Fechei a mão com força de novo e continuei caminhando, para o sul, agora para longe do lago.

Quando cheguei a Huang Cheng, para retornar ao palácio, deveria ter virado para leste. Em vez disso, voltei-me para o oeste — na direção da minha família. Eu correria como a própria luz. Não me atrasaria mais de um instante. Lorde Tan nunca saberia.

Quando cheguei ao meu antigo bairro e virei, ofegante, na esquina de minha própria rua, a primeira coisa que vi foi minha mãe sentada na frente da porta em um banquinho, desfolhando um repolho. "Zhao Sun", ela disse lentamente, meio cambaleando de surpresa e curiosidade. Ela usara o meu nome de leite, o nome por que me chamavam quando eu era bebê, que fazia muito, muito tempo que eu não escutava. Fiz uma mesura, mas foi rígida. "Liang Wei retornou", eu disse, e ela então se levantou de um salto para jogar os braços ao meu redor.

"Ma", eu disse, aquela única sílaba lutando para sair da minha boca. Ela era tão pequena! Eu era alto e forte; não tinha me dado de conta de quanto eu tinha crescido. Minha pele estava limpa, meu cabelo, trançado. Fiquei lá abraçado a ela com o que durante muito tempo só tinha parecido ser a minha roupa de aprendiz, mas que agora brilhava no beco escuro como se fossem vestes brilhantes de seda imperial.

— Venha — ela disse, e me puxou rapidamente para dentro da porta baixa e recurvada. Enquanto meus olhos se ajustavam à escuridão da sala com paredes de barro, meu irmãozinho e minha irmãzinha surgiram no meio das sombras, os olhos arregalados, mal acreditando. Aquilo era tão familiar quanto um sonho: a bacia rachada, as flores desbotadas na colcha da cama. As panelas amassadas de minha mãe.

Fiquei contente por meu pai não estar ali. Agora eu tinha outro pai — Tan Zhuanqing. Minha vida era dele.

"Não posso ficar." Dei um abraço forte em Erhui e Ermo. Estavam magros e não muito mais altos do que eu me lembrava — não cheios de boa comida como eu. "Vão lá para fora", eu lhes disse. "Preciso falar com Ma."

Quando os dois escorregaram para o sol e deixaram a cortina pesada e remendada cair atrás de si, peguei-a pelo cotovelo, abri a mão dela, deixei cair uma das moedas. "Você sabe o que é isto?"

"Pelos deuses", ela disse. "Sei." Ergueu os olhos para mim. "Onde você conseguiu?"

"Eu ganhei." Naquela hora, me senti alto como o céu, eu era um homem. Avaliei a quantia com ela. "É suficiente para o inverno?"

"É. Mais do que suficiente."

"Então vou retornar com esta quantia todo ano."

Os olhos dela se encheram e derramaram de gratidão quando ela guardou a moeda em um bolso secreto que sempre tinha no meio da roupa. Então ela soltou um gritinho e foi ao chão para me abraçar pelos joelhos.

"Ma, pare", eu disse. Puxei-a para cima, meu coração inchado de contentamento. "Preciso ir", disse. "Cuide dos pequenos."

Corri de volta pelas ruazinhas emaranhadas e os cruzamentos batidos e sujos em que quando criança eu tinha brincado e escondido e roubado pãezinhos crocantes de trigo com sementes incrustadas das carrocinhas dos vendedores de rua. Naquela época, aquele era o mundo para mim — nem bom nem ruim, nem rico nem pobre. Homens de idade se estiravam sobre degraus de mármore como sempre, com enchimento volumoso dentro das meias para aquecer. Crianças pequenas usavam roupas doadas, bem remendadas. Senhoras caminhavam sobre algodão cinzento com as mãos atrás das costas. E lá passava eu usando sedas brilhantes, couro nos pés, moedas de ouro bem apertadas no punho.

Na Cidade Proibida, eu era bem conhecido pelos guardas e passei rapidamente pelo portão. Evitando as grutas e os jardins ao redor dos quais se espalhavam os corredores e apartamentos particulares da família real, peguei uma das passagens externas para retornar ao complexo das cozinhas. Essas avenidas menores conectavam uma rede externa de corredores e pátios onde viviam parentes e concubinas esquecidas. Essa gente não interessava ao palácio; no entanto, nunca podia sair dali.

Finalmente, cheguei à cozinha. Passei pela divisão de petiscos, pela divisão de confeitaria, pela divisão de carnes. Geralmente, era nesta divisão que Mestre Tan trabalhava. Hoje, no entanto, minhas instruções eram para encontrá-lo em outra parte da cozinha. Ele me daria uma lição diferente a respeito de *nong*, preparando coalhada de feijão-da-china fermentado. Era uma receita difícil. Se alcançasse seu ponto alto, suculento e pungente, era uma receita tão deliciosa que não dava para parar de comer. Deixando fermentar demais — por pouco que fosse —, ficava intragável. Isto era *chao ma doufu*, e iríamos prepará-lo na divisão vegetariana, um lugar onde geralmente a especialidade eram pratos de carne falsa e de peixe falso de nuances claras, preparados com coalhada de feijão e glúten.

Eu estava atrasado, mas não muito. Se lorde Tan dissesse algo, eu me jogaria no chão. "Mestre", eu diria. "Eu sei. Eu lhe imploro. Perdoe esta criança miserável que é indigna..."

Parei de supetão na porta da divisão vegetariana. Não havia ninguém lá. Os balcões estavam limpos e os fogões ainda esfriavam. Onde estava o meu mestre? Ele nunca se atrasava.

Voltei pelo mesmo caminho que tinha usado para chegar. Passei pela divisão de arroz, pão e macarrão, onde vários garotos trabalhavam. Alguns faziam macarrão grosso cortado a mão e outros preparavam um mingau fragrante de raiz e semente de lótus. "Vocês viram lorde Tan?", perguntei alto, porque eram aprendizes como eu, e entre nós não havia formalidades. Não, ninguém o vira, e por onde eu tinha andado? "Lugar nenhum", respondi e, silenciosamente, toquei as quatro moedas no meu bolso. Eu não contaria para ninguém até falar com Peng e Xie.

Voltei à divisão de carne. Também estava em silêncio. Os enormes fogões negros se enfileiravam, os fogareiros abafados brilhavam em brasas vermelhas. As *woks* estavam limpas e arranjadas nas prateleiras. "Mestre?", eu disse, e a minha voz soou pequena e infantil no ar.

Ninguém. Mas eu sentia alguma coisa. Sentia a presença dele. Continuei caminhando na direção do fundo do aposento, onde as carnes estavam penduradas e onde fileiras longas de balcões de preparação se cobriam de tigelas infinitas em azul e branco, cheias de todos os tipos de molhos e condimentos e vegetais para tempero, tudo bem picadinho em uniformidade perfeita.

Então, reparei em algo.

Havia cacos espalhados pelo chão, azuis e brancos; alguém tinha quebrado uma tigela. Fiquei paralisado.

Lá estavam os pés dele. Estava deitado, recurvado por cima de si mesmo, ainda agonizando, as duas mãos apertadas contra o peito. Não precisei tocar nele. Não precisei checar seu pulso. Eu sabia que ele estava morto; dava para ver. A luz do conhecimento tinha se esvaído dele. Tudo que ele sabia escapara no ar. Olhei ao meu redor em frenesi, como se de algum modo pudesse encontrar aquilo e juntar tudo. "Está nos livros", ele me diria se estivesse aqui, "vá procurar". Mas ele não estava mais lá. Seu corpo estava vazio e inerte.

Lancei-me ao chão e lhe fiz três reverências. Depois da terceira vez que pressionei a testa contra o piso frio de lajotas, levantei-me e dei início a um longo e agonizado pedido de ajuda em forma de urro, sem parar até ouvir a confusão de passos, os eunucos e os trabalhadores da cozinha, arrastando-se e batendo no piso. O rosto, os olhos deles quando entraram aos tropeções e o viram ficaram pálidos e enjoados e horrorizados. Era como se a própria civilização tivesse morrido. Era o início do fim. De algum modo, todos nós sabíamos disso, e todos juntos nos abaixamos ao chão na frente dele. Homens e eunucos apertavam-se à porta, primeiro dez, depois vinte, e quando viam, também se lançavam ao chão.

O chamado estava se propagando. Ouvi um sino tocar. De repente, tive a certeza, bem lá no fundo, de que ele teria um dos funerais mais grandiosos que a capital via em décadas, com um banquete que duraria três dias para a família, os amigos e admiradores, os príncipes e os eruditos e os altos oficiais. E eu prepararia seu pato glaceado. * * *

Quando Maggie terminou, ficou parada, em silêncio, por um instante. Aquele homem à sua frente fazia parte de um padrão que remontava a várias gerações; ele tinha conexões. Não estava ligado a uma única pessoa, como um cônjuge (ela sabia como aquilo podia ser arrancado de alguém com facilidade), mas a uma linhagem completa. Não, pensou, a uma civilização. Ela observou enquanto ele se movimentava pela cozinha, como se espiasse a distância, de um bote à deriva, de uma vida que nunca seria como a dele. Não que ela sentisse inveja. No ano que se passara, ela transformara o ato de não invejar a vida dos outros em uma Lei de Maggie. Tinha aprendido a se proteger de tais sentimentos para continuar a ter amigos, para ter uma vida; quase todo mundo que ela conhecia ainda possuía o que ela perdera, que era normalidade e amor. Ela ainda não sabia nada sobre a vida particular daquele homem, mas agora que tinha lido o prólogo, via que ele de fato tinha algo mais, algo que se agarrava a ele como uma luz. Era uma conexão com o tempo, indissolúvel.

Como estado de espírito, a noção de gerações múltiplas era nova, ou pelo menos alheia, para Maggie. Ela era de Los Angeles, um lugar onde muita gente, incluindo sua mãe, solteira, responsável e sozinha, tinha vindo de algum outro lugar. As pessoas faziam sua própria vida; era o que Matt sempre dizia. Ele tinha feito a dele. Arrumou um lugar para si no mundo. Passou muito tempo a bordo de aviões e se casou com uma mulher que fazia a mesma coisa. E quando estava com trinta e tantos anos, depois de passar anos a amando exatamente *porque* ela era a observadora e a jornalista peripatética que ele viera a conhecer, começou a desejar que ela fosse diferente, de maneira vexaminosa, apesar de continuar amando-a. Então, no momento em que teve esse sentimento, precisou dizer a ela; ele era assim. Passou a acordá-la cedo pela manhã com a mão sobre seu abdômen, naquele ponto quente bem no meio. *Pense sobre o assunto*, ele dizia no ouvido dela.

O quê?, ela perguntava, sonolenta, mas então abria os olhos e via o jeito como ele a observava e compreendia. Ela amava isso nele. Mesmo quando não concordavam (como aconteceu na metade do casamento, com a questão dos filhos), ele era um rio de sinceridade natural. Ela tinha aprendido com ele a retribuir com honestidade, e assim lhe dizia a verdade, que no início era alguma versão de "não sei". *Deixe-me trabalhar um pouco mais*, ela dizia. *Deixe-me pensar sobre o assunto*. Mas os dois sabiam que esta não tinha sido a combinação. Mesmo assim, ela consideraria a questão. *Dê-me um ano*. Dessa maneira, eles iam avançando aos trancos e barrancos.

Ela observou o chef jogar os camarões em uma *wok* que chiava e usar os braços para fazer com que se agitassem na panela. Pegou a caneta e escreveu: *Ele tem formato de marmota*. Escrever era gostoso, diferentemente de pensar em Matt. Agora ele estava adicionando alguma coisa na *wok* (O quê?) que fez a fragrância do camarão se elevar. Ela não queria quebrar o feitiço com perguntas. Ele colocou os camarões em um prato e desligou o anel de fogo que chiava.

Foi só então que ele se virou e viu que ela tinha terminado.

— Oi — ele disse.

— Amei isto aqui. — Ela colocou a mão sobre as páginas. — Você pode me dizer o que aconteceu com eles?

Ele limpou as mãos no avental.

— Primeiro, a dinastia caiu. Isso foi em 1911. Tiveram que deixar o palácio. Todos abriram restaurantes, Peng e o meu avô, Liang Wei, aqui na capital, e Xie em Hangzhou. Eles se deram bem. Meu avô escreveu *O Último Chef Chinês*, e o livro foi uma sensação. Todo mundo prosperou durante um tempo.

— Até...

— O comunismo. O novo governo fechou os restaurantes. Deixaram alguns lugares abertos por motivos de Estado. Meu avô foi um dos liquidados. Isso acabou sendo uma sorte, porque alguns anos depois começaram a prender pessoas que tinham restaurantes de estilo imperial. Foi o que aconteceu com Xie. O estabelecimento dele em Hangzhou foi um dos que deixaram abertos. Mas, posteriormente, ele foi mandado para a prisão por ter seu restaurante. Ele morreu lá. Mas tinha tido um filho na década de 1930, que também se transformou em um grande chef. Esse é o meu tio Xie de Hangzhou... aquele que eu chamo de Terceiro Tio.

Ela olhou para o caderno, conferindo os nomes.

— O que aconteceu com Peng? — perguntou.

— A sorte de Peng não foi nada má. — Ele pronunciou o nome para ela da maneira correta, *pang*. — Ele era admirado pela liderança comunista, principalmente Shou Enlai. Não importava que cozinhasse no estilo imperial: ele era bom mesmo. Quiseram mantê-lo. Deram-lhe um restaurante no Hotel de Pequim, Peng Jia Cai. Ele se tornou o cozinheiro imperial *deles*. Nos anos 1950, aquele lugar era o auge do auge. Ele era fantástico. Até o meu pai disse que, entre os três, ele era o melhor.

Ele apresentou um prato de camarões rosados sob uma calda transparente. Não dava para enxergar nenhuma adição ou ingrediente, apesar de ela tê-lo visto juntar muitas coisas. O aroma parecia ser de camarão doce, nada mais.

Ele pegou um e deixou que se demorasse na boca, os olhos escuros voando em cálculos.

A vez dela. Colocou um na boca e mordeu; o crustáceo explodiu com um som crocante. Dentro dele concentrava-se a essência pura do camarão.

— Como você faz explodir assim?

— Mergulho em água salgada fria primeiro. Era o que eu estava fazendo quando você chegou.

— Está maravilhoso — ela disse.

— Bom — ele corrigiu. — Não maravilhoso. Ainda consigo detectar a presença do açúcar.

— Eu não consigo.

Ele sorriu.

— Está lembrada que eu disse que nos esforçávamos na busca de ideais formais de sabor e textura? Esta receita é um exemplo perfeito. Um dos picos de sabor mais importantes é *xian*. *Xian* significa o sabor doce, natural como o de manteiga, peixe fresco, caldo de galinha brilhante e transparente. Depois temos *xiang*, o sabor fragrante; pense em cebolas fritas, carne assada. *Nong* é o sabor concentrado, o gosto profundo e complexo que se obtém com cozidos de carne ou molhos escuros de coisas fermentadas. Então há o sabor encorpado, o sabor da gordura. Este se chama *you er bu ni*, que significa o sabor da gordura sem estar oleoso. Nós adoramos este. A gordura é muito importante para nós. A gordura não é algo indesejável, que deve ser removido e jogado no lixo, não na China. Temos muitas receitas que de fato se concentram na gordura; é este ingrediente que as torna palatáveis. Coloque barriga de porco na mesa, preparada do jeito certo, que os comensais chineses vão gemer de felicidade.

— *Isto* é diferente — ela disse, fazendo anotações. — O que mais?

— Isto foram só os sabores. Temos ainda as texturas. Existem ideais de textura também: três principais. *Cui* é seco e crocante, *nun* é quando se pega algo fibroso como barbatana de tubarão e o alimento fica macio e suculento, e *ruan* é a maciez perfeita, como frango aveludado, um ovo quente. Acho que é justo dizer que nós controlamos a textura mais do que qualquer outra culinária. De fato, algumas das receitas que preparamos não têm nada a ver com sabor. Apenas textura; é só a isso que se almeja. Pense em pepino-do-mar. Ou orelha-de-pau.

Maggie refletiu sobre o assunto. Como conceito, textura não era muita novidade para ela. Muitas das melhores receitas que ela experimentara em seu trajeto apresentavam seu prazer na forma de textura: ostras fritas, com seu contraste estonteante da parte de dentro com a de fora; a consistência sedosa do creme de milho; o crocante da fritada de praia perfeita. Mas tudo isso também dependia do sabor.

— Você faz alguma coisa para dar gosto também, não?

— Sim... colocamos molhos. Mas molhos simples, bem no fundo. Qualquer coisa a mais seria uma distração. O gourmet come por causa da textura. Uma vez que se compreendem os sabores e as texturas ideais, o objetivo é misturá-los e compô-los. Isto, em si, é uma arte, chamada *tiaowei.* Então combinamos as receitas em seus ciclos. Depois, há a refeição como um todo: o menu que é uma espécie de narrativa de ritmos e significados e humores.

— Meu Deus — ela disse, escrevendo com rapidez.

— Tudo tem o seu papel. O lugar. As travessas. A poesia. — Ele pegou outro camarão com os pauzinhos e mastigou-o, pensativo. — O problema é que este camarão não alcançou o verdadeiro *xian. Xian* é o sabor natural. Se o sabor não for natural, o chef não conseguiu criá-lo.

— Então, você está dizendo que é o sabor natural, mas que ele é preparado.

— E aí está o paradoxo — ele disse.

Ela sorriu e anotou.

— E como se prepara isso?

— Adicionando-se sabores de apoio, basicamente. Cada sabor tem um efeito específico sobre todos os outros sabores. Mas tudo isso tem que ser invisível. Acredite, um júri chinês vai saber disso. E este camarão, por enquanto, ainda não chegou lá.

— Então, você vai usá-lo no banquete?

— Só se eu conseguir fazer direito.

Ela comeu mais um.

— Acho que está ótimo. — Um silêncio se instalou enquanto os dois comiam e os olhos dela se direcionaram ao prólogo. — Posso pegar emprestado? — ela disse, tocando no papel. — Eu gostaria de ler mais uma vez.

— Leve. Eu imprimi para você.

— Obrigada.

— Depois, posso lhe dar outras partes do livro, se quiser.

— Quero sim. Mas, neste momento, vou cair fora para deixar você trabalhar.

Ela colocou tudo na bolsa.

— Espero que você volte — ele disse. — Vamos. Eu a acompanho até a porta.

Os dois empurraram a porta e atravessaram o salão extenso e escuro, ele alguns passos à frente para segurar aberta a porta de madeira e vidro gravado que dava para o pátio

— Sabe? — ele disse. — Passamos todo o tempo falando de comida. Eu nem perguntei... Qual é a outra coisa que você veio fazer em Pequim?

Ela se voltou, já na metade dos degraus. A tristeza crua do ano que se passara lhe voltou, o golpe repentino que nunca poderia ser desfeito, o constrangimento frenético, o esforço para se controlar. Às vezes, nem a ajuda dos amigos era capaz de atingi-la. Era no trabalho que ela encontrava uma pequena luz no fim do túnel, principalmente durante as semanas de cada mês que passava longe de casa, escrevendo sobre a vida dos outros. Ela contara com a gentileza dos Malcolm, o casal aposentado de Maryland no Eastern Shore que pescava seis baldes comerciais de caranguejo e utilizava todo o produto, comendo caranguejo em todas as refeições ao longo da temporada. Teve também o sr. Loeb, o homem encorpado do pastrami no Nebraska, delicado e gracioso com uma faca, o último balconista do Meio-Oeste que fatiava a carne rosada a mão. Estar com aquelas pessoas a ajudava. Com sua normalidade que beirava a mediocridade, elas a deixavam aliviada. Não faziam perguntas. Ela não precisava falar sobre a bagunça em que sua vida se transformara.

Agora, Sam Liang esperava.

— Sou viúva — ela disse. — Há um ano, meu marido morreu.

Ela esperou enquanto ele absorvia a informação, enquanto a compaixão e alguns de seus próprios medos cruzavam o rosto dele. A essa altura, ela já tinha visto aquilo no rosto dos outros vezes sem conta.

— Sinto muito — ele disse.

— Obrigada. Tem sido difícil, mas estou melhor. Já faz um ano. — Isso, ela pensou, era o suficiente a ser dito. Ele não precisava saber como aquilo ainda parecia uma ferida aberta. E certamente não precisava saber do mar cada vez mais amplo que a separava das outras pessoas, dos longos dias de verão que ela passara deitada na cabine do barco, ignorando os recados no celular. Assumiu tom de voz ríspido. — Meu marido tinha alguns trabalhos aqui, e algumas questões na China relacionadas aos bens dele surgiram, de modo que precisei vir para cá.

— Percebo. — Uma erguida de sobrancelha dele assinalou o potencial de um desafio. — Espero que dê tudo certo. Boa sorte. Está muito ocupada com isso? Vai ter tempo de voltar aqui?

— Vou sim — ela respondeu. — Devo sair da cidade nos próximos dias, mas até lá estou livre.

— Quer vir amanhã, no final da manhã?

— Para mim está bom — ela disse, e atravessou o batente, passando por Sam.

— Maggie — ele disse quando ela se virou para a rua. — Sobre o que você me contou. Sinto muito, de verdade.

— Obrigada.

Não que você saiba do que está falando.

— A gente se vê.

Ela ergueu a mão e caminhou até a esquina da rua que acompanhava o lago antes de olhar para trás. Naquele piscar de olhos, viu quando ele entrou, o jeans azul, a pele cor de marfim antigo das mãos dele, e então, *click*, o portão se fechou.

4

Retornemos por um instante à noção geral de que a pobreza, principalmente a falta de alimento e de combustível, estimulou a grandiosidade da culinária chinesa. Certamente é verdade no caso dos métodos de cozinhar, e quando se fala da criatividade insuperável dos cozinheiros chineses para criar receitas deliciosas usando tudo que existe sob o céu, todas as plantas da terra e do mar, todas as criaturas, todas as suas partes. Estes são os legados da escassez. No entanto, a culinária realmente maravilhosa, a comida como arte elevada, não surgiu aí; ela adveio da riqueza. A comida foi uma esfera de ação e paixão da elite. Ao longo da história, gourmets e chefs tenderam a chegar ao seu auge em condições de fartura, não de carência.

— LIANG WEI, *O Último Chef Chinês*

Na manhã seguinte, Sam Liang voltou para casa depois de entregar algumas aves em sua granja nos arredores da cidade. A granja não era exatamente dele. Alugava o espaço para suas aves antes de matá-las. Ele seguia as determinações de Liang Wei, que afirmava que uma ave a ser comida deveria passar pelo menos as últimas semanas de vida correndo e se exercitando ao ar livre. De acordo com *O Último Chef Chinês*, assim a carne ficava melhor. Era uma maneira brutal de encarar a coisa, uma maneira chinesa: cuide da criatura, ame-a, mime-a, então a coma. Claro que, a qualquer lugar que se vá, descobre-se que comer é um ato cruel. Aqui, no entanto, não há dissimulação. Todo mundo sabe que o sabor de um animal bem cuidado é mais gostoso, então por isso as pessoas os criam ou pelo menos os protegem. Todo mundo sabe que carne e peixe frescos são mais palatáveis, por isso mata-se o animal pessoalmente. Havia até receitas preparadas com ingredientes vivos. No caso dos camarões bêbados ao estilo de Xangai, por exemplo, os camarões não estão totalmente mortos quando ingeridos, mas tão embriagados de ficarem de molho no vinho que permanecem totalmente imóveis, à espera do seu pauzinho. Nenhum comensal chinês se assustaria com um leve movimento dentro da boca. Ao contrário. Para o *meishijia*, o gourmet, este seria o auge do frescor.

No começo, Sam ficara um pouco perturbado com isso. Parecia um eco do leve traço de sadismo que ele percebia no passado da China. Todo país tinha seu período sombrio da história, mas na China havia certas convulsões, como a fome e a Revolução Cultural, que pareciam desnecessariamente cruéis. E o mundo dos negócios privatizados da China, neste momento, no século XXI, também era cruel. Tudo era pautado por oportunidades, não por princípios. Ninguém pensava em termos de acordos em que as duas partes saíssem ganhando, mas apenas em quem venceria e quem perderia. Todo mundo passava o tempo todo olhando para trás, por cima do ombro, para proteger as costas. Nos Estados Unidos da juventude de Sam, ele ouvia pessoas dizendo viver em uma sociedade de "cão-come-cão". Aqui na China, diziam "homem-come-homem". *Isso* é que era o boom econômico.

No entanto, a cada ano passado na China, via que a situação real era mais sutil. Não era exatamente que a China fosse mais cruel do que o Ocidente, só era mais honesta. A franqueza da vida, e mesmo da morte, aqui sempre estava na cara dele. No caso da comida, certamente. Era mais honesto levar um animal para casa e matá-lo do que comprar a carne em um pacote quadrado envolto em plástico, era mais honesto deixar um peixe vivo e nadando até o momento em que desejasse devorá-lo. O apetite dele acordou com aquele pensamento... Ele adorava o *xian* do peixe fresco.

Já no que diz respeito ao mundo dos negócios, tinha seus ardis, mas também uma grande e maravilhosa qualidade redentora: a *guanxi*. *Guanxi* era conexão, relacionamento, endividamento mútuo. Era a rede de segurança das obrigações e da reciprocidade que mantinha a sociedade coesa. As melhores oportunidades e conexões eram mantidas para a família, o clã, os amigos; em um círculo que se propagava de dentro para fora. Quando você dava uma coisa para o mundo, dava algo maior para o seu próprio grupo. Como era americano, no começo Sam se sentiu ofendido com isso, já que, até onde podia ver, não passava de nepotismo. Mais tarde, quando passou a ver aquilo como modo de vida, também passou a enxergar suas benesses.

Também percebeu que era a comida (as pessoas comendo juntas, em banquetes ou em refeições cotidianas) que mantinha o mecanismo do *guanxi* em movimento. Talvez fosse por isso que os chefs sempre tiveram tanta importância na China.

Enquanto ele caminhava pelo último trecho vindo da estação de metrô e se aproximava da beira do lago no início da manhã, também pensava em textura. No caminho de volta, tinha passado em uma loja que vendia todos os tipos de cogumelos secos, de plantas e de flores aquáticas, justo quando o homem estava abrindo. Sam tinha comprado diversas variedades de *mu-er*, orelha-de-pau, assim chamada por causa da maneira como cresce nas árvores. Um saco continha o ondulado branco delicado chamado orelha-de-nuvem; os outros eram dos espécimes mais comuns, quebradiços e amarronzados. Quando reconstituídos, tinham o crocante das verduras mais robustas, que não se amaciava com tempo nenhum de cozimento, por mais extenso que fosse. Nenhum sabor além da sensação metálica mais suave, facilmente corrigida por outros ingredientes. Só textura. Adicionado em fatias ou em pedaços, esse ingrediente era capaz de transformar muitas receitas.

Ele viu seu próprio muro de pedras cinzentas à frente, um pouquinho para trás da calçada. A rua era muito barulhenta e movimentada, mas o interior da casa era silencioso. Perfeito para um restaurante. E, bem na frente, havia o longo e estreito tentáculo do lago. Aquilo era feng shui clássico, e não de maneira obscura, já que ninguém era capaz de chegar ou de sair sem ter a prazerosa visão do lago.

O bairro tinha mudado, mesmo em relação a anos recentes. Um dia caracterizado por residências graciosas e em ruínas, águas inconstantes e algumas silhuetas distantes de pagodes e arranha-céus por cima dos chorões da margem oposta, tinha virado um ponto turístico cafona. Turistas passavam ali a bordo de riquixás pedalados por rapazes. Havia quarteirões inteiros coalhados de cafés e bares, as portas escancaradas, o pop chinês a toda nas caixas de som.

Em nenhum lugar dessa rua havia um restaurante como o que ele abriria, mas isso não fazia diferença. O destino colocara a família dele nesse bairro. E ele o adorava. Ele adorava o verão, com suas cigarras repetitivas e o ar quente e enevoado; o inverno, quando o céu ficava claro e frio e ambulantes vendiam espetinhos de carne quente e batatas-doces cheirosas assadas na brasa. No outono, a luz ficava dourada e homens caminhavam cantando pela margem do lago, sob as árvores, oferecendo palitos de maçãs caramelizadas em leque.

Ele destrancou seu portão e voltou a unir as enormes juntas de latão atrás de si, levou as sacolas para a cozinha. Precisava guardar tudo e sair. Estava na hora de falar com Jiang e Tan.

Naquela manhã, Zinnia ligara e pedira a Maggie que a encontrasse em um restaurante de comida típica de Xangai perto do escritório da Calder Hayes, apesar de ser cedo demais para almoçar. Maggie foi correndo para lá, esperançosa de que Zinnia tivesse conseguido as passagens. Já fazia quase dois dias. Depois de sair da casa do chef no lago, no dia anterior, ela não tinha feito muita coisa além de ficar sentada no apartamento pensando em Matt. Estivera com ele naquele mesmo apartamento três anos antes, naqueles mesmos aposentos; ele lhe vinha à mente com facilidade. Sim, gostavam de ficar longe um do outro. E, sim, ficavam mais felizes do que nunca logo que voltavam a se reencontrar, no espaço de ouro antes que as perguntas e os questionamentos começassem a voltar à tona.

Por isso, viraram especialistas em encontros e separações; dava certo. Iam e vinham, vivendo de embalagens de entrega de comida, as coisas dele e as dela, um lado da geladeira e o outro, vivendo sua alegria em ciclos. Até nos baixos, quando começavam a retornar a sua própria programação, largando sementinhas de irritação pelo caminho, eram honestos. Ela sempre achava que sabia o que havia dentro do coração dele, fosse bom ou ruim.

E esse era o problema que a deixara acordada na noite anterior, observando a cidade imóvel e tremeluzente. Agora havia este processo. Então, talvez ela não fizesse a menor idéia do que ele carregava no coração. *Você fez isso?*

Não.

Você conhece essa mulher?

Não.

Então como isso foi acontecer?

Ela ficou sentada no sofá, lançando perguntas silenciosas, imaginando respostas. Visualizou o rosto gentil de maxilar pronunciado dele e sentiu a certeza de que ele dizia não: não, não era verdade. Chegou à conclusão de que acreditava nele, como sempre acreditara; então mudou de idéia e o jogou para fora do coração e deixou de aceitar sua negativa; algumas horas depois, voltou a aceitá-la. Na hora em que a noite profunda tinha chegado e a rua lá embaixo ficara silenciosa, ela estava exausta. Dormiu como se estivesse inconsciente, sem sonhos, e, quando acordou, sentia-se cansada, como se mal tivesse dormido.

Abriu a porta do restaurante. Lá dentro, o mundo mudou. Sentiu que tinha voltado no tempo. A seu redor havia paredes de madeira escura e luminárias de latão, garçonetes com vestidos antiquados com fenda lateral. Só as pessoas que comiam ali eram contemporâneas, com suas roupas alinhadas e múltiplos aparelhos eletrônicos que apitavam. Entre elas, enxergou Zinnia, que acenou.

— Sente-se! — ela ordenou quando Maggie chegou à mesa. — Como está? Está bem?

— Vou indo. Tem alguma notícia das passagens?

O sorriso sincero de Zinnia evaporou por um segundo.

Maggie percebeu que tinha sido abrupta.

— Desculpe... Achei que talvez fosse por isso que você tinha me chamado aqui.

Zinnia fez que sim.

— Ainda não consegui as passagens. Infelizmente, só recebi o seu arquivo quando fui designada para ajudá-la, e isso foi na manhã em que você chegou. Então, acabei de começar. Mas vou dar o melhor de mim. Não precisa se preocupar.

— Você é determinada — Maggie disse, em tom de admiração. — Acredito que vai conseguir.

— Vou sim. *Ni fang xin hao*. Isso significa que você deve deixar seu coração tranqüilo. No dia em que nos conhecemos, eu tive um almoço. A pessoa não pôde me ajudar. Mas aí, ontem à noite, jantei com um amigo da China Northern. É uma das maiores empresas aéreas domésticas. Foram dez pratos com vinho. Muito bom. Conversa comprida. Agora estou esperando o telefonema dele.

— Que bom — disse Maggie.

Assunto esclarecido, Zinnia voltou para o que estivera estudando quando Maggie entrou, que era o cardápio.

— Quero a água-viva. Isso me lembra minha infância. Meu filho também gosta. Você já experimentou?

— Já — Maggie disse. — Você tem filho?

— Tenho. Dois anos. É um bom menino — ela disse, cheia de orgulho, sem tirar os olhos do cardápio. — Quando você comeu água-viva, gostou?

— Não tinha muito sabor.

— Tem toda a razão! Na verdade, água-viva não é uma comida de sabor. É uma comida de textura.

— Certo. — Sam Liang tinha lhe falado sobre textura. — Vamos pedir isso então.

— *Hao-de*. E, depois, alguns outros pratos.

— O que exatamente você pediu para ele? — Maggie perguntou. — Para o sujeito da China Northern?

— Não pedi nada. Só mencionei os fatos por alto.

— Achei que sua intenção de jantar com ele era para conseguir passagens.

— Sim. Mas o pedido foi esse, o jantar. Só o que eu podia fazer era mencionar a questão superficialmente. Fiz isso. Agora, preciso esperar.

— Entendi. — A água-viva chegou, entregue por uma garçonete a caminho de outra mesa. — Então, você acha que dá para viajarmos hoje?

— Talvez hoje à noite, mas o mais provável é que seja amanhã. — Zinnia esticou o braço e ofereceu a Maggie um montinho de rodelas gelatinosas, pálidas e translúcidas. — Experimente — disse.

Maggie pegou uma rodela com seus pauzinhos e comeu. O sabor era suave, mas perceptível, mas Zinnia tinha razão a respeito da textura: era a sensação que a comida surtia na boca que chamou a atenção dela, crocante e esponjosa ao mesmo tempo.

— Ei — ela disse. — Nada mau.

A mulher mais jovem sorriu.

— É o que dizemos! *Bu cuo*. Nada mau. Significa mais ou menos em inglês, não é? Mas em chinês é um elogio sincero. Você sabia? Significa que você gostou. Bom. — Zinnia colocou algumas no próprio prato. — Você está livre depois de comermos? — perguntou.

— Tenho um compromisso. — Olhou para o relógio. Iria se encontrar com Sam Liang mais uma vez.

— Você pode dar uma passada no escritório antes? Carey James voltou de Bangcoc. Pediu para vê-la.

— Posso — Maggie disse imediatamente. Para isso, ela ligaria para o chef para dizer que se atrasaria um pouco. Carey tinha lembranças de Matt, lembranças que ela não acessara. Ele teria imagens e nuances ainda novos para ela: acontecimentos, piadas, fragmentos de conversas lembradas. Ela podia ter essa nova lâmina de incerteza a respeito do marido enfiada bem fundo nela, mas sabia que ainda aceitaria qualquer coisa. Qualquer coisa sobre Matt. Mesmo que fosse apenas a oportunidade de conversar um pouquinho com alguém que se lembrava dele. — Claro que sim — respondeu.

— Que bom — disse Zinnia. — Agora vamos. — Apontou com os pauzinhos para a comida. — Todo mundo precisa comer.

— Você precisa decidir que espécie de menu deseja — o Segundo Tio, Tan, disse a Sam.

Estavam em um restaurante tomando o lanche do meio da manhã, já que restaurantes eram, de longe, o melhor lugar da China para reuniões, a qualquer hora do dia. As casas eram pequenas; o mundo lá fora, por sua vez, estava cheio de lugares públicos onde as pessoas podiam comer ou simplesmente tomar um chá.

— Existem três tipos de menus — Tan disse. — O extravagante, o rústico e o elegante.

— E, dentro do elegante, existe o *recherché* — Jiang disse, interrompendo o chinês só para incluir a palavra em francês. — Esta é outra possibilidade: nostalgia. Há alguns grandes clássicos de que as pessoas ainda se lembram.

— *Jiu shi* — Tan concordou. É mesmo.

— Você pode fazer pato crocante condimentado — disse Jiang. — Carpa com molho de cordeiro. E entradas antiquadas: lesmas com molho, pardais fritos.

Tan olhou para os dois com uma gargalhada de desdém.

— Intelectual demais. Tais receitas são apenas para os verdadeiros aficionados.

— Creio que concordo com o Segundo Tio — disse Sam. — Isto não é para esse júri. E um menu rústico também não funcionaria. Você e eu sabemos que preparar alimentos simples de maneira brilhante é uma das coisas mais difíceis de todas. Mas os jurados não pensarão assim.

— Há apenas 200 anos, o próprio Yuan Mei disse que a coisa mais sofisticada de todas era usar as tigelas e as travessas mais baratas possíveis — Jiang disse.

— Mas hoje? — Sam disse. — Agora que tudo está ligado ao dinheiro? Suicídio. Impossível. No entanto — ele completou —, poderíamos escolher a elegância. Por exemplo: que tal tofu no formato de um alaúde, recheado com picadinho de carne de porco refogado em fogo alto? E uma pele de frango removida inteiramente, intacta, recheada com presunto picado e legumes e carne de frango fatiada assada em forno quente até ficar cheirosa...

— Impressionante — disse Jiang.

— ...e a pele bem crocante, *cui*...

— Textura! — disse Tan. — Sim. Você deve deixar este ponto bem claro. Que outra culinária controla as texturas como a nossa?

— Ele tem razão — Jiang disse.

Sam compreendeu a implicação. Seja chinês. Deixe que os outros cozinheiros de origem nativa se arrisquem e improvisem. Ele seria o que seu avô tinha sido, o que seu pai poderia ter sido: um cozinheiro de tradição. Pequim pode estar totalmente aberta, ser agressiva (e até mesmo profana) em sua busca pelo futuro, mas as pessoas ainda anseiam pelo passado.

Esta era uma das razões por que ele e seus tios gostavam deste restaurante: era antiquado e, portanto, tranqüilo. Enquanto conversavam, mordiscavam alguns petiscos. Uma travessa trazia um monte de grãos de soja grelhados na brasa, misturados com as inebriantes folhas picadas do cedro chinês; outra tinha fatias rosadas fininhas de rabanete-melancia em molho vinagrete delicado. Tio Tan sugerira que pedissem vinho, mas fora vencido por uma bronca ríspida de Jiang. Sam concordou. Não estava ainda nem na hora do almoço. Era cedo demais.

— Para a textura, você podia pensar em fungo prateado, ou nos seus camarões refogados — disse Jiang. — Ah, sim! Aqueles camarões. Primeiro, crocantes; depois, macios como uma névoa por dentro.

— Fiz esses camarões ontem mesmo — Sam disse. Lembrou-se da jornalista americana em sua cozinha, a tranqüilidade dela enquanto o observava cozinhar, seus olhos cuidadosos, a percepção de que nunca deixava passar nada, por mais coisas que ele dissesse. A inflexão da fala dela, que era ensolarada e americana e que soava como o lar para ele. Mas o que ela lhe dissera logo antes de ir embora, sobre seu marido, despencara sobre ele como um peso enorme. — Fiz para a mulher que está escrevendo o artigo.

— Ah, a mulher!

Os dois se inclinaram para a frente.

— Esqueçam — Sam disse. — Ela está em má situação. O marido dela morreu...

— Uma viúva — Tan resmungou.

— ...e há algum problema aqui na China relacionado aos bens dele. — Ele parou quando ouviu uma voz americana atrás de si.

— Do que vocês estão falando? Que chinês mais rápido!

— Oi — disse Sam, virando-se. Era David Renfrew, um entre os muitos estrangeiros que iam e vinham que ele conhecera ali. Achou que encontraria amigos entre aquelas pessoas, já que, como ele, eram forasteiros, mas, até agora, não encontrara nenhum. — Na verdade, estávamos falando sobre camarões — ele disse. — Você comeu? — Este era um cumprimento chinês tradicional, mas, dito em inglês, de um americano para outro, tinha uma ironia agradável.

— Acabei de comer — David respondeu. Soube que você apareceu na TV ontem à noite. Vai participar da olimpíada de culinária.

— Estou participando da seleção para a equipe — Sam disse.

— Boa sorte.

— Obrigado. Quero apresentar meus tios. — Sam fez um sinal circular pela mesa. — Estávamos discutindo o que eu devo preparar. David Renfrew, Jiang Wanli, Tan Jingfu. Jiang é estudioso de culinária aposentado, Tan é chef aposentado. David trabalha no mercado financeiro.

— Prazer em conhecê-los — disse David.

— Prazer — os dois murmuraram a resposta em inglês.

— Então — David voltou-se mais uma vez para Sam. Ele ainda falava pouco chinês depois de tanto tempo lá, e realmente não se esforçava muito. Era uma atitude típica. David estava lá havia mais tempo do que a maioria; a média de estada de expatriados era de apenas uns dois anos, mas ele ainda tinha vida de *laowai.* Com excursões ocasionais para variar, isso geralmente significava ir do escritório até o circuito de clubes, hotéis, academias e restaurantes destinados aos estrangeiros.

— Quando foi a última vez que nós nos encontramos? — David perguntou. — Espere, já sei. Naquela festa no Loft. Certo?

— Acho que sim.

Aquela tinha sido uma das noites em que Sam saíra apesar de não estar com a mínima vontade.

— Sabe quem mais estava naquela festa? — David perguntou. — Ela. — Ele deslocou os olhos para alguém do outro lado do salão. — Eu a vi naquela noite. Era amiga de alguém que eu conhecia. Caramba, qual é o nome dela?

Sam se inclinou para o lado na cadeira, para seguir o olhar de David.

— Onde? — disse a David, e logo: — Ah, eu conheço. — Ele identificou a postura baixinha e esforçada, o cabelo liso que caía sobre os ombros. Ela trabalhava no prédio Sun. Ele a conhecera por intermédio de um holandês que a conhecia de lá, um sujeito que gerenciava uma empresa de entregas. Piet. O que tinha acontecido com Piet? Voltara para a Europa. Depois, vira a moça uma vez ou outra, em festas. Ela parecia jovem, talvez um pouco ingênua, mas nada nela realmente chamara sua atenção. — É a Xiao Yu — disse.

— Xiao Yu! Isso mesmo. Obrigado.

— Você a conhece?

— Não. Bom, eu fui apresentado a ela. Na casa do meu amigo. Já faz um tempo. Esqueci o nome dela. — Uma possibilidade agitou seus traços teutônicos entalhados com precisão. — Não estou sendo inconveniente, estou?

— Está falando de ela e eu...? — Sam perguntou. — Não.

— Só perguntei por perguntar.

— Nós mal nos conhecemos. — Sam deu uma olhada em Xiao Yu. — Quer dizer, fique à vontade — ele disse a David.

— Obrigado — o americano disse. — Vou ficar. Ei, faz tempo que a gente não se fala, não é mesmo? Precisamos colocar a conversa em dia.

— Precisamos, sim — Sam respondeu.

— Ligue para mim. Vamos tomar um café. Estou sempre no trabalho. — David voltou seu sorriso para os tios. — Prazer em conhecer — ele disse. E se afastou.

— Amigo seu? — Tio Jiang perguntou e Sam fez que sim.

— Ele queria que você o apresentasse àquela moça?

— Não — Sam respondeu, observando enquanto David se afastava por entre as mesas. — Ele já a conhece. Só tinha esquecido seu nome.

Jiang ergueu uma sobrancelha branca.

Mas Sam estava com o olhar além dos tios, ainda em David. Agora ele estava se aproximando por trás dela. Ela não o viu. Ele estendeu a mão e tocou no ombro dela. Ela se assustou e se virou; do outro lado do salão, Sam era capaz de enxergar a satisfação nos olhos dela. Ela se mostrou totalmente aberta a ele. Aquilo deixou Sam triste. Por quê? Ela não era criança. Não era da conta dele. Afastou os olhos. Talvez o sentimento tenha surgido nele por causa da americana. Ele também sentia pena dela.

— Vamos voltar à textura — Jiang cutucou.

— Ótimo — Sam se virou.

— Até aqui estivemos falando de coisas que são *cui*, crocantes. Considere a qualidade esponjosa das tripas. Tome como exemplo as Nove Voltas, a maneira como transformam tripas em sopa em Sichuan. E, em Amoy, recheiam com arroz gomoso e cozinham e fatiam para servir fria, com molho de soja.

— Não se esqueça de Hangzhou! — Tan contribuiu. — Lá, recheiam a tripa não só com arroz, mas também com intestinos cada vez menores, de modo que as fatias saem em círculos concêntricos. Muito inteligente.

— Sabor acentuado, textura delicada — Jiang disse com um suspiro. Sam revirou os olhos.

— Tripas estão fora.

— Você devia considerar — disse Tan. — Ao menos, aprender a fazer. Ao estilo de Hangzhou. Nenhuma culinária tem mais riqueza de sabores. Nem mais história literária. Em todas as vezes que visitou o Pequeno Xie lá, ele nunca lhe mostrou?

— Não essa receita — disse Sam. Em certos aspectos, ele era mais próximo de tio Xie, o Terceiro Tio, assim chamado por ser o mais jovem dos três. A melhor parte do período que Sam passara como aprendiz tinha sido todo o trabalho suado em Hangzhou, com o desgosto e os chiliques e os elogios daquele senhor de idade. Xie o ensinara muitas receitas, mas não a das tripas.

— Xie sabia mesmo fazer essa receita — disse Tan. — Mas era o seu pai que fazia melhor. Melhor ainda do que Xie. Não me diga que ele não lhe mostrou.

— Não mostrou — Sam disse. Jiang e Tan ainda não tinham apreendido o fato de que seu pai não lhe ensinara nada. Quando Sam era pequeno, Liang Yeh ia trabalhar e voltava para casa todos os dias e então ficava sozinho em seu escritório. Ele lia e ficava a divagar, olhando para a parede enquanto desfiava cenas de pinturas e óperas, de filmes e dos clássicos da arte e da filosofia. Na imaginação dele, homens lutavam com espadas, saltavam e davam cambalhotas no ar. Ele geralmente estava longe quando o pequeno Sam entrava no quarto à sua procura. A boca dele estava sempre mole e a mão era um leve roçar em cima do livro. "Oi", Sam dizia, e os olhos do pai saltavam para ele, surpresos.

Para Sam, quando criança, aquilo simplesmente lhe parecia ser o pai. Mas, quando ele chegou ao ensino médio, compreendeu que Liang Yeh era diferente. Em jogos e outros eventos obrigatórios, sua mãe, que tinha vitalidade bastante para três, dava um jeito de ancorar todas as interações. Liang Yeh ficava alheio, distante, prestando atenção, as mãos enfiadas nas camadas de casacos e jaquetas, em busca de calor. "Como é que vocês, americanos, não sentem frio?", dizia aos outros pais; isso quando falava com eles.

Mas agora Sam estava na China. O céu lhe dera a bênção dos tios.

— Andei pensando — ele disse. — Tenho direito de usar três assistentes no banquete. Que tal vocês dois e... Xie não deve estar bem o suficiente para vir, não é? Estou preocupado que ele ainda não tenha vencido a doença. — Para *doença*, Sam usava a palavra *maobing*, que significava literalmente "pêlo de uma doença", mostrando seu otimismo de que qualquer indisposição passaria logo. — Neste caso, vou usar só dois — ele terminou —, vocês dois.

Eles trocaram olhares.

— Sobrinho — disse Jiang —, Xie está muito longe de poder ajudá-lo a cozinhar. Está pior, para dizer a verdade, está gravemente doente. *Bing ru gao huang*. — A doença atacara seus órgãos vitais.

— O quê? — Sam disse. Às vezes, os ditos de quatro caracteres passavam em branco para ele. O chinês era uma teia viva de referências e alusões, uma língua que tinha seu melhor em versos curtos e ditados metafóricos. Uma parte tão grande dessa teia de civilização estava fora do alcance dele que uma simples conversa com freqüência o confundia.

Tan sacudiu a cabeça com uma gravidade que deixava o significado claro.

— Tão mal assim? — Sam perguntou.

— *Yui shi chang ci* — Jiang disse depois de um instante. Ele vai partir deste mundo por um tempo muito extenso.

— Achei que tivesse melhorado — disse Sam.

— Um pouco — Tan respondeu. — Por um período curto.

— Então, preciso ir a Hangzhou — ele disse.

Jiang fez que sim. Seu rosto estava pálido.

— Eu ia depois da prova de seleção.

O intervalo silencioso espalhou uma compreensão nada bem-vinda pela mesa.

— Talvez seja tarde demais — disse Jiang.

— Então vou agora.

— Sobrinho — disse Tan —, é uma atitude de filho da sua parte. Mas há o concurso. Precisa se preparar. Seria o desejo de Xie.

— É verdade — disse Jiang. — E mesmo que tente ir, pode não conseguir passagem. O Dia da Pátria está chegando.

Nada disso mudava a situação.

— Fique e se prepare — Jiang repetiu.

— Xie vai compreender — Tan completou.

Sam sabia que isso era enrolação, não a verdade. Jiang e Tan queriam que ele fosse visitar o Terceiro Tio. Esperavam isso dele. Mas tinham que aconselhá-lo a não fazê-lo, para depois, com relutância, concordar quando ele insistisse.

— Eu vou — Sam disse.

— Bom — disse Jiang, como que resignado. — Então, peça que lhe dê uma receita para o banquete. Uma das especialidades dele.

— As costeletas de porco — disse Tan. — Ah! *Ruanyiruan*. Tão macias. A carne desmancha na boca. Ele as marina, depois as passa em farinha de arroz com cinco temperos. São enroladas em folhas de lótus e assadas no vapor durante horas.

— Macias como um travesseiro — disse Jiang.

— Eu bem que poderia comer isso agora — disse Sam. — Certo. Vou começar a procurar a passagem agora mesmo.

Os olhos dele retornaram a David e a Xiao Yu. Onde os dois estavam conversando antes, já não havia nada além de um pedaço branco de parede. Tinham ido embora. Será que tinham se sentado? Examinou as mesas, viu as garçonetes andando de lado nos espaços vazios. Não. Tinham saído.

Sentiu de novo aquela pontada dentro de si, aquela sensação estranha que tivera antes, como tinha sido agradável a hora passada com Maggie McElroy. Para onde David e Xiao Yu tinham ido? Ficou pensando que, da próxima vez que olhasse, os encontraria ali em pé mais uma vez, reintegrados. Mas não encontrou.

A caminho do escritório, Carey tentara decidir o que diria a Maggie. Se dissesse muito pouco, seria desrespeito; se falasse demais, ela ficaria magoada desnecessariamente. Ele se perguntava o que fazer. Contaria a verdade, é claro, mas só quando ela perguntasse, e só a parte da verdade que fosse pertinente.

Ele se lembrava de ter percebido no mesmo instante que a conhecera, três anos antes, aqui em Pequim, que ela não sabia de nada. *Ela não faz idéia*, lembrava-se de ter pensado. *Matt nunca lhe contou.*

Carey não se surpreendera. Ele também não contaria. Então, Matt fizera uma loucurinha; e daí? Puxara as rédeas bem rápido, e por iniciativa própria. Deixe estar, era a sensação de Carey. Ele era um homem bacana, Maggie parecia ser uma mulher bacana, não havia necessidade de sofrerem. Eles que fossem o mais felizes possível. Era o que ele tinha pensado. Agora, é claro, meio que desejava que Matt tivesse contado por conta própria, para que ele não tivesse de fazê-lo.

Não que essa fosse a intenção de Matt. Ele era um homem correto, um homem de regras; isso Carey percebera nele desde o primeiro momento. Ele ainda era capaz de enxergar Matt no aeroporto, com sua bagagem hiperorganizada, o rosto liso e limpo cheirando ao sabão de barbear fornecido no avião. Aquele homem tinha força. O trabalho dele também era assim: meticuloso, forte, inflexível. Ele seguia as regras. Carey sabia que ele era exatamente o tipo que às vezes precisava dar uma pirada.

Era um padrão que já tinha visto antes. Apostava que um em vinte fossem como Matt, sujeitos bons e dedicados que largavam seus princípios ao chegar a este lugar em que tudo lhes era oferecido, em que a economia maluca e fechada fazia girar as engrenagens ao redor do poder central do governo, onde qualquer desejo podia ser satisfeito.

"Vamos sair", Matt dissera no fim de seu primeiro dia de trabalho no escritório de Pequim, em sua primeira visita, sete anos antes. Aquilo foi o começo. Ele tinha deixado até Carey comendo poeira, e Carey era amplamente conhecido como o rei da noite. Iam de um lugar badalado para outro em Sanlitun. Depois dos bares lotados e das festas à fantasia, Matt se afastava para negociar com as mulheres que trabalhavam nos clubes. Carey tentava lhe dizer que poderia encontrar mulheres melhores em outros lugares, que só seriam um pouquinho mais caras, mulheres com algo próximo de beleza, até mesmo de classe. Basta um telefonema, vamos; Não. Matt queria a garota do bar. E abordava também os traficantes de drogas africanos com atitude relaxada, amigável. Perguntava o que estava rolando, como se estivessem em Nova York. Nem piscava. Sempre lhe diziam o que tinham: haxixe, ecstasy, LSD. Comprava haxixe e enrolava com tabaco. E parava por ali. Seu comedimento no caso das drogas combinava com o outro Matt, o homem casado, aquele que Carey conhecera no aeroporto. E aquele era o Matt que aparecia no escritório depois das noitadas, sempre pontual, um pouco desgastado, mas pronto, e trabalhava o dia inteiro. Isso deixava Carey impressionado. Aquele homem era uma rocha.

Mas Matt começara a se sentir culpado. Em sua segunda visita, mais para frente naquele mesmo ano, entrou na sala de Carey certa tarde e disse que resolvera simplesmente ligar para Maggie naquele instante e contar-lhe tudo.

"Você perdeu a cabeça?", Carey se lembrava de ter dito. "Por que você diria a ela?"

"Porque eu conto tudo para ela."

"Coisas assim?"

"Nunca fiz coisas assim antes."

"Se você contar isso a ela, vai mudar tudo. Pensa: você vai fazer isso de novo? Esse vai ser seu novo estilo de vida?"

"Não! Já estou me sentindo mal."

"Então não faça mais. E não conte para a sua esposa. Ela não precisa sofrer." A mão dele pousou em cima do arquivo em que estava trabalhando. O tempo do cliente estava correndo e ele não gostava de parar o relógio. "Tudo bem, cara", ele completou, com suavidade. "Todo mundo escorrega de vez em quando."

Matt lhe agradecera, e concordara que sim, isso era o certo a fazer.

"Você vai ter que encontrar um novo companheiro de balada", brincou, e Carey lhe disse que não seria problema.

Ao mesmo tempo, não ficara surpreso de ver Matt voltar a ser quem era, de rosto corado, com tanta rapidez. Isso ele também já tinha visto antes.

Mas, duas noites depois daquilo, Matt ligara para ele de novo, no celular. O escritório estava quase vazio e Carey já estava pronto para ir embora. E lá estava Matt mais uma vez, o mesmo tom de animação na voz, dizendo:

"Eu sei o que eu disse, mas não posso evitar. Vamos sair."

"Certo", Carey disse, sentindo seu próprio sorriso se formar.

Em momentos como aquele, Matt era tão caprichoso e aberto quanto uma criança. Agia de acordo com suas necessidades. Havia algo nele que era quase pureza, uma coisa que vinha de dentro. Talvez fosse por causa disso que Carey fizera as vontades de Matt naqueles primeiros poucos anos, saíra com ele, cuidara dele. Eram dois amigos que se conheciam naquele cruzamento único de suas vidas. Os dois raramente se falavam quando Matt não estava na China. No ano anterior à morte de Matt, não tinham se falado nenhuma vez. E então ele se fora. Carey estava bem ciente do fato de que ele tinha outros amigos que conhecia melhor. Ainda assim, era difícil pensar em Matt agora, no ano que se passara, sem sentir uma pontada de pesar.

Do outro lado da porta, ouviu o tom da secretária e, ao lado dele, outra voz: Maggie. A porta se abriu e a viúva entrou com seus passos lentos, hiperacanhados. Ela tinha mudado em três anos. O rosto dela, sempre anguloso demais para ser classificado como bonito, tinha iniciado sua mudança na direção da concavidade elegante da idade. O corpo dela parecia mais flácido do que ele se lembrava, sob roupas neutras e soltas. A preocupação e o luto a mantinham em uma jaula, deixando de fora apenas seus olhos grandes, que agora queimavam com intensidade extra, como se para compensar o resto dela.

— Como vai? — ele perguntou, inutilmente, e se levantou para lhe dar um abraço.

— Já passei anos melhores — ela disse com o rosto enterrado no ombro dele.

Ficaram alguns minutos conversando. As palavras davam voltas ao redor de Matt, lembrando-se dele, tentando rir dele, tratando do impacto chocante de sua morte.

— Meu Deus, este é um telefonema que ninguém nunca quer receber — disse Carey.

Depois de falarem sobre Matt, ele fez perguntas detalhadas a respeito do conforto do vôo dela e do apartamento. Ela lhe contou sobre a pauta. E então reparou no arquivo que ele colocara na mesa entre os dois.

— Você já viu isto, certo? — ele perguntou.

— Zinnia me mostrou. — Ela abriu a pasta. — Isso é que é ficar de olhos fechados.

— É mesmo — ele disse.

Ela ergueu os olhos com um gesto abrupto.

— Você falou sério antes? Não sabia nada de criança nenhuma?

— Não — ele disse, e repetiu: — Nada de criança nenhuma.

A maneira como ele disse aquilo dava a entender que sabia de outras coisas.

— E a mulher que está indicada aqui como mãe? Gao Lan?

Ele soltou o ar dos pulmões.

— Sabia — disse. — Dela eu sabia.

Ele observou os olhos dela se arregalarem e se encherem de lágrimas quase instantaneamente enquanto a humilhação se seguia ao choque. *Conte a verdade a ela.*

— O que você sabe exatamente? — ela perguntou.

— Só o que tinha acontecido entre eles.

— Ela e Matt.

— É.

— Foi na época correspondente?

— Foi. Mas foi breve. Não quero que você pense que foi um relacionamento.

— Por quê? — ela perguntou, com a voz se exaltando. — Conta menos por não ter sido?

— Não — ele respondeu.

— Principalmente porque há uma criança.

Ele ergueu as mãos; ela o pegara. Mas contava menos, sim. Teria sido pior se Matt tivesse amado aquela mulher de fato. Ele não a amara, e isso fazia diferença. Neste momento, no entanto, Maggie não enxergava isso. E era compreensível.

— Conte o que aconteceu — ela disse, e ele contou.

Começou com a noite em que Matt conheceu Gao Lan.

Garota bacana, Carey se lembrava de ter pensado quando a viu pela primeira vez sob as luzes dançantes penduradas no teto. Bonitinha. Mas havia um número infinito de garotas que eram bonitinhas. Ele sabia disso. Matt, que ainda era meio verde na China, não sabia. Viu Gao Lan do outro lado do salão e implorou a Carey, insistindo sem parar, até que os dois abordaram Gao Lan e sua amiga e lhes pagaram bebidas. Para Carey, aquilo era uma chatice. Eram garotas como outras quaisquer. Havia garotas melhores em outros lugares. Mas, naquela noite, não conseguiu convencer Matt a sair dali para ir a outro lugar.

Carey contou a Maggie como se ele tivesse saído cedo e só tivesse podido supor o que acontecera depois. Assim era mais fácil para ele fazer seu relato, apesar de não ser verdade. Na realidade, Matt e Gao Lan tinham saído primeiro; saíram juntos, e Carey viu quando os dois se afastaram. Ele ainda era capaz de enxergar Gao Lan virando para Matt, seu rosto oval, bem do formato de um grão de arroz, enquanto caminhavam na direção da porta. Ela tinha uma feminilidade de porcelana que a transformava quase no oposto de Maggie, agora ali na frente dele, com seu rosto anguloso e triste, inteligente.

— Foi só aquela noite? — ela perguntou. — Ou aconteceu mais vezes?

— Foi só aquela noite.

Carey não tinha como ter certeza, é claro, mas fora o que Matt lhe contara.

Naquele inverno, Matt fora à China duas vezes. Na segunda visita, Gao Lan ligara para ele, e Matt lhe dissera depois que tinha terminado tudo com ela ali mesmo, naquele momento. Ele não dera nenhum detalhe, só disse que não queria mais vê-la. Não queria falar com ela.

Na época, Carey considerara aquilo insensível. A solidariedade de Carey, se é que repousava em algum lugar, estava aninhada no colo da prerrogativa masculina; mas também não havia razão para magoar as mulheres. Matt eliminara Gao Lan de um só golpe. Ela não gostara nada daquilo. Carey só a vira uma vez desde então, em uma recepção. Ela lhe lançara um olhar gelado e virara para o outro lado.

— No começo, fiquei com pena dela — ele agora confessava a Maggie. — Fiquei mal com o que aconteceu. Mas não me sinto mais assim. Não depois de ver isto. — Deu um tapa firme no processo. — Eu sei que ele pode ser o pai, admito, mas, ao mesmo tempo, ainda não acredito. Se ela teve uma filha dele, por que manteve segredo tanto tempo? E, eu sei que soa estranho, mas é difícil imaginar uma criança que surgiu de uma relação que significava tão pouco para ele. — Carey sentiu que não havia necessidade de dizer a Maggie que aquilo de fato havia parecido um pouco mais, do ponto de vista emocional, do que o casinho de uma noite que provavelmente fora. — Uma relação da qual ele se arrependia.

— A natureza não se importa com o que a gente sente por alguém — ela disparou em retorno. — Como você sabe que ele se arrependeu? Por que diz isso?

— Ele me disse — Carey respondeu, e fechou os olhos.

Era como se ouvisse o som da porta de metal e enxergasse as luzes fluorescentes fortes e visse Matt, no banheiro masculino do escritório, com a cabeça em cima da pia, tomado pela culpa por causa da noite anterior. "Eu não devia ter feito aquilo", ele disse a Carey, que não habitava o universo de compromissos de Matt e mal entendia sua disposição, mas mesmo assim enxergou a mistura enlouquecida de remorso e terror em seu rosto. Foi então que sentiu que corações talvez tivessem sido abertos, juntamente com o sexo. "Você acha que eu posso ter acabado com a minha vida?", Matt perguntou de seu poço de tristeza em cima da pia.

— Ele amava você — Carey dizia agora a Maggie. — Ele ficou péssimo depois do que aconteceu porque teve medo de perder você. Ficou arrasado. Foi por isso que a dispensou. E nunca mais voltou a acontecer. Foi só uma noite. Não sei se isso faz com que você se sinta melhor, mas, depois, ele ficou todo agoniado.

— Que legal — ela disse, a voz levemente inflexível. — Mas, pelo que você está me dizendo, essa menina definitivamente pode ser filha do Matt.

— Eu diria que há uma boa possibilidade — Carey disse. — Há, sim. Mas possibilidades não significam nada. Você precisa da verdade absoluta.

— Preciso do teste — ela disse.

5

Os mestres nos dizem que os poderes misteriosos do outono criam secura no céu e metal na terra. Dos sabores, criam os pungentes. Entre as emoções, criam o pesar. Pesar não pode ser isolado entre paredes nem mantido próximo por muito tempo. Ambos os casos levam à obsessão. Para uma pessoa pesarosa, cozinhe com cebolinha, gengibre, coentro e alecrim. O sabor deles é pungente, e isso tira o pesar do corpo e o solta no ar.

— Liang Wei, *O Último Chef Chinês*

Maggie tinha ligado para Sam Liang para dizer que se atrasaria, mas, mesmo assim, só teve meia hora do momento em que tropeçou para fora da sala de Carey até o instante em que deveria se apresentar sorridente no portão do chef. Pegou um táxi e ficou se retorcendo em um estado de humilhação. Tinha sido feita de boba. Matt tinha estado com aquela mulher, Gao Lan, e estivera com ela bem naquele período. Ela nunca desconfiara. Ela o amara incondicionalmente, até o último dia de sua vida. Ela ainda o amava. Mas será que amava mesmo?

Isto está guardado, ela dizia a si mesma quando chegou ao portão do chef, porque agora precisava trabalhar. *Isto vai ficar selado até mais tarde.* O portão dele estava aberto. Ela entrou, gritou um "alô" e seguiu o som de panelas batendo na cozinha.

As costas dele estavam curvadas para dentro da geladeira. Quando ele se levantou e se virou, segurava um frango fervido inteiro em uma travessa, com a pele de um amarelo-manteiga.

— Como vai? — ele disse.

Isso você não vai querer saber. Sou o ponto mais baixo da Criação.

— Tudo bem. — Ela largou a bolsa no mesmo pedaço de balcão que tinha tomado para si no dia anterior. — E você?

— Estressado. Preciso de uma fonte melhor de peixe vivo e fresco, para começar, e preciso logo. E estou cozinhando todo dia até altas horas.

— Está experimentando receitas para o banquete?

— Estou tentando conceber a refeição. — Ele se apoiou no balcão em um breve instante de exaustão.

— A que horas você foi dormir ontem à noite?

— Às duas. — Ele se corrigiu. — Às três.

— Não precisamos fazer isto hoje. — Ela ainda estava com a mão na bolsa. Podia dar meia-volta e ir embora. Ela tinha seus próprios problemas, e sabia que isto não a distrairia deles. — Não faz mal para mim.

— De jeito nenhum — ele disse. — Fique. Sente-se. Eu preparei isto para você.

Ela deu uma olhada no frango inteiro, roliço, com aparência macia.

— Você não devia preparar nada para mim, com tudo que tem que fazer.

— Mas eu preparei.

Ela cheirou o ar.

— O cheiro está bom.

— Ainda não está pronto.

Ela se inclinou para olhar mais de perto.

— Mas não está inteiro. Está cortado. — *E também remontado com precisão.*

— É — ele respondeu. — Está em *kuai*, em bocadas.

— Como se faz?

— Está em *O Último Chef Chinês*. Coloca-se o frango em água fervente...

— Quanta água?

— A quantidade varia na mesma proporção do frango. Depois de fazer uma ou duas vezes, a gente aprende. Ponha para ferver e desligue o fogo. Cubra a panela. Deixe o frango descansar até esfriar. Sempre fica perfeito.

— Só água?

— Ah, não. Sal. E várias coisas. Hoje, gengibre e cebolinha. Sempre caem bem com frango: corrigem o toque metálico do sabor. — Fez uma pausa. — Servem para muitas coisas.

— Então, sabores corrigem outros sabores?

— Todos os sabores afetam um ao outro de alguma maneira. Temos um sistema específico.

— Por exemplo?

— Existem técnicas. Quebrar ossos antes de cozinhar para liberar o tutano e encorpar o sabor. Cozinhar cabeças de peixe rapidamente em água fervente para extrair o sabor acentuado. Há também um conjunto todo de técnicas relativas à textura, maneiras de cortar e de salgar e de marinar. Então, no nível seguinte, usam-se coisas para modificar umas às outras. Há uma longa lista de sabores que modificam outros sabores, coisas como açúcar e vinagre. Depois, há o mesmo tanto de sabores utilizados por suas qualidades de controle ou de supressão, como gengibre e vinho. Finalmente, temos várias coisas que usamos para afetar a textura. É aí que nossos amidos e raízes em pó entram.

Enquanto falava, ele colocou uma *wok* sobre um dos anéis do fogão e acendeu a chama.

— Vou terminar o frango.

Deixou a *wok* lá um minuto, esquentando, e então juntou o óleo.

— Você aquece a panela primeiro?

— Panela quente, óleo morno. — Colocou gengibre e esperou até que começasse a chiar, então adicionou cebolinha. A fragrância aflorou imediatamente. Apagou o fogo e derramou o óleo fervente, estalando, por cima do frango. Então salpicou folhas de coentro por cima. — Agora está pronto.

Ela pegou os pauzinhos. O aroma do frango tinha passado a ter uma intensidade aconchegante. Para Maggie, tinha cheiro de lar. A infância dela pode ter sido restrita, só ela e a mãe, mas em qualquer lugar em que morassem, o aroma de frango estava lá com elas. E este era um cheiro tão bom quanto qualquer outro de que ela pudesse se lembrar. Melhor.

— Experimente — ele disse. — Os ossos também estão cortados. Estilo chinês. Não dá para obter sabor sem o tutano. É só cuspir os ossos fora. Tudo bem para você?

— Tudo bem.

Ele deu risada.

— Você é tão séria...

Ah, se você soubesse o que eu estou tentando segurar... Pegou um pedaço lateral da ave, embaixo do peito, onde a umidade da coxa aparecia, e experimentou. Era macio como veludo, sabor de frango acentuado ao cubo, perfurado por gengibre e um toque de cebola. Pedacinhos de osso, consumidos em sua essência, esfarelaram-se em sua boca. Ela os transferiu para a mão e colocou no prato.

— Mas está perfeito — ela disse. — Todos os frangos deveriam ser preparados assim, o tempo todo. Acho que nunca experimentei nada tão gostoso.

— Obrigado.

— Estou falando sério. — Mordeu outro pedaço, suculento, macio, perfeito. Aquilo fez com que ela se derretesse de conforto. Parecia que um teto fora colocado sobre sua cabeça, formando uma bolha de calor a seu redor, fazendo com que toda a angústia que ela trazia guardada dentro de si se transformasse, por um instante, em algo suportável. Ela fechou os olhos para aproveitar aquele alívio delicioso. Terminou e cuspiu os ossos. — Você vai preparar isto para o banquete?

— Não — ele respondeu. — Este eu fiz para você.

Ela ergueu os olhos com rapidez.

— Estes sabores são para você neste momento, para beneficiá-la. Gengibre, coentro e cebolinha. São bem poderosos. Bem curativos.

— E curam o quê? — ela perguntou, largando os pauzinhos. Ela sentiu a força humana dele de repente, como se estivesse parado bem perto dela, em vez de estar do outro lado do balcão, e ela ficou lá, apreensiva.

— Pesar — ele disse.

— *Pesar*? — O ninho desagradável de tudo que ela sentia abriu caminho até a superfície, tristeza, vergonha, raiva de Matt. Raiva de Sam por presumir, por se intrometer, gratidão por Sam por essas mesmas coisas. A voz dela, quando saiu, parecia desorientada. — Você está tratando o meu pesar?

— Não — ele insistiu. — Estou cozinhando para você. Existe uma diferença.

Ela tentou conter a agitação. Não choraria na frente dele.

— Talvez devesse ter me perguntado antes.

— Mesmo?

— É um pouco difícil para mim.

— Bom, sinto muito por isso. Peço perdão. Você é americana, e eu devia ter pensado nisso. Aqui, é assim que somos ensinados a fazer: a conhecer quem vai comer, a sentir como a pessoa está e a cozinhar de acordo com essa percepção. Alimentar o corpo é só o início. Também é necessário alimentar a mente e a alma.

Maggie refletiu sobre a questão.

— Um chef de restaurante não pode fazer isso — ela reclamou. — Não sabe quem são os clientes.

— Certo. Isso valeria apenas para os amigos ou para os clientes regulares, que eram muitos, aliás. Mas os restaurantes, no decorrer da história, eram apenas uma parte das coisas. Também havia os chefs que cozinhavam para famílias abastadas e conheciam seus comensais na intimidade. Houve também gourmets famosos que nos deixaram seus escritos; eles também tinham relacionamentos longos com seus cozinheiros. A relação da culinária é um laço como o de família. Fornecer apoio à alma é parte natural do processo. Ele examinou o rosto dela. — Olhe. Minha intenção não foi ofender. Foi assim que fui ensinado pelos meus tios. Também foi assim que a minha mãe me criou, para fazer coisas para os outros. Ela chamava isso de *mitzvah*. Sinto muito se extrapolei os limites.

— Não é culpa sua — ela disse. Ainda se sentia invadida, um pouco; e agora também se sentia culpada por causa disso.

— É só comida — ele disse, com mais gentileza.

— Eu sei. — Ela ergueu a mão para proteger os olhos. *Não. Não na frente dele.* — Eu não devia ter vindo aqui hoje. Devia ter cancelado. — Uma lágrima escorreu. Ela não conseguiu segurar. Rapidamente, enxugou-a.

— Tudo bem — ele disse.

Isso levou a mais uma. E outra.

— Tudo bem mesmo — ele disse. — De verdade.

Ele olhava para ela como se realmente não se importasse, como se quisesse que ela chorasse. *Mas eu não quero chorar.*

— Sam, não posso — ela disse.

Mas ela chorou, de todo modo. Foi saindo mais rápido, até ela começar a soluçar. Ela cobriu as bochechas, os olhos, mas foi incapaz de se proteger. Ele ficou sentado à frente dela, observando-a, absorto. Ele não se mexeu. Aceitou o arroubo bruto dela como um homem no posto de gasolina em um dia quente, como se no passado já tivesse visto algo assim e sentisse falta daquilo. Por quê? Ela ficou se perguntando, até quando ele lhe entregou uma toalha e ela aceitou. A maior parte dos homens que ela conhecia não gostava de ver uma mulher chorando.

— Está tudo bem? — ele perguntou depois de um tempo.

Ela fez que sim e devolveu a toalha.

— Por que disse que deveria ter cancelado hoje? Está tudo bem?

— É só que... recebi notícias perturbadoras. Está lembrado de eu dizer que estava aqui para resolver um assunto relacionado aos bens do meu marido? — Ela suspirou. *Nunca foi minha intenção contar para você. Eu queria entrevistá-lo e escrever este artigo sem que você nunca soubesse.* — A verdade sobre esse assunto é a seguinte: é um processo de paternidade. Tem uma mulher aqui dizendo que tem uma filha do meu marido, e a família dela entrou com o processo.

Ela viu o lampejo instintivo de distância atravessar o rosto dele; ninguém gostava de ficar perto de uma coisa dessas. Mas logo a compaixão tomou conta dele.

— Sinto muito por isso.

— Certo. Bom, eu tenho um tempo muito curto para conseguir um teste de DNA, e estou atrás disso, é claro, mas o tempo todo, até hoje, para dizer a verdade, eu não estava acreditando.

— E esta foi a sua novidade — ele arriscou.

Ela fechou os olhos. Precisava fazer qualquer coisa para se acalmar.

— Hoje eu descobri que ele realmente teve um caso com a mulher que teve a criança, e que também foi na época equivalente.

Ele ficou olhando para ela por um segundo e então disse:

— Tome aqui. — Pegou pedaços macios da parte de baixo da ave para ajeitar sobre o prato dela. — Está precisando disto.

Ela deu um semi-sorriso e levou um à boca. Tinha um gosto tão bom, tão *necessário* para ela, que comeu rapidamente todos os pedaços do prato enquanto ele, sentado à sua frente, também comia o frango e a observava.

— Como foi que o seu marido morreu? — ele perguntou, servindo-a de mais carne. — Ele estava doente?

— Não. Estava parado em uma esquina em São Francisco, só isso. Esperando o sinal abrir. Um carro foi para cima dele e de mais duas pessoas.

— Ah — ele disse devagar e largou os pauzinhos. — Que horror.

— Foi sim — ela concordou. Comeu mais um pedaço. O frango estava macio, sublime; era como se servisse para protegê-la das coisas que eram difíceis de falar

— Você já falou com a outra mulher?

— Ainda não. Na verdade, a menina mora com os avós. Eles são os guardiões, eles é que terão de dar permissão. Infelizmente, não moram aqui. Estão no sul. Estamos tentando conseguir passagens. Esse é o impasse.

— É impossível conseguir passagem agora — ele disse. — O Dia da Pátria está chegando. Todo mundo tem uma semana de folga e viaja. Estou tentando conseguir uma passagem também. Passei a tarde toda tentando, aliás.

Ela se aprumou na cadeira.

— Passagem para onde?

— Hangzhou. Tenho um tio lá. Lembra que eu falei dos tios que me ensinaram a cozinhar, dois daqui e um de Hangzhou? Tio Xie, o de Hangzhou... ele está morrendo. Acho que não vai resistir nem até o meu banquete. Então, é isso que estou tentando fazer. Ir lá vê-lo, só por um dia, antes do fim. Mas não consigo passagem.

— Sinto muito, Sam — ela disse, com simplicidade. — É muito triste. Nós também ainda não conseguimos passagens.

— E para onde você está tentando ir? — ele perguntou.

— Shaoxing.

Ele se sobressaltou.

— É lá que eles moram — ela completou.

— Mas que coisa incrível. Shaoxing é logo ao lado de Hangzhou. Literalmente. Fica a meia hora de carro.

— Ah, é? — ela disse, e então deu de ombros, porque não fazia diferença. — Mas, bem, boa sorte para nós dois com as passagens.

— Boa sorte — ele repetiu. — Espero que esteja se sentindo melhor. E espero que não tenha se incomodado com o que eu fiz. O frango, quer dizer.

— O frango estava ótimo. Eu queria comer isto todos os dias. — Ela colocou a bolsa no ombro. Sabia que seus olhos deviam estar inchados, e a pele, marcada pelo caminho das lágrimas. O estranho é que estava começando a se sentir melhor. — É só que este não é o melhor momento para sentarmos para conversar. Espero que compreenda.

— Compreendo — ele disse.

A gentileza dele foi interrompida por um instante de distração. Foi sutil, mas ela compreendeu. Ele precisava voltar ao trabalho.

— Obrigada.

Em vez de responder, ele se levantou e se virou, enfiou a mão no fundo de uma prateleira e voltou com uma caixa laqueada, simples e leve. Passou um pano limpo nela e começou a ajeitar o frango lá dentro. Ela pensou que ele não podia querer dar aquela caixa para ela. Era um recipiente lindo demais. Ela teria que lavar e trazer de volta. Mas talvez fosse o desejo dele: que ela voltasse.

— Aqui está — ela o ouviu dizer, por cima de outra fatia suave de som quando fez a caixa deslizar por cima do balcão. — Não se esqueça de levar o frango.

No minuto em que ela saiu, Sam deixou a cozinha e voltou para o quarto que dava para o leste, onde ele morava, onde seu computador brilhava em cima da mesa e seus livros estavam se transformando em pilares irregulares apoiados na parede. Ele se afundou em sua cama por fazer com o celular apertado contra a orelha, ouvindo o toque longínquo que soava na casa de tio Xie, mil quilômetros ao sul. Tinha tentado ligar antes de Maggie chegar, ninguém atendera.

Finalmente, ouviu um clique, e então:

— *Wei.*

O alívio tomou conta dele quando escutou a voz sussurrada de Wang Ling, a esposa de tio Xie.

— Titia. Sou eu. Como ele está?

— Nada bem, meu filho. Está perguntando por Liang. Quer saber do seu pai.

— Posso falar com ele? — Sam perguntou.

— Neste momento, está dormindo.

— Ah, deixa ele dormir.

— Sim. — Então ela disse: — Você vem?

— Tia, estou determinado. *Zhi feng mu yu* — ele disse. Mesmo que penteado pelo vento ou lavado pela chuva. — Mas não consigo passagem! Pelo menos não consegui ainda. Por causa do feriado.

— Precisa tentar, meu filho.

— Vou tentar — ele prometeu.

Dava para perceber que o tio não tinha muito tempo, talvez fosse apenas uma questão de dias. O pai de Sam deveria vir à China. Ele poderia fazê-lo, com facilidade. Significaria tanto... Mas ele não viria, e Sam já sabia que provavelmente seria inútil tentar convencê-lo. Mais uma razão para que ele próprio tivesse de achar uma maneira de ir até lá.

Assim que desligou, Sam voltou a mexer no computador com uma das mãos, enquanto com a outra segurava o celular e ligava para toda e qualquer pessoa que estivesse relacionada de alguma forma a viagens. Não conseguiu passagem, mas continuou a tentar. Enquanto isso, via o relógio avançar. Logo precisaria sair, tio Jiang o levaria para conhecer o homem que era, indiscutivelmente, o maior fornecedor de peixe da cidade. Se esse homem o aceitasse, que vantagem ele teria! Que qualidade única! O problema era que ele nunca aceitava clientes novos. Fazia anos desde que tinha aceitado o último. Aliás, à boca pequena dizia-se que ele só aceitava alguém novo quando um dos antigos morria. Mas Jiang o conhecia, e tinha marcado o encontro.

Nada de passagem. Nada de nada. *Terceiro Tio, fique vivo para mim.* Fechou o programa de computador, trancou o portão e pegou o metrô a uma estação de distância, até En Ding Men.

Bem quando chegou à superfície, o celular tocou. Era ela.

— *Wei* — ele disse, de brincadeira. — Como está?

— Muito melhor — ela respondeu.

— Comeu o seu frango?

— Comi todo o meu frango — ela confessou. — Comi na hora. Nem consegui esperar pela próxima refeição. E aí consegui minhas passagens.

— Não é para menos que está se sentindo melhor. — Sentiu uma pontada de inveja. — Quando viaja?

— Hoje à noite. Não vamos nos ver durante alguns dias.

— Espero que, quando você voltar, eu não esteja aqui. Ainda estou tentando conseguir passagem para Hangzhou. Mas só é assim no Dia da Pátria, sabe? E no ano-novo chinês. No resto do ano é normal, a gente vai para onde quiser, quando quiser. Só fica impossível nessas semanas.

— Sinto muito, Sam. — A voz dela parecia cheia de sentimento. — Espero que consiga a sua passagem.

— Vou conseguir — ele disse. E então, no intervalo de silêncio, resolveu arriscar. — Quem vai com você?

— Zinnia. Ela trabalha no escritório local da firma de advocacia do meu marido. Ela marcou o encontro com os avós... ligou para eles e fez com que aceitassem nos receber. — Ela fez uma pausa e ele quase escutou a mente dela trabalhando. — Sam — ela disse. — Você não está me perguntando se pode ir no lugar dela, está?

— Claro que não — respondeu. Estava sendo sincero, apesar de negar com muita veemência. — Só queria ter certeza de que você tinha tudo de que precisava.

— Obrigada. Eu vou me virar.

— Ligue para mim quando voltar. Maggie? Estou no lobby de um prédio agora, vou entrar em um elevador. Preciso desligar.

— Certo — ela disse.

— Faça uma boa viagem.

— Obrigada.

Ele desligou e as portas se fecharam com um chiado atrás dele. O elevador subiu vinte andares com aquele tipo de velocidade ostensiva que sempre o deixava sentindo uma pressão desconfortável no corpo. Bom, agora estava bem no alto de um prédio, pelo menos perto do céu, de modo que enviou uma pequena prece para as deidades que por acaso estivessem por ali. *Ajudem o Terceiro Tio a sobreviver até que eu consiga chegar lá. Permitam que eu o veja mais uma vez antes que se vá.*

Sam entrou em uma sala de espera suntuosa, ladeada de armários refrigerados e uma parede de aquários de cristal borbulhantes. Depois de se sentar e retomar a concentração das idéias, ele fez mais um conjunto de orações, essas a respeito de peixe fresco. O Primeiro Tio chegaria logo. E eles precisavam aproveitar a reunião ao máximo.

Enquanto Sam subia pelo elevador e se esticava até quase fechar os olhos no silêncio da sala de espera, Jiang caminhava pela avenida An Ding Men, na direção do Century Center. No começo, ele apreciara todos aqueles prédios modernos. Para ele, eram um alívio depois do manto de pedras quadradas que cobrira Pequim por tanto tempo. Mas a quantidade deles logo se tornou excessiva. Além do quê, boa parte dos prédios não envelhecera bem e já mostrava sinais de desgaste.

No entanto, a vida era boa para um amante da comida. Os restaurantes se multiplicavam. A culinária refinada estava de volta. Com boa comida por todos os lados e cozinheiros de primeira linha competindo saudavelmente, aquela forma de arte estava traçando uma nova trajetória. E o gourmet, o *meishijia*, tinha retornado à equação, porque mais uma vez existia um exército de comensais. Como no passado, eram cheios de paixão. Tinham dinheiro para gastar e discernimento para esbanjar.

Sim, estavam passando por um ciclo de alta no momento, um período de florescimento: certamente algo a ser lembrado pelos historiadores da alimentação. Talvez ele pudesse desenvolver uma palestra futura sobre a idéia.

Apesar de aposentado, ele ainda voltava à universidade uma vez por ano para falar sobre a cultura dos restaurantes e dos alimentos. No ano que se passara, seu tema fora uma única frase: *xia guanzi*, comer fora, ir a um restaurante. Numa elegante preleção de 60 minutos, ele aludia a todos os significados de *xia guanzi* ao longo dos últimos 80 anos. No começo, significava algo positivo e emocionante: prazer e companhia, boa comida. Havia o charme requintado das casas e dos pavilhões de chá, a pressa dos bistrôs urbanos onde homens se encontravam para planejar o futuro da China, e o clamor magnífico dos grandes restaurantes. Então os anos 50 chegaram à sua metade e *xia guanzi* virou frase proibida. Era contra-revolucionária, burguesa, um lembrete odiado da decadência. Dali seguiu-se uma longa era cinzenta de indiferença imposta e até, por algum tempo, de cozinhas comunitárias. Finalmente houve o relaxamento e, depois, a privatização, que impactou os restaurantes antes de atingir quase qualquer outro setor. Lugares para comer abriam-se por todos os lados. As pessoas enxameavam na direção deles. Comer fora era glorioso! Ir a um restaurante voltara a ser algo maravilhoso. Não era só comida: eram amigos e família e estar junto. Era a vida dando seqüência a seu círculo completo, uma sociedade reaprendendo a respirar. Quando ele terminava, a platéia se levantava e aplaudia. Ah, ele era um homem de sorte em sua aposentadoria, principalmente por ter vivido para ver esse dia em que mais uma vez a culinária verdadeira voltava a existir, por todo lugar.

Atravessou o lobby e pegou o elevador para subir. Estava ali para apresentar seu sobrinho a um fornecedor de frutos do mar chamado Wang Shi, a que todos gostavam de chamar de o Mestre das Redes, por causa de Wangshi Yuan, o Jardim do Mestre das Redes, um lugar famoso em Suzhou. O humor homofônico (o som de Wang Shi era parecido com Wangshi, apesar de os caracteres serem diferentes) era um dos pequenos prazeres do mandarim. Wang ouvira o apelido e aprovara. A associação com uma obra de arte tão sublime e duradoura quanto esse jardim era um elogio, e ele sabia disso.

Jiang estava lá para pedir a Wang que aceitasse seu sobrinho como cliente. Para ter êxito, o garoto precisava de um fornecedor incomparável de peixe fresco. O próprio Yuan Mei dizia que o crédito por uma refeição maravilhosa era 40% do supervisor e só 60% do cozinheiro. *Uma cavalinha é uma cavalinha, mas em ponto de excelência, duas cavalinhas são tão diferentes quanto gelo e brasas vivas.* Era o que o grande homem tinha escrito, 212 anos antes. Sim, Jiang sabia que era fundamental ajudar o garoto a obter a fonte certa de peixes.

O sobrinho já tinha um fornecedor que trabalhava com frutos do mar em conserva, camarões secos da mais alta qualidade e lulas e sépias de toda a China. O sujeito vendia o melhor peixe defumado em miniatura de Hunan e o musgo de água doce mais sutil e encorpado do delta do Yang-Tsé, tão popular quando servido frio e picado, com tofu seco, capaz de adicionar sabor marinho complexo à mistura para empanar peixe frito... Talvez, Jiang pensou com uma pontada de animação, esta pudesse ser a palestra do ano seguinte. Frutos do mar em conserva e vegetais aquáticos.

Os frutos do mar passaram a ser apreciados bem no início da história da China. A demanda era ampla, mesmo na vasta população do interior. Frutos do mar em conserva (secos, salgados ou defumados) logo passaram a ser muito procurados e ficaram caros, já que forneciam sabores marcantes únicos. Geralmente custavam mais caro do que o produto fresco. Talvez, pensou Jiang, o sobrinho devesse preparar para o concurso um emaranhado de pequeninos peixes prateados: crocantes, levemente defumados, um tantinho salgados, quase secos, com um toque de molho e rodelas fininhas de pimenta forte colorida...

Mas era hora de voltar aos peixes frescos e vivos. Era disso que o sobrinho precisava agora. Infelizmente, o Mestre das Redes era exclusivo demais para aceitar novos clientes. Ainda assim, era um velho amigo. Jiang precisava tentar.

— Tio — o garoto dissera —, ele não aceita *ninguém.*

— Seja razoável ao falar — Jiang lhe dera uma bronca. — Eu o conheço há muito tempo.

E então o garoto fora até lá, e estava postado na sala de espera de Wang, com seus aquários e seus refrigeradores. Era inteligente ter o escritório assim. Peixe era uma coisa visceral. Tinha que ser visto, cheirado, observado. Ah!, Jiang pensou, seria bom voltar a ver o velho amigo.

— Liang Cheng — ele disse ao sobrinho, com afeição. — Você comeu?

— Comi, tio. — Sam se levantou. — E o senhor?

— Comi. E a sua viagem? Conseguiu a passagem para visitar o Terceiro Tio?

— Não. Tentei de tudo. Não consigo assento em lugar nenhum. Vou ter que esperar uma semana.

— Temo que ele não dure tanto.

— Eu sei.

O clique da porta, e lá estava um homem sólido com pescoço de touro e cabelo branco esvoaçante. Wang Shi. Tinha boca jovial e olhos pequenos que se ergueram alegres ao avistarem Jiang.

Bem atrás de Wang vinha outro homem, jovem, de cabelo desgrenhado: era Pan Jun. Sam o conhecia. Era um dos dez concorrentes, um jovem leão da cozinha de Shandong. *Ele* era cliente do Mestre? Como isso era possível? Ele não era assim tão famoso por suas habilidades. Na verdade, era um dos chefs de pior classificação entre os dez concorrentes. Sam ficara surpreso até mesmo com a escolha dele.

— Que bom vê-lo! — Sam disse, levantando-se de um salto. — Como estão indo as coisas? Está trabalhando noite e dia? Eu sei que eu estou.

— Ah, sim. — Pan revirou os olhos. — Nunca durmo.

Sam abriu seu sorriso franco do Meio-Oeste americano, que foi eficiente em dissolver a sugestão de rivalidade.

— Desejo-lhe sorte — Sam disse.

— Eu lhe desejo o mesmo — Pan respondeu com um sorriso.

— Mas vocês dois vão se destacar! — exclamou o sr. Wang. — Há duas vagas para o norte na equipe... Não é mesmo?

Sim, sim, todos trocaram sorrisos. Mas havia outros oito no páreo, e eram muito bons. Principalmente Yao. Pan Jun se despediu e dirigiu-se para a porta.

Finalmente, as saudações calorosas cessaram e a porta se fechou, e naquele momento Wang mudou de modo abrupto. Explodiu em pedidos de desculpa:

— Velho Jiang! Estimado amigo! E o seu sobrinho, de quem tanto se ouve falar... como me sinto mal por ter feito com que esperassem! Mas foi inevitável! Quando Pan passou aqui, fiquei como um peixe nadando em uma panela. Tive que largar tudo. E não por causa da culinária dele, porque todo mundo diz que você o supera... tanto você quanto Yao Weiguo. Essa é a verdadeira batalha, não é mesmo? Você e Yao! Mas, ah, não há dúvidas, quando Pan chega, eu preciso me aprumar.

— Por que isso? — Jiang perguntou.

— Você não sabe? Ele é filho de Pan Hongjia.

Isso fez com que o Primeiro Tio engolisse em seco.

— Quem é Pan Hongjia? — Sam perguntou.

O Primeiro Tio sussurrou para ele em inglês, erguendo um escudo momentâneo de privacidade:

— É o vice-ministro da Cultura.

O coração de Sam se afundou. Todas as partes ocultas da figura de repente apareceram.

— Percebo.

— E o Ministério da Cultura é o *danwei* deste evento.

— Certo. — Sam sabia o que isso significava. Era mais do que preferência. Estava ferrado. O nepotismo, para o bem ou para o mal, era como a China funcionava. O segredo era sempre ter isso em mente, sempre estar atento, ser chinês. Encarar a realidade.

Se Pan Jun era filho do vice-ministro, certamente receberia um dos dois lugares da equipe do Norte.

Isso significava que só sobrava uma vaga. A ser disputada entre ele e Yao.

— *Fu shui nan shou* — o Primeiro Tio então disse baixinho em seu ouvido. Água derramada é difícil de recolher. — Você precisa seguir em frente.

Sam fez que sim.

O velho se voltou para o Mestre das Redes.

— Velho amigo — ele disse. — Caro amigo. Esta será uma batalha até a linha de chegada; isso dá para ver. Você e eu nos conhecemos há muito tempo. O jovem Liang necessita dos peixes mais refinados, mais frescos.

Wang Shi assentiu.

— *Wo tongyi.* Concordo. — Fez um gesto abrangente e em forma de gancho, englobando os dois. — Entrem.

Sam sentiu uma onda feliz de surpresa.

— *Zhen bang* — disse. — Ótimo.

Ele os fez entrar na sala dos fundos, com a porta de entrada dupla aberta. Esta é a porta dos fundos, a *hou men*, pensou, olhando para o batente que passava acima de sua cabeça. Neste momento, estou atravessando-a. Observou enquanto o Primeiro Tio e Wang Shi trocavam sorrisos.

— Meu velho amigo — ouviu Wang Shi dizer. — Como é bom vê-lo.

O celular de Maggie tocou. Era um número comprido, um número da China. Mas não era o de Sam. Aquele ela já conhecia.

— Alô?

— Maggie, sou eu.

Era Carey, com a voz soando envelhecida naquele momento, apesar de ele só ser alguns anos mais velho do que ela.

— Está tudo bem? — ela disse.

— Está. Olhe, estou aqui na frente. Preciso falar com você.

— Aqui na frente do prédio? Aconteceu alguma coisa?

— Posso entrar? — ele disse.

— Claro que sim.

— Você precisa abrir o porteiro eletrônico.

— Ah.

Esta era a primeira vez que ela recebia visita. Teve que examinar a sala durante um ou dois segundos até encontrar o botão. Ele subiu pelo elevador, e quando seus passos altivos sussurraram pelo corredor, ela já estava com a porta aberta.

— Desculpe — disse quando ele entrou. — Eu não sabia o que precisava fazer.

Ele fez um gesto de descaso.

— Como você está, Maggie?

— Ansiosíssima — ela admitiu. — Vamos viajar daqui a algumas horas.

— Eu sei. É sobre isso que vim falar com você.

Ela sentiu o golpe negro de um medo conhecido demais, de que as coisas desmoronariam.

— Diga — ela pediu.

Ele caminhou para olhar a paisagem pela janela, como se fosse mais fácil sem olhar para ela.

— Estou mal com isso. Aconteceu de repente. Temos uma grande apresentação amanhã. Aquele cliente que fui visitar em Bangcoc? Vem para cá. O momento é péssimo... vou trabalhar o fim de semana todo. Precisamos preparar a apresentação inteira.

— Você quer dizer que precisa das passagens? — ela perguntou, sem entender.

— Passagens? — Ele ficou olhando para ela. — Não. Preciso de Zinnia.

— Ah.

— Eu sei que a prometi para você. E ela é ótima, não é? Seja lá o que for, ela faz. Mas é por isso que o escritório precisa dela amanhã. Sinto muito. Para ela, também não é fácil. A maior parte das pessoas tem a semana toda de folga no Dia da Pátria.

— Compreendo — Maggie disse, mas, ainda assim: E agora? Carey tinha razão sobre Zinnia: ela tinha a força incansável de um trem em movimento.

— Bom, olhe, você não vai deixar de viajar, e no mesmo horário. Vou conseguir outro tradutor. Arrumo alguém na próxima hora... Não vai ser Zinnia, ninguém pode ser ela, não posso prometer. Mas alguém competente.

— Alguém do escritório?

— Não. De uma empresa especializada. Mas são excelentes. Nós os usamos o tempo todo.

— Carey? — ela esperou até que ele parasse de olhar através da janela. Queria toda sua atenção. — Não posso dizer que fico contente com isso, estava contando com Zinnia, mas compreendo. De verdade. E fico feliz por você ter vindo até aqui pessoalmente para me dizer.

— Eu tinha que vir pessoalmente — ele disse. — Estou me sentindo péssimo.

— Eu sei. Mas a culpa não é sua.

— Não mesmo — ele disse, parecendo agradecido.

— Olha, você tem muito a fazer. Não quero prendê-lo. Mas tem uma coisa que gostaria de pedir.

— Qualquer coisa — disse Carey.

— Espere um pouco antes de contratar alguém. Vinte minutos. Meia hora, no máximo. Só até eu ligar para você.

— Por quê? — ele perguntou.

— Porque talvez eu tenha alguém para ir comigo.

Os olhos dele se fixaram nela.

— Alguém para ir com você?

— Me dê só alguns minutos para checar uma coisa.

E ele ergueu as mãos aceitando, compreensivo. Era o mínimo que poderia fazer.

Ela esperou até ouvir as portas do elevador se fecharem atrás dele antes de pegar o telefone. Ela não queria ligar para Sam Liang na frente de Carey.

E quando pegou o telefone, sem se dar conta, ligou para Zinnia primeiro, rapidinho, só para se assegurar de que estava com todas as informações necessárias.

— *Duibuqi* — Zinnia disse assim que atendeu ao telefone. — Sinto muito. Carey me ligou. Agora vou precisar ir para o escritório amanhã.

— Eu sei. Mas você pode me dizer mais alguma coisa sobre a situação que possa me ajudar?

— Deixe-me pensar — Zinnia respondeu.

— Como eles se comportaram quando você ligou para marcar o encontro?

— Em primeiro lugar, não pareceram ser gente do interior, sem estudo; não, o oposto. Concordaram com sua visita imediatamente. Disseram que você pode ver a menininha. Pareciam ter certeza de que era filha do seu marido.

— Hm — Maggie respondeu.

— Então, sugiro que, quando for falar com eles, se comporte como se fosse parente. Isso não é algo que você vá dizer, mas o sentimento que carregará dentro de si. Compreende?

— Acho que sim — Maggie disse, apesar de não ter bem certeza disso.

— Também tenha esperança. — Zinnia deu a risadinha curta e sem afetação dela. — Reze. Acho que esta é a melhor coisa, sim. Reze.

— Certo — disse Maggie. — Isso eu posso fazer. — Apesar de não saber nem para quem deveria direcionar tal oração, se fosse tentar fazer alguma, por ter sido criada em um mundo de pessoas que só rezavam se fossem de alguma religião exótica, como o budismo ou o islamismo. — Vou rezar.

Na outra ponta da linha, Maggie escutou os gritos estridentes e insistentes de uma criança.

— É o seu filho?

— É, sim. Menino levado! O *ayi* dele diz que ele sabe que vou viajar. Agora não vou mais, mas ele ainda não compreende. — Ela fez com que ele se calasse com uma sucessão abafada de palavras em chinês e então retornou ao telefone. — Enquanto você estiver viajando, vou voltar a procurar Gao Lan, assim que a apresentação terminar. Ela está em Pequim. Vamos encontrá-la.

— Acho que você tem razão — disse Maggie.

— Então, quanto a essa pessoa...

— Como você ficou sabendo tão rápido?

— Eu já disse, Carey me ligou.

— Ele vai poder fazer um ótimo trabalho.

— Ele é chinês?

— Metade.

— Ele sabe falar?

— Sabe, sim, sem dúvida.

— É seu amigo?

— Não exatamente. É um conhecido do trabalho. Alguém que eu estou entrevistando para fazer uma reportagem. — Ela recuou um pouco e formalizou a questão, naturalmente, já que estava falando com Zinnia, mas sabia que era um pouco mais, e era por isso que ela queria que ele a acompanhasse, sabia disso, em vez de um tradutor de uma empresa especializada. Ela e Sam pareciam estar nos primeiros estágios de uma aliança por que as pessoas passam antes de decidir se vão ou não ficar amigas. Já pareciam estar cuidando um do outro, ao menos um pouquinho. Ela se sairia melhor com ele, pressentia. Ele se esforçaria. — Mas, para falar a verdade, Zinnia, acho que estamos nos adiantando aqui. Ainda não falei com ele. Aliás, preciso ligar agora mesmo.

— Ah. Você não falou com ele. Por que acha que ele vai querer ir?

— Ele tem seus próprios motivos. Uma questão de família. O tio dele está morrendo em Hangzhou e ele precisa muito ir para lá.

— Ah! Uma questão de família. Isso é diferente. Rápido, vamos desligar. Ligue para ele — disse Zinnia. — Agora mesmo.

Sam voltara para casa em êxtase, devido à qualidade dos peixes que iria conseguir. Mas as primeiras amostras só chegariam dali a alguns dias, de modo que, por ora, ele tinha voltado a atenção para as transformações suaves que dava para fazer com mocotó e tendão de vaca. Naquele momento, assava no vapor uma dúzia de peças de mocotó em dois banhos de caldos complementares.

Assim que a carne começou a ferver, ligou seu laptop, que tinha levado para a cozinha, e checou de novo a disponibilidade de passagens. O primeiro vôo que conseguiria reservar seria para dali a sete dias; era a noite do banquete. Tinha que ir e voltar muito antes. Colocou seu nome em diversas outras listas de aviso de cancelamento. Neste momento, não podia fazer nada além disso.

Agora estava nas mãos dos deuses. Ele não mantinha um altar na cozinha — para alguém de origem híbrida, seria ir longe demais na direção do passado chinês —, mas lentamente passara a sentir que os deuses estavam lá. Houve vezes, como agora, em que ele lhes pedia que intercedessem, mas sabia que eram caprichosos e tinham vontade própria. Às vezes, concediam o que ele queria; outras vezes, não.

O celular tocou. Ele olhou: era Maggie.

— Oi — ele disse, inclinando-se para perto da panela, inalando o vapor da carne. — Não está de partida?

— Estou. Primeiro, preciso lhe pedir uma coisa. O meu escritório de advocacia teve uma emergência de última hora. A mulher com quem estou trabalhando, aquela que eu falei que me acompanharia, agora vão precisar que ela fique aqui. Para mim, não é um grande problema, vão arrumar alguém de uma empresa especializada, mas eu estava pensando... quer dizer, Sam, você meio que me passou a sensação de que consideraria a idéia. Então, vou arriscar. Se você estiver disposto a fazer o que ela faria, ir ao encontro e traduzir e me ajudar e tudo mais, então pode ficar com a outra passagem. Mas você precisa resolver agora. Precisam arrumar alguém na próxima meia hora.

Sam segurava o telefone na orelha, tomado de assombro.

— Está falando sério? E precisava perguntar? Claro que eu vou.

— Só tem um problema. Você está com uma pressa enorme para chegar a Hangzhou. Eu compreendo. Mas eu também estou com pressa, e é que...

— Claro — ele interrompeu. — O seu assunto primeiro. Vamos ao seu encontro. Depois... O que você vai fazer com a amostra?

— Pensei em voltar para cá e pedir um exame de urgência.

— Não — ele disse. — Peça o exame de urgência em Hangzhou. É fácil. Vai economizar meio dia.

— Está bem — ela disse, surpresa.

— E depois, vamos à casa do meu tio. Só depois. O que acha?

— Está ótimo.

— Para quantos dias são as passagens?

— Duas noites. Ela reservou a primeira noite em Xangai, achei que podíamos passar a segunda em Shaoxing, mas agora acho que vai ser Hangzhou. Voltamos para cá na manhã seguinte.

Perfeito, ele pensou.

— Tudo bem para o escritório do seu marido se eu for?

— Não sei por que eles se incomodariam. Na verdade, a mulher que me acompanharia, quando eu estava falando com ela agorinha mesmo, perguntou por que um conhecido meu estaria disposto a fazer isso. Falei do seu tio. Ela disse que, como era uma questão de família, eu devia ligar para você no mesmo instante para combinar tudo. Como se isso estivesse acima de qualquer outra coisa.

A China, ele pensou, eu amo este lugar.

— Bom, você já sabe a minha resposta, certo? Sim. Eu vou. Obrigado.

— Sem problema — ela disse, e ele ouviu o tom de alívio na voz dela também.

— Quando você parte?

— O vôo decola às sete e meia. Você pode me pegar às cinco?

— Pego você às quatro. Pego você às três.

— Já passou das três agora — ela disse a ele.

— É mesmo? Ele olhou de novo para o mocotó assando em molho duplo.

— São três e meia. É melhor se preparar. Você consegue?

— Até dormindo — ele respondeu, calculando o peso da carne à sua frente e avaliando os tempos de cozimento enquanto tentava se lembrar de onde estava sua mala. — Não se preocupe. Estarei aí.

6

Yi Yin foi o maior de todos os chefs da China. Passados 3.500 anos, seus escritos ainda são lidos e discutidos. Ele personifica a santidade e o poder da culinária ao longo da história da China. Ele nasceu escravo. No entanto, cozinhava com tanto brilhantismo que o imperador o nomeou primeiro-ministro. Um homem capaz de ajustar os mistérios dos tripés de bronze, o imperador sabia, era capaz de conduzir o Estado e cuidar de suas alianças. Essa dinastia durou 644 anos.

— Liang Wei, *O Último Chef Chinês*

Quando ouviu a voz de Sam ao telefone, dizendo que estava a caminho de Hangzhou, Xie Er mandou que o carregassem até a cozinha para esperar. Disse ao filho e às filhas que não se mexeria até o sobrinho chegar.

A família Xie morava em uma casa branca azulejada de dois pavimentos e quatro quartos, localizada nas colinas além do jardim botânico. O lugar era silencioso. Tudo tinha um tom suave de verde, era uma das últimas residências numa alameda de mão dupla que se erguia por baixo de hastes de bambu. As copas das árvores agora estavam secas, sob o sol e a brisa do final de setembro, e farfalhavam ao redor de toda a casa. O bambu nunca florescera ao longo de toda a vida de Xie Er. Isso não era de surpreender. O bambu se espalhava sob o solo e às vezes passava um século ou mais sem florescer. Ainda assim, ele vivera muito tempo. Achou que talvez fosse ver aquilo. Ouvia o estalo suave das copas das árvores ali deitado na espreguiçadeira de ratã, onde o tinham acomodado para esperar pelo sobrinho.

Ele não o veria florescer. Sabia o que estava por vir, apesar de ninguém lhe dizer. Huh, o velho dr. Shen, ele era um tolo se achava que Xie não era capaz de decifrar seus eufemismos e decodificar seus olhares cheios de gravidade para Wang Ling. Na verdade, não estava assim tão ruim. A dor que sentira em seus membros durante tanto tempo não estava mais lá, fora substituída pelo torpor. Seu corpo falhava, rodopiava para longe dele, as mãos tremiam quando ele chegava a conseguir levantá-las. No entanto, tinha clareza. Cabos de aço cantavam em sua mente. Ele se lembrava de tudo da sua vida. E ao mesmo tempo em que era capaz de sentir o mundo do além, sentindo seus sons e ânsias e movimentos por trás do véu, também sabia que este mundo aqui nunca lhe parecera mais nítido, nunca o enxergara com mais astúcia. Ele via todo mundo e tudo, não só a superfície, mas a verdade interior. A maior parte do que via o deixava contente.

Observou o quadrado da janela com seu desenho de bambu e de céu azul, ouvindo os pios das aves aquáticas e a promessa distante do carro do sobrinho que roncaria rua acima. O garoto parecia mais filho de Xie do que qualquer um dos que ele tinha; à exceção de Songling, que cheirava a comida e a experimentava e a compreendia em todas as suas múltiplas facetas da mesma forma que ele e o sobrinho. Ela teria sido igual a ele, se fosse homem. Mas o destino dela não era ser homem. Tornou-se gerente de restaurante. Era uma vida boa para ela. Mulheres não podiam se tornar chefs. Houve um tempo, na dinastia Song, há mais de mil anos, em que houve uma moda de chefs mulheres nas grandes casas de Hangzhou, mas foi um movimento efêmero, morreu com a dinastia. Havia mulheres que eram ótimas cozinheiras domésticas e professoras, mas não verdadeiras chefs. A elas faltava força na metade superior do corpo. Podiam segurar metade do céu, como dizia o ditado, mas não eram capazes de agitar as *woks* pesadas de uma cozinha de restaurante. Não, uma pessoa do sexo feminino como sua adorada Songling tinha uma montanha muito íngreme a escalar para virar chef, mas ela podia ser *laoban*, patroa, gerente de restaurante, e isso era bem melhor: menos trabalho, mais dinheiro. Era a escolha certa para ela. Dinheiro agora significava tudo: casas, carros, telefones, roupas, jóias, férias. Dinheiro era vida.

Agora o mundo tinha mudado e mudado de novo. O pai dele morrera na prisão. Dinheiro, comida refinada e consumo seleto eram condenáveis nas décadas de 1950 e 1960. Ter algum dia tomado parte nisso transformara-se em crime. Seu velho pai confessara tudo que lhe pediram, fez todas as críticas possíveis a si mesmo, rastejou; no entanto, mesmo assim, deixaram que se esvaísse em sangue em sua cela devido à úlcera de estômago, cagando sangue, vomitando-o, implorando por um médico. Fornicadores, pensava.

Mas ele, Xie Er, tinha sobrevivido e, com Wang Ling, produzira um filho e três filhas.

Também conseguira reinstalar o restaurante depois de décadas fechado, uma homenagem ao pai, que certamente não poderia ter imaginado tal coisa em seus últimos dias naquela cela. Quando Xie Er o reabriu em 1993, com o nome original, Xie Jia Cai, o povo de Hangzhou acorreu de volta para lá, como se o estabelecimento só tivesse ficado fechado durante algumas semanas: gente velha que se lembrava do original, e gente nova, que tinha ouvido as histórias. O momento foi perfeito. A privatização estava apenas começando. A economia estava acelerando. As pessoas precisavam de lugares onde se divertir, descansar, conversar, negociar, extrair informação e pedir ajuda. Era assim que se faziam as coisas no mundo chinês. Sempre tinha sido assim. Um favor era oferecido na forma de uma refeição maravilhosa, e outro favor era pedido em troca. Depois, havia o lado social da vida: famílias e grupos de amigos precisavam de um lugar para se reunir; amantes, de um lugar para se encontrar. Todos eles voltaram.

Xie Er mantivera o lugar durante 12 anos e então o vendera, depois de pagar a dívida com o pai, de garantir a sobrevivência da família, de guardar seu dinheiro em contas bancárias seguras em Hong Kong e em Vancouver. Não gostava de bancos e não gostava de países estrangeiros. Mas vivera muito e vira a China mudar vezes demais para se arriscar.

Do lado de fora da janela, observou uma mudança nas copas do bambuzal: uma cor um pouco mais profunda, um som arranhado e frágil em seus movimentos. Nunca tinha visto a planta assim. Mas agora tudo parecia diferente. Ele estava morrendo. O barco dele estava se afastando da costa.

Xie deixou que os olhos se desviassem para seu exemplar gasto de *O Último Chef Chinês* na prateleira acima de sua cabeça. Quanto prazer aquele livro lhe dera. Como era acertado e correto que o sobrinho e seu pai o passassem para o inglês. Talvez agora, pensou, o mundo finalmente conseguisse apreender a grandeza da culinária de sua nação, isso sem mencionar sua longa história. As pessoas às vezes diziam que a longa história da culinária era exatamente o que a transformava em algo especial, mas não era a longevidade da arte em si que contava: não. O importante era a posição constante da culinária como observadora e intérprete. Ao longo da história, chefs criaram receitas para aludir não apenas ao mundo natural, mas também a eventos, pessoas, pensamentos filosóficos e obras de arte famosas como óperas, quadros, poemas e romances. Foi desenvolvido um repertório que mantinha a civilização viva, para os comensais saborearem, comerem, lembrarem. Quase qualquer coisa podia ser lembrada ou explorada por intermédio da comida. De fato, uma refeição grandiosa sempre era capaz de retratar a civilização em níveis além do óbvio.

O povo do Ocidente não compreendia isso, era o que Liang Yeh lhe dissera ao telefone do longínquo Ohio. Para eles, uma refeição não passava de comida. Quando o assunto era comida chinesa, tinham sua própria versão, um número limitado de receitas que sempre precisavam ser preparadas da mesma maneira, com os molhos que reconheciam de outros restaurantes. Mais do mesmo era o que buscavam. Saíam para comer comida chinesa, pediam seus pratos e não gostavam que mudassem. Liang Yeh disse que tinha conhecido outros chefs que também tentaram oferecer a verdadeira comida chinesa em seus cardápios, mas cada um deles dizia que os estrangeiros não os pediam e cada um, por sua vez, foi desistindo. Liang Yeh ouvira falar de enclaves em Nova York, Los Angeles e outras cidades onde gente exigente pedia comida de verdade, mas tais clientes eram sempre chineses, não americanos. Havia dinheiro no Ocidente, mas não gourmets, fora a conclusão de Liang. Xie ainda se lembrava da tristeza em sua voz.

O filho de Liang Yeh poderia mudar isso. Essa era a esperança de Xie. O sobrinho seria a ponte. Então, a questão não era se ele se sairia bem no concurso, porque tinha de fazê-lo. A questão era como.

Assim que Xie ficara sabendo da equipe de culinária chinesa, percebeu que a competição era uma porta aberta pelo destino. O garoto teria que servir um banquete mais grandioso do que Pequim fosse capaz de se lembrar. Teria que ser feito de forma a se tornar lendário e mágico de cara, para se juntar ao panteão de histórias que giravam ao redor dos deuses e das grandes aventuras da China. Tinha de ser tão fantástico a ponto de as pessoas do futuro discutirem se de fato existira.

Xie sentiu um sorriso tocar seu rosto flácido e macio. Pensou em erguer a mão na direção da janela, na direção do bambu, mas a resposta de seus dedos foi um leve tremor. Olhou para eles com tristeza. Aquelas mãos tinham sido tão precisas quanto as de qualquer cirurgião. Fora capaz de cortar legumes com tanta rapidez e tão finos que quase podiam sair voando como borboletas à brisa. Já fora forte o suficiente para jogar uma panela de ferro para o outro lado da cozinha em segundos de desgosto.

Agora, tudo que lhe restava era a voz. Não fazia mal; ainda podia usá-la. E era o que faria, aliás. O sobrinho estava chegando. Permaneceu imóvel, de olho na porta.

— Vamos falar sobre a nossa estratégia — Maggie disse a Sam na manhã seguinte, no ônibus para Shaoxing.

Ele se virou, ainda com cara de quem estava meio dormindo, apesar da rápida ingestão de chá e de pequenos *baozi*, pãezinhos brancos cozidos no vapor, antes de saírem do hotel às seis e meia. Isso depois de pousarem em Xangai às dez e meia da noite anterior e logo saírem mais uma vez, porque obviamente precisavam comer.

Xangai era um lugar futurista e reluzente, que parecia ter sido construído da noite para o dia, depois de um sonho. Prédios altos e elegantes eram arrematados com topos no formato de estrelas ou bolas ou pirâmides. A torre de TV Pearl, toda acesa e brilhante em contraste com o céu noturno, parecia uma espaçonave pronta para levantar vôo quando passaram por ela numa via expressa elevada. O capitalismo exuberante parecia ter sido cruzado com um seriado de TV de ficção científica da década de 60. Aliás, ela pensou, a principal influência arquitetônica na cidade realmente parecia ser *Os Jetsons*. O kitsch de sua infância se transformara na cidade do amanhã: *Apresento-lhes George Jetson. Jane, sua esposa.*

Xangai funcionava 24 horas por dia, era ainda mais agitada do que Pequim: fora o que Sam lhe explicara durante o vôo. Pequim tinha a profundidade do governo e da história, mas Xangai tinha a aura da cultura e da animação. E não se esqueça do dinheiro, ele lhe disse. Quando se aproximaram do hotel e passaram de táxi por Huaihai Lu, com suas lojas de departamentos brilhantes de fachadas envidraçadas, as calçadas estavam tão lotadas como estariam ao meio-dia. E depois de fazerem o *checkin* no hotel, ele a acompanhou a pé pelo bairro da Concessão Francesa até o restaurante, com as folhas dos plátanos farfalhando lá em cima, passando pelos quarteirões de antigas construções de pedra com suas janelas altas e suas sacadas de ferro no estilo Julieta.

Ela viu as pessoas olharem para ele. Ele parecia não notar, mas talvez notasse e já estivesse acostumado. Com seus ossos angulosos e o nariz de perfil preciso, ele era suficientemente parecido e diferente dos outros para chamar a atenção. E havia o cabelo dele, sempre preso na altura do pescoço com um elástico colorido. Poucos homens chineses usavam cabelo comprido. A julgar pelo que tinha visto nas ruas nos quatro dias que passara lá, só jovens e boêmios tinham o cabelo assim, não homens da idade de Sam. Portanto, isso fazia com que ele se destacasse. Era uma escolha. Deixava certas coisas sobre ele bem claras depois de apenas um vislumbre.

Quando terminaram de jantar, era tarde. Caminharam de volta ao hotel e se deram boa-noite no corredor rapidamente, trocando apenas breves votos de uma noite de descanso antes de se retirarem, cada um para o seu quarto. Ela se sentiu grata pela folga. Tinham passado muitas horas juntos, e apesar de ela ficar surpresa por se sentirem tão à vontade juntos, depois de passar todo o vôo, o trajeto até a cidade e a refeição conversando, ela estava faminta por privacidade. Pensamentos sobre Matt e sobre o que ele tinha feito com aquela mulher estavam em sua cabeça constantemente, e ela precisava encará-los e senti-los sozinha. Tinha chorado na frente de Sam uma vez. Já chegava, apesar de ele aparentemente não ter se incomodado, de aparentemente ter gostado, aliás. O fato não se repetiria.

Ela trancou a porta, deitou-se na cama e olhou para si mesma. Viu sua calça, enrugada de maneira nada charmosa no lugar em que o tecido se amassava quando ela se sentava. A camisa estava levantada, revelando uma faixa de barriga branca e macia. Tocou sua própria pele. Uma viúva de meia-idade num quarto de Xangai. Voltou a pensar em caminhar pelas ruas lá fora, as luzes, a multidão do meio da noite. Todo mundo que viu na rua parecia estar ligado a outra pessoa, em pares, em grupos, conectados, ao passo que ela caminhava ao lado de Sam Liang, conhecidos, mas separados. Estavam ali por outras razões, para tratar de assuntos práticos. Estavam ali por conveniência. Conversavam, faziam piada, serviam de companhia um ao outro, mas ela tinha certeza de que os dois sabiam muito bem o que faziam ali. Nos momentos em que ambos ficavam em silêncio, ela podia sentir essa consciência se chocando contra eles.

Esta seria a vida dela agora, fora do pequeno círculo de amigos íntimos. Este seria o tipo de tempo que passaria com outras pessoas, pessoas que entrevistava, pessoas que conhecia. Tinha seus amigos. Tinha sua família (a mãe, pelo menos). E as pessoas que conhecia do trabalho. Se não houvesse nada mais além disso, só conhecidos por motivos práticos como Sam Liang, ela seria capaz de aceitar. Não haveria problema nisso. Uma coisa que não se permitiria fazer era se transformar numa mulher amarga. Essa era outra das leis de Maggie elaboradas ao longo do ano que se passara. Agora estava ainda pior, porque ele a traíra. Mas ela obedeceria à regra que impôs a si mesma.

À meia-noite, no horário de Xangai, Maggie ligou para Sunny. Era de manhã no sul da Califórnia, sua melhor amiga estaria acordada.

— Oi — Sunny disse, calorosa, quando atendeu; ela sabia que era Maggie. — Como estão as coisas hoje?

— As coisas estão andando, pelo menos. Hoje foi um dia impressionante de tão longo. Estou em Xangai para falar com os avós amanhã, mas não vim com a tradutora original... ele veio comigo.

Sunny ficou surpresa.

— O chef?

— É. Ele está neste mesmo corredor.

Maggie contou a Sunny o que tinha acontecido nas 24 horas desde que tinham se falado pela última vez, e sentiu um alívio imenso só de contar para ela, de compartilhar aquilo, e assim, por meio da magia sutil da amizade, dividir ao meio o seu fardo de novidades e surpresas. Era isso que as pessoas faziam umas para as outras quando tinham uma aliança. Era a bênção da conexão. Ela desligou sentindo-se, além de viva mais uma vez, mais em paz, como se tivesse sido transportada de volta a um tempo mais agradável, para antes. Assim que apagou a luz, dormiu.

De manhã, acordou cansada, com olheiras. Ele não parecia muito melhor quando a encontrou no corredor e desceu com ela para tomar o café-da-manhã. Ela ficou imaginando se ele também ficara acordado.

Agora era hora de fazer um plano. Ele estava estirado em seu assento do ônibus, pensando. Xangai já tinha ficado para trás fazia muito tempo. Deslizavam por uma estrada plana de oito pistas, passando por terras cultivadas de delta, divididas em quadrados ondulados de verde.

Finalmente, ele disse:

— O encontro é só com os avós?

— Acho que a menina também estará lá.

— Algum deles fala inglês?

— Não que eu saiba.

— Vão levar um tradutor?

— Não sei. Não pensei sobre o assunto, já que eu precisava de um de qualquer jeito, só para conseguir chegar aqui.

— Isso não é bem verdade — ele disse.

— Leve em conta meu estado de espírito — ela respondeu.

— Certo — ele disse. — Digamos que eles levem um tradutor. Se isso acontecer, fazer com que eu traduza, além de ser redundante, também vai desperdiçar qualquer vantagem que eu pudesse lhe oferecer. Então, se for assim, só *se*, diga que eu não falo chinês. Diga que só estou de acompanhante, ou que sou seu advogado.

Maggie olhou para o rabo-de-cavalo dele.

— Acho que você não passa por advogado.

— Eu sou americano. Passo por qualquer coisa.

— Para mim, você parece chinês.

— Aqui, eu tenho cara de estrangeiro.

Ficaram em silêncio.

— Na verdade, isso é bom — ela disse depois de um minuto. — Mas é bem provável que você vá traduzir, então é discutível.

— E o mais importante vai ser a sua estratégia — Sam disse. — Que tipo de expressão você vai mostrar, o que vai projetar.

— O que sugere?

— Depende. Deixe-me dar um exemplo. — Falou em tom mais suave. — E se você chegar lá e, quando olhar para a criança, se deparar com uma menina que é igualzinha ao seu marido? Está preparada para isso?

— Nem sempre dá para ver só de olhar para a criança.

— Não. Mas às vezes dá. Digamos que aconteça. Pare agora para pensar: o que você vai demonstrar? Esteja pronta. Quando as pessoas tratam umas com as outras aqui, seja lá qual for o motivo, profissional, pessoal, alguma questão profunda, um assunto sem importância, dependem muito das aparências. Do teatro que se faz. As pessoas se esforçam muito para fazer com que tudo pareça ser de uma certa maneira. É por isso que, aqui, dá para alugar um escritório por um mês ou por um ano, mas também por uma hora: para conseguir se sair bem numa reunião importante, fingindo que o escritório é seu, com secretária, café, colegas que possivelmente são apenas seus amigos, vestidos especialmente para aquele dia. Todo mundo faz isso: indivíduos, empresas, o governo. Todos. Os ocidentais se incomodam porque não estão acostumados. Dizem que é desonesto. Mas, aqui, todo mundo sabe que isso acontece e sabe como cuidar da retaguarda, de modo que ninguém engana ninguém. Deixe de lado suas velhas crenças. Pense assim. É como eles vão pensar.

— Devo mostrar uma fachada — ela disse. — Mas de que tipo?

— Isso depende do que você quer. Quer uma amostra, certo? Permissão e uma amostra. Rápido.

— Estou com o kit bem aqui na minha bolsa desde que saí de Los Angeles. Os avós são os guardiões; eles é que precisam consentir.

Ele assentiu com a cabeça, pensativo. Finalmente, disse:

— Acho que isto é trabalho para *guanxi.*

— O que é isso?

— Conexão, relacionamento. Se ela for filha dele, você estará conectada a eles. Você vai ser como família. Já parou para pensar o que vai sentir em relação a isso?

Sim, tinha pensado. Seria inacreditável poder voltar a ver algo de Matt vivo, seguindo em frente. Quando imaginava aquilo, quase era capaz de enxergar uma outra vida por um segundo, como se fosse um raio de sol atravessando as nuvens. Era como uma abertura para um lindo vale.

Ele a observava.

— Bom — disse. — Sinta isso, pense nisso. Projete suas boas-vindas a eles, e a ela. Acredite que você quer o que eles querem.

— Assim eles vão querer fazer o teste.

— Exatamente.

— Mas como eu faço isso? — ela perguntou

— A resposta chinesa seria contar uma história. — Ele esperou até que os olhos dela sorrissem para prosseguir. — É a história da Chuva de Afiar Espada — ele disse. — Existiu um general famoso, Guan Gong. Hoje ele é o deus da guerra, mas, assim como muitos deuses chineses, ele foi uma pessoa de verdade. Viveu na época dos Três Reinos, mais ou menos no início do século III. Então, Guan Gong tinha uma espada muito famosa e incrível, chamada Dragão Verde na Lua. Era um grande guerreiro. E, um dia, foi convidado para um banquete pelo Duque maligno, arquiinimigo do senhor dele. "Não vá!", todos os amigos dele exclamaram; é uma armadilha! Não, ele respondeu, preciso ir. E foi, sozinho. Não levou ninguém. À porta da mansão do Duque, foi rodeado por homens, como sabia que aconteceria, e ordenaram-lhe que entregasse sua espada, Dragão Verde na Lua, e foi o que ele fez. De lá, foi para o salão de banquete. Todos os senhores do reino inimigo estavam sentados. Não havia guardas nem homens armados à vista, mas ele viu as paredes cobertas de painéis de madeira que circundavam o salão e logo percebeu o que aqueles painéis significavam. Cada um escondia um assassino, armado, rápido, pronto para empalá-lo. Ele estava desarmado. Só tinha uma arma: ele próprio. Apenas sua coragem e sua inteligência. Então, fez uma reverência acentuada para seus anfitriões, ofereceu-lhes seus cumprimentos e desejos de saúde e longevidade para suas famílias. E, à medida que a refeição foi sendo servida, ele começou a falar. Ninguém sabe o que ele disse, de tantas vezes que a história foi recontada ao longo de 18 séculos, mas, supostamente, ele prendeu a atenção de todos durante horas, enquanto defendia o ponto de vista de que deveriam ser amigos ao invés de inimigos. No final, além de a mesa toda se levantar para aplaudir, os próprios assassinos que tinham ordens para saltar de seu esconderijo e matá-lo apareceram, entregaram suas armas e o abraçaram. Foi o *guanxi* de um gênio.

Ela ficou olhando para ele.

— É isso que você precisa fazer com a família.

— E acha que vai ser fácil?

— Ninguém disse que seria fácil — ele falou. — É delicado, sutil, difícil; mas não impossível. É basicamente a atitude: quando você entrar, vai estar do lado deles ou contra eles? Mas, bom, quando Guan Gong saiu do banquete naquela noite, um criado se ajoelhou e ofereceu-lhe de volta sua espada. Assim que Guan Gong tomou a Dragão Verde na Lua nas mãos, a arma se ergueu em espiral para o céu, içada pelos deuses. Está lá desde então. Mais ou menos na data do aniversário do banquete, todo mês de junho, em Pequim, chove uma chuva especial. É quando os deuses pegam a Dragão Verde na Lua e a afiam. Todo mundo diz que é a Chuva de Afiar Espada.

Ela pensou.

— Estamos em setembro — ela terminou por dizer. — Mas talvez a chuva caia.

E, de fato, quando ergueu os olhos e mirou pelo corredor, pelo vidro do motorista, viu que a estrada à frente levava diretamente para um céu de nuvens baixas.

7

Sempre existe tensão entre a imaginação e a realidade, entre o que desejamos e o que os deuses nos concedem. O homem civilizado encontra a conciliação por meio do sistema de gestos e de símbolos usados para intermediar as duas — os cuidados com a aparência, o asseio do rosto, as cerimônias funerárias e os banquetes de casamento que organizamos, apesar de sabermos que nos levarão à ruína. Ricas ou pobres, as pessoas sentem o mesmo. Na minha infância nos becos de Pequim, vivíamos sempre com fome. Se chegávamos a comer, era *cu cha dan fan*, chá cru e arroz sem tempero. No entanto, nunca deixávamos de nos parabenizar por isso, como se fosse nossa escolha, nossa filosofia. Proclamávamos que a ração simples porém nutritiva era a melhor, e nossas vidas, por um instante, nos satisfaziam.

— Liang Wei, *O Último Chef Chinês*

Em 1966, o ano em que Nainai morreu, eu tinha 17 anos. Nasci no mesmo ano que a nossa nação, fato que me dava orgulho e que também rendeu o meu nome, Guolin, a Chuva de Boas-Vindas ao país. Esta era a minha geração. Posteriormente, fomos chamados de Os Perdidos, por termos perdido nossa educação formal, mas eu sempre me eriçava por causa disso. Estar perdida era um estado de espírito. Ao contrário, mostrávamos determinação em tudo. Quando fomos mandados para o interior, em 1970, enfrentamos privações que nem nossas mães nem nossos pais tinham enfrentado. Passei dois anos sem óleo nem sal. Isso é algo que as pessoas de hoje nem conseguem imaginar. No entanto, aqueles dez anos de caos não nos destruíram. O que nos destruiu já tinha acontecido, aliás, talvez tenha até sido o que possibilitou a realização da Revolução Cultural, e foi a fome. Olhando para trás, eu achava que apenas as pessoas que passaram muita fome quando crianças eram capazes de fazer as coisas que nós, jovens, fazíamos.

Éramos gente da cidade. Não sofríamos como quem vivia no interior, mas, mesmo assim, de 1961, a lembrança principal que tenho é de fome. Nós dávamos valor a cada grão, a cada talo de verdura murcho. Um ovo era um milagre.

Vendíamos tudo que era possível para conseguir mais comida. Nainai, minha avó, queria vender seu caixão. Nessa questão, meu pai bateu o pé. "Impossível", ele disse. "Você o tem há anos. Deixe assim." E, de fato, o caixão foi a única coisa que nunca vendemos, e ela o usaria para ser colocada embaixo da terra como planejava, cinco anos mais tarde.

Mas o que eu lembro, indo ainda mais para trás, é do dia em 1956 em que Nainai saiu para comprar o caixão. Ela se deslocou até uma lojinha escura em um vilarejo nos arredores da cidade, em um dia supostamente auspicioso, de acordo com seu almanaque.

Com sete anos, eu era pequena demais para acompanhá-la, mas cheguei a ir junto nos anos que se seguiram. Íamos nós duas até o vilarejo para visitar a loja, onde ela olhava para o caixão e se assegurava de que ninguém tinha dado fim nele e que de fato era tão refinado quanto ela lembrava.

E era. A famosa madeira local tinha sido lustrada com óleo até assumir um brilho fosco, e tinha um ferrolho forte para selá-lo bem embaixo da terra. Ver aquilo a reconfortava. Ela sabia que, segura lá dentro, nunca teria que vagar por algum purgatório nebuloso. Ela me lembrava disso enquanto o velho caçava entre as fileiras de caixões em seu pequeno depósito aquele que pertencia a ela.

Quando ele o localizava na pilha, acendia uma pequena lamparina a óleo para nós no depósito escuro, para que pudéssemos ficar lá um pouco. "Um bom caixão é importante", ela dizia. "De que outra maneira os deuses vão saber que eu tive uma vida boa ao extremo e que devo ser bem tratada no outro mundo?"

"Eles vão saber", eu costumava dizer. Ela, afinal de contas, seria enterrada em seu vilarejo ancestral, que se localizava nas colinas um pouco mais ao sul e de onde se enxergava uma longa estrada que atravessava um vale verdejante.

Eu sentia que só a beleza do lugar já chamaria a atenção dos deuses para ela — se é que deuses existiam. Ensinavam para nós o tempo todo que não existiam. Aliás, em certas épocas, era perigoso chegar a dizer essas coisas em voz alta, mas naquele momento estávamos em um depósito, no interior. Não havia ninguém por perto. Então, deixei que ela falasse.

Depois que a falta de comida passou, a saúde dela definhou. Ela tinha ficado muito magra, como todos nós, mas quando nós nos recuperamos, ela não engordou. Demorou mais cinco anos, mais ou menos, até que ela se fosse. Naqueles últimos anos, ficou pequena e ossuda, mas continuava com a mente clara. Mamãe enfaixava seus pés todos os dias, e seus vestidos longos de linho ficavam pendurados em fileiras arredondadas na ponta da cama dela, com sua fragrância peculiar salpicando o ar a seu redor, mesmo logo depois de terem sido lavados. Ela não caminhava exatamente, colocava um pé na frente do outro e, quando saía de casa, geralmente levava um de nós em cada cotovelo. Em seus passos havia um quê artístico delicado, gracioso, até mesmo na idade avançada. Hoje posso dizer isso. Naquela época, quando eu era jovem e a enxergava como uma senhora de idade feudal com pouco mais em si do que um sopro seco de vida, ela me enfurecia. Ela era o passado. Ela era tudo que odiávamos. Eu agradecia aos céus por ter nascido quando nasci, para que pudesse servir meu país com saúde, livre e natural.

Mas, até o fim, uma ou duas vezes por semana, ela cozinhava. Preparava receitas que adorava de sua infância, tomates fritos e tofu, repolho apimentado e azedo. Sopa de macarrão com picles. Certa vez, preparou uma sopa encorpada de tilápia com palitinhos de rábano. Comprar uma tilápia viva naquela época era um ato extravagante a ponto de atrair atenção. Uma vez não fazia mal, podia ser explicado como uma comemoração em família. Mas ela nunca mais pôde voltar a prepará-la.

Minha mãe se sentou com Nainai e explicou por quê. "A idéia agora é que todo mundo coma com simplicidade. Sabe como é, *cu cha dan fan.*" Chá cru e arroz sem tempero. "Só devemos comer os alimentos mais básicos. Preparar qualquer coisa diferente não é prudente, nem que tivéssemos dinheiro, que, aliás, não temos." Ela foi gentil e clara. Nainai pode ter assentido, submissa, mas já tinha se decidido a não escutar. Pode não ter pedido tilápia de novo, mas, dentro de suas restrições, cozinhava o que queria.

Em agosto daquele ano, as ferrovias e os albergues foram abertos para os jovens, de graça. Podíamos viajar para onde quiséssemos na China, misturar-nos aos *laobaixing*, ou antigos cem nomes — o povo. Nossa função era conversar com as pessoas e, assim, fazer avançar a revolução.

Eu precisava ir. Fui compelida pela minha idade, pela época, pela profundidade das minhas crenças. As pessoas não gostam de dizer isso agora, mas aquele tempo, apesar de ser ruim, tinha algumas coisas boas. Nós vivíamos para alguma coisa. Entre as pessoas havia uma espécie de *ren qing*, uma gentileza humana que não se sente mais hoje.

Era uma chama a que eu, naquela idade, era incapaz de resistir. Minha trouxinha ficou pronta em minutos. Minha mãe me implorou para não partir. Ela disse que era perigoso. Jogou os braços ao meu redor, como se assim pudesse me segurar. Eu ergui as mãos dela e as afastei. "Você acha que isto é para mim e para os meus amigos? Nosso objetivo é trocar idéias revolucionárias. Além do mais, estou com 17 anos. Sou uma mulher adulta."

Dava para ver como isso fez empalidecer o rosto da minha mãe e do meu pai. Eles eram filhos da era moderna; tinham se rebelado contra seus próprios pais, insistindo, por exemplo, em escolher seus próprios cônjuges e carreiras. Disso sempre tinham se orgulhado. Que agora fosse a minha vez, isso não lhes agradou tanto. Ficaram quietos.

Nainai também não disse nada. O mais provável era que não tivesse escutado coisa nenhuma. Estava cozinhando de costas para nós. Uma amiga dela tinha feito uma visita antes, trazendo alguns alimentos do sul, e com isso ela preparava uma refeição. Coloquei minha trouxinha no ombro e fui me despedir dela. Apesar de sua idade, nunca achei que seria a última vez que eu a veria.

"*Deng yixia*", ela disse quando viu que eu ia partir. Espere um instante. "Permita que Nainai lhe prepare uma caixa para levar." Antes mesmo que eu pudesse responder, ela tinha pegado uma caixa de lata e começara a arrumar comida dentro dela.

"Não preciso de refeição", disse a ela. Precisávamos de comida para sustentar nossa vida, claro, mas, de acordo com o novo pensamento, era uma inconveniência necessária. "Não quero."

Ela estava calma. "Quem vai alimentá-la nesse lugar para onde você vai?"

Eu não tinha resposta para isso, e a verdade era que queria refeições, sim, e queria muito, de modo que, depois de eu ir mais uma vez trocar despedidas rígidas e angustiadas com meu pai e compartilhar um abraço com minha mãe, retornei a Nainai, e também a abracei, e peguei a minha caixa.

Quando cheguei à estação, fiquei feliz por eles não terem me acompanhado, porque o enorme saguão era um oceano de pais e mães, apavorados, lacrimosos. Não sei se eu teria sido capaz de vê-los tomar parte naquilo. Enquanto abria meu caminho no meio da multidão, eu sentia a estranheza de estar sozinha. Que trem eu pegaria? Para qual lugar? Pequim. Esse era o coração do país e eu era a Chuva de Boas-Vindas. Apressei-me na direção da plataforma com centenas de outros como eu, parte de uma corrente em movimento. Quando nos aproximamos, vi um camarada corpulento lá na frente erguer a mão e vociferar: "*Beijing che lai*!" O trem para Pequim está aqui! Avançamos juntos, uma formação ondulante única, na direção da grande escadaria que conduzia para cima. Havia som de conversa e de risada ao meu redor. Fui empurrada e esbofeteada. Empurrei e desferi cotoveladas em resposta.

Quando cheguei à plataforma superior pude enxergar, através das janelas que davam para os trilhos, que o trem já estava lotado e mais um pouco. Jovens entravam pelas janelas, empurravam-se nas portas, brigavam até por espaços no teto.

Parei. As pessoas atrás de mim me empurravam para passar e continuavam tentando embarcar. Eu vi que era inútil. Homens mais velhos, homens de aparência cansada e com roupas de trabalho manchadas, desceram da locomotiva lá na frente e gritaram para as pessoas descerem. Os jovens só enfiaram as cabeças e os braços para fora das janelas e gritaram de volta para eles. Finalmente, alguns *Hong Weibing*, Guardas Vermelhos, saltaram da frente do trem e percorreram toda a plataforma tirando gente dos vagões. "O trem do povo precisa partir", ouvi um deles esbravejar para um garoto ao puxá-lo para fora e jogá-lo na plataforma. Os operários voltaram para a locomotiva, o apito grandioso se inchou, ganhando vida, e os *Hong Weibing* saltaram para embarcar, um a um, quando o trem começou a andar. Afinal, com um grito, a locomotiva partiu.

"É melhor tentar pescar a lua do mar", alguém disse no meu cotovelo. Eu me virei, e lá estava uma garota da minha idade vendo a cena, ao meu lado. Ela tinha cabelo comprido trançado e usava uma blusa branca, como eu, mas, tirando isso, nós não tínhamos nada a ver uma com a outra. Ela era muito baixinha, com o rosto no formato de uma lágrima, ao passo que eu tinha rosto mais anguloso e constituição mais comprida. "Você já tem que estar esperando quando chega", ela disse, "e ser a primeira a embarcar".

"O que nós realmente precisamos é de um trem para o sul que tenha parada final aqui, para que esvazie. Meu nome é Zhang Guolin." Encostei o dedo no nariz.

"Huang Meiying", ela respondeu, falando de si mesma. É uma coisa estranha, porque esta foi uma garota que conheci por apenas 15 ou 20 horas da minha vida, há mais de 40 anos, e no entanto eu me lembro do nome dela com total clareza. Também me lembro do que pensei quando ela me disse como se chamava: Meiying, bonita e corajosa. Era um nome comum. Talvez um pouco antiquado, mas por causa da parte do "corajosa", a maior parte das meninas não via necessidade em trocá-lo.

Trabalhamos juntas. Uma guardou o lugar na frente enquanto a outra ia atrás de notícias de trens chegando. Finalmente, apareceu um trem para o sul que faria sua última parada ali, daria meia-volta e iria para Pequim, e nós estávamos na frente. Seguramos nossos lugares guardados na beira da plataforma. Ninguém nos deslocaria. Ouviu-se o grito e as pessoas enxamearam escada acima. Para a plataforma, para o trecho de cimento onde estávamos, inflexíveis.

"*Tongzhimen*!", veio o berro lá da frente. Camaradas! O maquinista, identificável pela idade e pela imundície das roupas, inclinou-se para fora da locomotiva. "Vocês vão embarcar nos vagões de maneira ordenada!"

As pessoas riam enquanto os passageiros desembarcavam do trem como uma enxurrada, um rio de tecido azul e cabeças jovens pretas que precisava se partir e fluir ao nosso redor, porque não sairíamos da frente nem arredaríamos pé. No instante em que os vagões se esvaziaram, empurramos e fizemos força para abrir nosso caminho e nos pegamos correndo e rindo pelo corredor vazio de cabines com camas duras, fileiras de catres de madeira, seis em cada cabine aberta, com um corredor em comum. Estava cheio de lixo, e tinha cheiro de jovens espremidos, mas e daí? Era o nosso vagão. Ele nos levaria até Pequim.

Não que fôssemos nos deitar; haveria gente demais para isso. Mas tínhamos lugar para sentar, apertadas lado a lado em um dos catres mais baixos, ela entre mim e a janela. Era mais do que muita gente conseguiu. A maioria das pessoas ficou no corredor, ou se apoiava meio cabeceando, meio dormindo, entre os vagões durante toda a viagem. Os mais afortunados conseguiram achar espaço para se jogar no chão. Mas nós estávamos confortáveis. E como tínhamos uma à outra, podíamos pegar água quente enquanto durasse, ou nos aliviar depois. Uma se levantava enquanto a outra guardava o lugar.

Na nossa pequena baia, feita para seis passageiros, ao menos vinte se apertavam. Todo mundo estava com fome.

Depois de algumas horas e da troca de muitas idéias revolucionárias, chegamos ao acordo de que todo mundo que tivesse comida compartilharia com todo mundo do nosso cubículo.

Enquanto remexia na minha bolsa, vi o tipo de comida que os outros tinham a apresentar: amendoins em um jornal torcido, frutas secas, pequenos pacotes de bolachas. E então eu apresentei minha caixa de lata.

Todos os olhos dispararam em sua direção. Tinha o peso e o tamanho de comida de verdade; quando eu abri a tampa, o aroma saiu apressado, irrefreável. "O que é?"

"Não sei", respondi, porque tinha pegado a caixa de Nainai sem olhar o que tinha dentro.

Então eu tirei a tampa, e prendi a respiração. Era *Guangzhou wenchang ji*, uma receita cantonesa que Nainai adorava. Peito de frango em molho aveludado, fatias finas de presunto de Yunnan curado com sal e macios mini-repolhos *bok choy* estavam dispostos em camadas alternadas. Os três deveriam ser saboreados juntos, em uma mordida. O arranjo brilhava sob um molho transparente. Assim que eu vi, minha boca desejou aquilo. Deve ter sido aquilo o que a amiga de Nainai lhe havia trazido do sul, presunto de Yunnan. Tão especial, tinha sido feito para mim, e agora todo mundo estava olhando. Com o coração pesado, percebi como aquilo parecia opulento e burguês.

"O que é isso?", alguém disse.

"Ela falou que não sabe", outro respondeu.

"Como é que pode não saber?", disse um terceiro, dessa vez para mim.

Estendi a caixa de lata, apavorada.

Então Huang Meiying, ao meu lado, falou com uma coragem que eu não esperava. "Ela não sabe porque uma senhora entregou para ela a caminho da estação. Eu vi. Estava bem atrás dela."

"Que senhora?"

"Eu nunca tinha visto antes", disse Huang.

"Ela falou alguma coisa?"

Silêncio. Era minha vez. A pequena Huang olhava para mim. Limpei a garganta. "Ela disse: Vida longa ao comandante Mao."

"Talvez esteja envenenado", alguém disse.

"Não está envenenado", caçoou outro. "Eu mostro para você. Vou comer um pouco." Ele experimentou, tirando uma fatia das três camadas do molho engenhosamente simples e colocando na boca. Fiquei com vontade de gritar com ele. Estava prestes a desmaiar de fome. E aquilo era presunto, de Yunnan, feito para mim pela minha Nainai. Eu queria aquilo.

Ainda me lembro da sensação das lágrimas queimando atrás dos meus olhos quando ele engoliu e seu rosto registrou prazer tal que todo mundo quis comer, e vi a caixa passar de mão em mão. Acabou rápido. Todo mundo tinha algo a dizer. Era encorpado, era ostentoso, não era a comida simples que deveríamos ingerir; no entanto, todos comeram em um piscar de olhos. Huang Meiying viu minhas lágrimas. Apertou o meu braço. Então alguém na cabine disse que queria encontrar aquela senhora para lhe ensinar uma ou duas coisas, e depois disso nós duas ficamos em silêncio durante muito tempo, com medo de dizer qualquer coisa.

A fome me impediu de cair no sono naquela noite. Não seria a primeira vez nem a última. Quantos jovens de hoje seriam capazes de fazer o que eu fiz? Será que minha própria filha, Gao Lan, faria? Não. No entanto, foi aí que meu caráter se forjou, principalmente quando fui mandada para o nordeste, em 1970. E tudo começara quatro anos antes, naquela noite em que caí no sono faminta, paralisada, com as costas retas, a bordo do trem para a vida adulta. Na minha memória, a fome se mistura com aquelas vezes em que o trem parava e ficava imóvel sobre os trilhos, no meio de lugar nenhum, a janela aberta, o ar fresco da noite, a paisagem escura e sem forma. Fiz uma promessa a mim mesma naquela noite. Por mais trabalho que desse, eu não passaria fome, nem meus filhos.

Foi por essa razão que eu disse a Gao Lan que precisávamos entrar com o processo contra o pai de Shuying, para que elas nunca, jamais, passassem fome.

No que diz respeito aos segredos de Gao Lan, resolvi deixá-los descansar. Muito tempo antes eu lhe dissera que o velho Gao, o pai dela, não precisava saber toda a verdade. Nós entraríamos com o processo. Era uma necessidade. Ela e a criança precisavam se sustentar.

Com isso ela concordou, porque era a verdade inegável que, por mais que o velho Gao e eu amássemos a garotinha, estávamos ficando velhos. "Toda vida é incerta", eu disse a Gao Lan. "Será que devemos ficar esperando a morte de braços cruzados?"

"Acho que você não vai ver Marx assim tão cedo", ela respondera, aludindo à antiga piada que fora popular na época do comunismo quando se falava de morte, *jian Makesi qu*. Ir ver Marx.

Compreendi que a minha filha só falaria dessas coisas de maneira superficial. No entanto, era importante ser pragmática. Com o tempo ela compreendeu, e nós entramos com o processo, e meu velho marido e eu concordamos em receber a viúva americana e seu acompanhante.

E aí chegou o dia da visita deles. Viriam para conhecer Shuying. Acordei ansiosa. Acreditei que perceberia na hora se a americana enxergava ou não o marido na nossa garotinha.

O professor Sheng chegou primeiro. Seu cabelo escuro estava penteado para trás com uma pomada inesperada, e os ombros estreitos tremiam embaixo de um terno escuro. Ele se declarou contente de estar aqui e me garantiu que ele, o professor de inglês da escola primária, daria conta de tudo. Conversamos sobre o clima. Uma tempestade se aproximava.

Logo eles estavam à porta. Sheng e eu fomos juntos abri-la. A mulher não era como eu imaginava; no entanto, ao vê-la, também percebi que já não me lembrava muito bem do que tinha imaginado. Ela era pequena para uma estrangeira, só uns três centímetros mais alta do que eu, e morena, apesar de seu halo de cabelo encaracolado torná-la imediatamente diferente. O homem que a acompanhava, o professor Sheng explicou, era seu advogado.

"Advogado?", eu perguntei. "Ele não é advogado. Olhe só para o cabelo dele." Para mim, parecia mais um matemático, ou um artista.

"Ele é advogado", disse o professor Sheng.

Fui para a cozinha preparar um chá. Enquanto eu estava lá, Shuying enfiou a cabeça na porta. "Minha coisa rica!", eu disse a ela por entre os dentes ao ver a pequena cabeça cacheada que tanto amo. "Eu disse para ficar no seu quarto até nós chamarmos."

"Quero ver os dois."

"Só quando eu chamar." Fui firme. Ela correu de volta para o quarto. Tínhamos conversado na versão local do dialeto wu, que era a língua dos shaoxing e o único idioma que usávamos com Shuying. Quando meu velho e eu não queríamos que ela nos entendesse, falávamos mandarim. Nossa privacidade nessa língua terminaria no ano seguinte, quando ela fosse para a escola e a aprendesse.

Levei a bandeja para a sala da frente e coloquei um bule de chá no meio da mesinha de centro, rodeado de xícaras. Não servi. Não estava pronto. Em defesa dos modos estrangeiros, também peguei latas de Coca-Cola, uma para cada pessoa. Ninguém as abriu nem encostou nelas nem chegou a olhar para elas. Isso foi distinto, é claro, mas eu fiquei surpresa, por eles serem americanos.

O professor Sheng se inclinou na minha direção. "Ela diz que tinha esperança de conhecer Shuying."

Claro que ela tinha esperança, pensei, senão, por que teria vindo até aqui? E, no entanto, nem eu esperava que ela se importasse tanto em relação a ver a criança. Gao Lan me falara um pouco sobre o marido dessa mulher. Ele a amava, a esposa, mas não era feliz. Queria um filho. Ela não estava pronta. Essas coisas ele confidenciara a Gao Lan, e ela a mim, e eu as tinha firmes na mente enquanto olhava para a mulher. "Um passo de cada vez", eu disse a Sheng. "Chamarei Shuying em um minuto. Pronto. Tome um chá." Agora estava macerado, então servi. Meu marido apareceu, Gao Fei, e apresentações foram trocadas entre ele, a viúva e o advogado dela, e eu servi mais uma xícara.

Finalmente, a viúva falou. O professor Sheng traduziu. "Ela diz que, se esta criança for mesmo filha de seu marido, deseja tomar conta dela. Sem dúvida. Mas diz que, para fazer isso, para fazer com que tudo seja arranjado junto ao espólio dele, precisa de um teste de laboratório. Espera que vocês consintam."

Gao Fei e eu nos entreolhamos.

"O resultado será positivo, certo?", meu marido disse em mandarim, só para o caso de Shuying estar escutando. "Não pode ser diferente. Então, devemos consentir."

"Nada de teste", eu disse. Ouvi a teimosia na minha voz.

Ele olhou para mim. Suas sobrancelhas grisalhas se ergueram na direção do cabelo.

"Não precisa fazer mais nada", eu disse. "Já entramos com o processo."

"Mas você ouviu o que a viúva disse. E está claro, não está? Qualquer um pode ver que o pai de Shuying era estrangeiro. Até parece que estamos tentando fazer olhos de peixe passarem por pérolas."

Senti meu coração tremer. "Professor Sheng", eu disse. "Será que permite conversarmos entre nós?"

"Certamente! Sim!" Só faltou tropeçar em sua tentativa de sair da sala para deixar o Velho Gao e eu sozinhos. Claro que a viúva e seu advogado permaneceram lá, mas eram estrangeiros. Eles não compreendiam.

"Fale a verdade", Gao Fei quis saber. "Que história é essa?"

"É algo que nossa filha não quis lhe contar." Eu estava tentando amaciá-lo ao tocar no nome dela, mas sabia que tinha tanta culpa quanto ela. Eu tinha concordado em manter isto em segredo.

"Bom?" Ele estava ficando impaciente.

"Ela esteve com outro homem na mesma época. Outro estrangeiro." Ele olhou fixo para a frente, a compreensão foi se instalando aos poucos. "Outro namorado", eu disse.

Ele se afastou um pouco de mim, envergonhado, quase como se alguém tivesse dado um soco nele. "Ela sabe quem é o pai?"

"Não", respondi com tristeza. "Nunca soube." Porque Gao Lan nunca fora capaz de dizer com certeza, nem quando Shuying era bebê, nem quando se tornou a criança preciosa que era agora. Foi aí que percebi o americano olhando para mim. Ele pressentiu meu olhar e desviou o dele.

"Por que o marido dela, então?" O olhar de Gao Fei deslocou-se brevemente para a esposa, a viúva, que estava sentada à nossa frente, observando. Ela parecia ingênua. Parecia gentil.

"Porque Gao Lan não quer procurar o outro", eu disse.

"Por quê?" As sobrancelhas dele pareciam unidas.

"Ela tem medo dele."

"Medo!"

"É o que ela diz."

Ele tremeu, tirou um maço de cigarros do bolso, sacudiu até um sair e acendeu. Ele fumava em silêncio, os olhos fixos em mim. A fumaça azul formou uma nuvem de desgosto ao seu redor. "Você não me contou isto."

"Os deuses agora vão me castigar por ter contado!"

"Os deuses a castigarão?", ele disse, amargo. "Seria mesmo uma batalha árdua entre o dragão e o tigre! Não tenho dúvida sobre quem venceria. Percebo que o que está feito, está feito. Estas coisas não podem ser modificadas agora. Chame Sheng de volta. Vamos ouvir o que mais eles têm a dizer."

"Professor Sheng!", gritei. O tradutor com seu terno alinhado apressou-se de volta da cozinha.

Quando estávamos todos sentados mais uma vez, o advogado da viúva tomou a palavra. Sheng escutou e voltou-se para nós. "Ele diz que, para tomar todas as providências relativas ao processo, tanto o escritório de advocacia responsável pelo espólio do homem quanto o banco que guarda seu dinheiro, todos vão precisar ver uma prova de paternidade."

Gao Fei e eu nos entreolhamos. "Você percebe por que eu não quero permitir o teste", eu disse baixinho.

"Percebo."

"Os dois insistem que ela quer cuidar da criança", Sheng disse. "Por questão de princípio. Ela só precisa ter certeza de que a menina é dele."

Aquelas eram palavras boas e corretas, mas eu estava com medo. Era melhor simplesmente permitir que ela veja Shuying primeiro, resolvi. Vamos começar por aí.

Fiz um sinal para Gao Fei. As rugas de seu rosto de nogueira se acentuaram em um sorriso. Se havia alguém que a mimava mais do que eu, era ele. "Shuying!", ele chamou. "Venha aqui!"

Passinhos salpicaram o corredor e o nosso pequeno tesouro com seu corpo de pardal apareceu no batente da porta. Ela avançou como um raio e se aninhou entre as minhas pernas.

"Gao Shuying", anunciou o professor Sheng.

Os olhos da viúva se colaram à criança, como eu sabia que aconteceria. O olhar dela absorveu tudo, da cabeça aos pezinhos.

Será que enxergava o marido nela?

Em um movimento de proteção, puxei a menina para mais perto de mim. Meu bolinho de carne. Nada jamais a tiraria de mim. Éramos unidas, como forma e sombra, pelo sangue, pelo afeto.

"Ela diz que a menina se parece com o marido dela?", fiz a pergunta ao professor Sheng, e ele a questionou em inglês.

Quando se voltou mais uma vez para mim, ele disse: "Ela não tem certeza. Quer acreditar que sim. Seu coração não é confiável. Ela diz que, se vocês por favor derem permissão para o teste, ela vai aceitar o resultado que for. É só um toque na parte de dentro da boca da menina, mais nada. Ela está com o kit e os formulários na bolsa."

Escutei. Meu coração ainda se dividia em duas direções.

"Gao Lan está fazendo o melhor que pode para dar início à empresa de logística", Gao Fei disse, em mandarim, para que Shuying não compreendesse. "Acredito que ela não possa fazer mais. Isto é a garantia dela de uma tigela de arroz. É importante."

"Eu sei", eu disse, e sabia mesmo. Tinha prometido a mim mesma que nunca me esqueceria disso. Nem agora. "Diga a ela que sim", disse, virando-me para Sheng. "Diga-lhe que estamos dando nossa permissão."

Sheng transmitiu a mensagem, e a americana tirou uma caixinha de sua bolsa.

"Meu Bolinho", meu marido disse a ela na língua shaoxing local, "quero que você deixe a titia colocar aquilo dentro da sua boca".

A viúva se levantou, deu alguns passos e se ajoelhou na frente da criança. O rosto dela estava sério. Agora não havia mais como voltar atrás.

Ela tirou a tampa de um recipiente e de lá saiu um cotonete.

Eu não conseguia olhar. Ocupei-me servindo uma xícara de chá para o homem de cabelo comprido, que continuava sentado do outro lado da mesa em silêncio observador. Alguma coisa nele me atiçava. Quem era ele na verdade? Enchi a xícara, pousei o bule e então estiquei as duas mãos, oferecendo a bebida. Esse era um gesto antiquado. Qualquer pessoa civilizada sabia que a xícara deveria ser tomada com as duas mãos também. Forasteiros raramente sabiam. Acho que eu desejava vê-lo falhar, mostrar sua ignorância. Talvez eu até quisesse sentir o breve conforto do escárnio, no exato momento em que fiquei com medo de talvez ter perdido alguma coisa. Estendi a xícara.

Aparentemente sem nem pensar, ele ergueu as duas mãos para recebê-la. Como seria o civilizado. Adequado. Meus olhos se apertaram. Será que era por acaso? Não. Senti algo no ar da sala mudar. Ele não era forasteiro.

No entanto, o pensamento mal pôde se formar na minha mente. "Abra a boca para a titia", ouvi meu marido dizer.

Maggie e Sam saíram pelo portão da frente do complexo, andaram até a esquina e dobraram à esquerda, entrando na movimentada Jiefang Lu antes de se olharem, prontos para soltarem tudo o que tinham a dizer.

— Conseguimos — ela soltou primeiro. Estava com os formulários assinados e a amostra na bolsa.

— Você foi maravilhosa — ele disse a ela.

— *Você* é que foi.

— Nós dois fomos. E você ainda não sabe de nada.

Ele ergueu a mão para chamar um táxi.

— Para onde vamos?

— Para Hangzhou, está de brincadeira? O mais rápido possível, para colocar a sua amostra no correio. Depois, vamos para a casa do meu tio. — Um carro encostou e os dois entraram. — O próximo ônibus só sai daqui a meia hora. — Acomodaram-se no banco de trás. — Bom. Será que você está pronta para esta informação? Havia dois homens na vida de Gao Lan. Dois estrangeiros... ao mesmo tempo. No momento certo. Qualquer um dos dois pode ser o pai. Não sabem qual é.

Ela ficou olhando sem entender nada.

— Então, por que Matt?

— Por alguma razão, Gao Lan tem medo do outro sujeito. Não quer falar com ele. Não quer entrar com processo contra ele. É por isso que chegaram até você.

Maggie engoliu esta informação, nova e um tantinho obscura. O táxi sacudiu e parou na frente da rodoviária. Pagaram, desceram e correram para dentro de um depósito grande demais, verdadeiro palácio de concreto, cheio de ecos inúteis pelo movimento leve de passageiros. Depois de comprar as passagens, foram fazer fila no portão.

— Sabe o que não faz muito sentido? — Maggie disse. — O fato de ela não saber quem é o pai. Shuying não é mais bebê. Deve ser mais parecida com um ou com outro.

— Bom, você também a viu — disse Sam. — O que acha? É filha de Matt?

Maggie pensou durante um bom tempo.

— Acho que não dá para ter certeza. Talvez. Pode ser.

— Se você tivesse que arriscar um palpite?

Ela hesitou.

— Diria que não.

— Antes de chegar lá, você desejou que ela fosse filha dele?

— No começo, não. Com certeza, não. Depois... preciso dizer que pensei sobre o assunto. O negócio é que ele não está mais aqui. Seria como se uma parte dele tivesse voltado. Também seria como se uma coisa que ele desejou acontecesse, que ele desejou pelo menos no fim da vida, que foi ter um filho.

— Ele queria filhos?

— Não no começo. Só no fim.

— Você não teve nenhum.

— Não. Nem você — ela completou, como se se sentisse na obrigação de fazê-lo.

— Eu nunca me casei.

— Bom, eu me casei, tive família. Matt e eu éramos uma família, uma família de dois. — Ela fez uma pausa. — Daí, ele quis três. Eu não pude chegar a esse número. Pelo menos não assim tão rápido.

O ônibus saiu da rodoviária e rapidamente chegou a uma estrada aberta com pouco trânsito, só alguns poucos carros e caminhões que passavam zunindo. De ambos os lados da estrada havia fábricas, que se estendiam por quilômetros.

— Está tudo bem? — Sam perguntou.

— Está, sim. Tudo ótimo. — Ela enxugou os olhos.

— Você deveria estar feliz. Foi ótima hoje. Conseguiu o que queria.

— Foi sorte — ela disse.

— Talvez. Mas eu contei a história e você a aplicou. E os céus, caso você não tenha notado, estão prestes a saudá-la. — Ele lançou um olhar de triunfo através da janela do ônibus para o mundo lá fora. Tinham deixado o agrupamento de fábricas para trás e agora atravessavam a região plana do rio: baixa, verde, sem atrativos, cheia de insetos e pássaros e criaturas que não eram visíveis. À frente do ônibus, a estrada reta como uma fita se estreitava até um ponto. Nuvens negras se agitavam acima dela. — Sabe o que é isto?

— Uma tempestade?

Ele lhe lançou um sorriso torto que significava não. O ônibus entrou com tudo nos domínios da escuridão do céu. A pressão caiu. A luz do dia desapareceu ao mesmo tempo em que a eletricidade cresceu. Dava para sentir o peso escuro do ar ao redor deles. O capim fazia ondas nos alagados.

Relâmpagos brilhavam adiante; então o trovão rugiu. Ela viu que ele sorria a seu lado. As primeiras gotas caíram e os limpadores de pára-brisa grandes na frente do ônibus começaram a se movimentar. Ela observava, hipnotizada. Enormes gotas batiam no teto e nas janelas, primeiro algumas poucas, depois cada vez mais rápido, até a chuva desabar em cima deles, uma saraivada furiosa, uma rajada de tiros de metralhadora atingindo o teto e espirrando nas janelas todas. Era como entrar em um lava-rápido.

— Você já sabe o que é isso? — Sam perguntou.

Ela sacudiu a cabeça. Uma camada de água cobria toda a estrada adiante. As rodas criavam leques de água. O terreno alagado parecia coberto por uma capa de escuridão.

Ele se inclinou para perto dela, de modo que só ela pudesse escutar, e disse:

— É a Chuva de Afiar Espada.

8

> As principais culinárias da China ganharam forma por motivos diversos, e para tipos diversos de comensais. A comida de Pequim era a culinária dos oficiais e dos governantes, chegando até o imperador. A comida de Xangai foi criada para os comerciantes e mercadores ricos. De Sichuan vinha a comida do povo, porque, como todos sabemos, algumas das melhores receitas de Sichuan se originaram em barraquinhas de rua. Depois há Hangzhou, de onde vem a culinária dos *literati*. Esta é a comida que tem a literatura como sua principal inspiração. Desde a celebração de grandes poemas do passado a jantares à luz de velas em balsas flutuando no lago Ocidental, onde se bebe vinho e novos poemas são criados, a culinária de Hangzhou se esforça sempre para deleitar os homens das letras. A simetria estética entre a comida e a literatura é um padrão sem fim.
>
> — Liang Wei, *O Último Chef Chinês*

Sam tinha dito a ela que Hangzhou se espalhava ao redor de um lago artificial magnífico, e que se ela quisesse passar a noite no centro, enquanto ele estivesse na casa do tio, ele poderia reservar para ela um hotel com vista para o lago. Parecia interessante, mas, até agora, nada que Maggie tivesse visto naquela cidade cinzenta e lotada de gente em que o ônibus os vomitara dava qualquer sinal da existência de tal cenário mágico. As ruas, abarrotadas de carros, eram cânions estreitos de prédios de vidro e aço. Sam chamou um táxi, explicando que o escritório da DHL ficava nos arredores da cidade. Ela se acomodou ao lado dele, agradecida. A chuva tinha parado, e tudo estava molhado e limpo por causa da água.

Eles rodavam por uma estrada meio vazia ao longo de um rio, passando por campos cultivados e condomínios intermitentes, até chegarem a um novo distrito residencial recém-construído. Nesse labirinto, o motorista, de algum jeito, conseguiu chegar ao escritório da DHL com sua frota de caminhões amarelos e vermelhos, e com Sam traduzindo, ela assinou formulários e pagou e despachou o pacote. Pronto. Saiu de lá se sentindo estranhamente entorpecida. Os passos dela pareciam pesados, o prédio e o estacionamento, surreais. Estava acabado, tinha sido enviado. Ela voltou para o carro sem acreditar muito naquilo tudo.

Ela deu uma olhada e viu que ele parecia ansioso.

— Está com fome? — ele perguntou. — Porque eu preciso comer imediatamente.

— Morrendo de fome. — Ela já tinha resolvido que comeria assim que ele a largasse em algum lugar, mas seria muito melhor comer com ele; ele sabia aonde ir, o que pedir e como explicar a ela o que era. Cada refeição aqui tinha sido uma viagem ao inesperado, mas as coisas que ela tinha comido na companhia dele tinham sido algo a mais. Com ele, este mundo de culinária parecia não só intrincado, mas também de uma beleza coerente. Era como a arte, um reflexo da civilização. — Eu adoraria almoçar com você — ela disse. — Mas não quero prendê-lo de jeito nenhum. Você precisa ir ver seu tio.

— Já passa de uma hora. Preciso comer. Nesse aspecto, sou chinês. Ou fiquei assim.

— O que isso significa?

— Aqui, ninguém perde o horário de uma refeição. Todo mundo come na hora certa. As reuniões nos escritórios param ao meio-dia em ponto, mesmo que só faltem dez minutos para acabar. A esta altura, além do mais, o almoço já vai ter terminado na casa do meu tio, e não quero chegar com fome. É parte da minha função de integrante da família pensar com antecedência e evitar dar trabalho para as pessoas de quem eu gosto.

— Mais ou menos como o pessoal do sul dos Estados Unidos.

— É — ele disse, erguendo as sobrancelhas de surpresa para ela. — Tem razão. Bem diferente dos nova-iorquinos, digamos, que simplesmente lançam suas exigências e ficam esperando que você diga não, desculpe, mas vai ser inconveniente para mim.

— Exatamente.

— Então, você quer comer — ele disse.

— Quero sim.

— Que bom.

Ele colocou a mão na barriga, como que para garantir a si mesmo que a comida logo chegaria. A cintura dele era comprida, a parte chinesa de seu corpo. O olho dela seguiu a mão dele até ali.

Ele deu instruções ao motorista:

— Para onde você está me levando? — ela perguntou.

— Lou Wai Lou. É melhor ir logo para o restaurante mais representativo de Hangzhou. Ele existe desde sempre, e até hoje o pessoal lá se gaba de ter recebido a visita do imperador Qianlong quando veio comer em Hangzhou no século XVIII. Ao longo de toda a sua história, o estabelecimento sempre teve uma ligação próxima com a Sociedade de Entalhe de Selos, que era um local de reunião de acadêmicos. Culinária clássica de Hangzhou. Se uma pessoa como você for comer em um único lugar, tem que ser este.

— Eu estava pensando agorinha mesmo neste mundo de comida que você tem me mostrado — ela disse — e em por que eu nunca soube que ele existia. Por que você acha que a *haute cuisine* chinesa nunca fez sucesso no Ocidente? A japonesa fez. A italiana também.

— Tem razão. Todo ano, sai uma lista dos cinqüenta melhores restaurantes, e nenhuma vez algum chinês é citado. Acho que é porque as pessoas não conhecem. A comida sino-americana é muito diferente.

— Mas isso já foi verdade em relação à comida italiana — ela argumentou. — Espaguete, pizza? Já deixamos isso para trás. Por que não a chinesa?

Ele refletiu sobre o assunto.

— Será que é por causa do dinheiro? — perguntou. — As pessoas valorizam o que é caro. É instintivo. Consideram a comida chinesa algo de baixo custo, então acham que não pode ser refinada. Pode ser totalmente refinada, e também pode ser cara, e as pessoas não estão acostumadas com isso. Claro que não vai ser mais cara do que outras culinárias refinadas, mas ainda assim... É chinesa. E o engraçado é que, na verdade, o que eleva o preço da culinária chinesa refinada com freqüência é a raridade dos ingredientes. Se você quiser culinária refinada abrindo mão dessas receitas, nem sempre sai assim tão caro.

— Então, quais são os ingredientes assim tão caros?

— Partes exóticas de criaturas exóticas. Os chineses adoram isso. Apresentar sabores e texturas deliciosas de ingredientes inesperados é uma maneira de estar sempre extrapolando os limites. Essas receitas, junto com as que exigem uma quantidade de trabalho ridícula de tão grande, fazem a culinária refinada se destacar. Mas digamos que você vá a um dos melhores restaurantes chineses do mundo...

— Um daqueles de que as pessoas que fazem a lista nunca ouviram falar.

— Certo, e você resolve não pedir as receitas exóticas. Mesmo assim, você vai comer algo inacreditável, e pelo menos algumas opções não vão ter preços estratosféricos.

— Não sei — ela argumentou. — Aqueles pedaços de animais podem ser difíceis de dispensar.

— Eu posso fazer um teste com você — ele disse.

Ela sorriu. Sabia que, se ele cozinhasse, e se ele dissesse que era bom, fosse pata de urso, corcova de camelo, lesma do mar seca, qualquer coisa, ela comeria.

O trânsito ficou lento quando entraram de novo na cidade, e logo estavam mais uma vez no nó urbano, arrastando-se na fumaça densa dos escapamentos, entre os prédios que se erguiam de ambos os lados. Mais uma vez, ela ficou imaginando quando veria o lago.

Então a rua terminou em uma interseção em T, além da qual se estendia um espelho azul idílico de água, salpicado de ilhas e pagodes duplos por causa do reflexo. Colinas cobertas por uma floresta verde atemporal rodeavam a margem oposta. Botes pequenos de passageiros, para uma só pessoa, deslizavam pela superfície; a cobertura preta fazia com que parecessem, a distância, insetos aquáticos quaisquer se movendo com lentidão. Até onde ela conseguia enxergar ao redor do lago, entre a avenida e a margem, um parque sombreado se estendia, cheio de pessoas passeando. Os ruídos da cidade se engoliam, de alguma maneira, transformando-se em silêncio atrás dela. Ela sentiu uma calma se espalhando por dentro dela, azul, como a água. Olhou para ele. Ele sorria com o mesmo tipo de prazer.

— O que há naquelas ilhas? — ela perguntou.

— Pavilhões. Pontes em ziguezague. Caminhos.

— Sabe do que mais? Acho que você pode simplesmente parar e me deixar descer. Vou ficar aqui mesmo. Vou envelhecer aqui. Nunca mais vou embora.

— E vai ficar aqui hoje à noite; sorte sua. Se quiser que eu arrume um quarto no lago. Não quer? Quer. Eu faria isso se fosse você. Mas, primeiro, o almoço.

Lou Wai Lou era um prédio antigo e imponente numa península ampla e em forma de meia-lua, que abraçava a margem do lago. Saltaram na rua principal e andaram pela ponte até o restaurante. A beira d'água estava salpicada de pontos verdejantes de lótus flutuantes de folhas arredondadas. Árvores protetoras farfalhavam com o vento.

O restaurante era uma construção de pedra com janelas enormes e salões de comer grandiosos. Sam mostrou a ela o prédio da Sociedade de Entalhe de Selos ao lado.

— Os membros da sociedade, os calígrafos que criaram os sinetes e os selos usados pelos homens cultos, eram os *meishijia*, os gourmets originais de Lou Wai Lou. Há gente que diz que assim começou a relação da culinária de Hangzhou com a literatura.

— Literatura? — ela repetiu, sem ter bem certeza de estar ouvindo direito.

— Esta é a culinária literária.

Eles se sentaram.

— Do que está falando? De escritores comendo juntos?

— Não, o oposto: comedores escrevendo juntos. Escrevia-se poesia em grupos. As pessoas se juntavam para comer e para fazer brincadeiras com bebida e para escrever poesia... era uma espécie de competição. Então, aqui, a comida e a poesia se desenvolveram lado a lado. Uma sempre modificando a outra.

— Você está dizendo que esta é a comida dos *literati*.

— Estou sim. Até hoje, a comida cita os poetas. Você vai ver! Vamos pedir *dongpo rou*. — E chamou um garçom. — A receita recebeu esse nome por causa de Su Dongpo. Um poeta famoso que escreveu algumas de suas jóias aqui. Ah — ele disse para o garçom —, e mais um prato — e pediu raiz de lótus fatiada salteada com aipo amarelo de cheiro forte, brotos de alho e lingüiça chinesa. Por fim, pediu também frango-de-mendigo, porque era uma receita local famosa e ela tinha que experimentar na fonte.

Sam Liang se recostou depois disso, e se obrigou a parar. Três pratos bastavam. Tio Xie faria com que ele começasse a cozinhar no momento em que chegasse a casa, enlouquecendo-o, insistindo para que fizesse melhor, ensinando-lhe algo de que precisava para o banquete, que agora era dali a cinco dias. Ele iria se esforçar, preparar uma refeição enorme para todos naquela noite. Era melhor comer algo leve. *Qi fen bao*. Sete partes de dez. Ele sabia disso. E era agradável ter uma hora a mais na companhia daquela mulher.

Confesse, ele pensou, você gosta de estar com ela. Hora após hora era a mesma coisa, e este era o segundo dia: algo raro para ele. Geralmente não se saía bem quando viajava com mulheres. Claro, isso geralmente acontecia porque eram namorados, não amigos, e sempre foi difícil para ele ficar com namoradas o dia inteiro. Esta mulher não era namorada dele; talvez fosse por isso que se dava tão bem com ela. Uma conhecida. Talvez amiga. Em alguns momentos na noite anterior, quando, por exemplo, tinham trocado um boa-noite no corredor, ele achou ter enxergado uma mulher sexual lá dentro, esperando que alguém a encontrasse. Em outros momentos, não tinha certeza. *Esta é uma pergunta para outro homem responder. Não você.*

No entanto, ficara impressionado com ela hoje. Ela se portara perfeitamente bem durante a reunião, esperando para falar até que as gentilezas tivessem sido trocadas, depois se apresentando como sendo exatamente o que eles desejariam, a viúva que nada quer a não ser sustentar a filha de seu marido... isso se ela fosse filha de seu marido. Aquele era o único senão dela, e ela se agarrou a ele com força, ao mesmo tempo em que o fez parecer completamente razoável. Ele próprio falara em apoio a ela, em inglês, apenas uma vez, e fora suficiente. Ela tinha absorvido uma mensagem que era essencialmente uma metáfora, a história da Chuva de Afiar Espada, internalizara-a e recorrera a ela como uma estratégia. Aquilo fora algo inesperado para ele.

— Realmente, não sei muito sobre você — ele disse então. — Sei do seu marido e do processo dele e das coisas que a trouxeram até aqui. Mas não sei nada da sua vida.

Ela pensou.

— Uma das coisas de se escrever uma coluna por 12 anos é que você constrói uma espécie de personagem. Eu fiz isso. Tenho uma imagem pública. Ela responderia assim: "Não tenho casa." Diria que minha casa é a estrada, o espaço entre as barracas da exposição estadual, o beco onde fica a casa de ostras, por aí. E eu realmente vivo assim, uns dez dias por mês.

— E o resto?

— Passo o resto do tempo em casa, escrevendo, principalmente.

— E você mora em Los Angeles.

— Em Marina del Rey. Na verdade, em um barco. Eu moro em um barco.

— Sério? — A antena dele se ergueu.

— Parece minimalista e cheio de bossa, mas não é. Para falar a verdade, é meio patético.

— Você se mudou para lá depois que o seu marido morreu?

Ela fez que sim.

— Não dá para cozinhar em um barco — ele disse.

— Dá sim, mas eu não cozinho. Nunca cozinho.

— Nunca? Mesmo escrevendo sobre comida?

— Se eu puder, nunca. Neste ponto, posso dizer, o meu marido e eu combinávamos perfeitamente. Nenhum de nós sabia cozinhar. Minha mãe era uma mulher maravilhosa, mas péssima na cozinha; a dele sabia cozinhar, mas se recusava a mostrar aos outros como fazia. Então, nossa geladeira parecia uma floresta de embalagens de comida entregue em casa, o lado dele e o meu. Matt adorava comer, mas não tinha interesse em cozinhar.

— O oposto de mim — disse Sam.

— E você? Eu sei que estudou com os seus tios, mas onde aprendeu antes disso?

— Minha mãe. Não a comida chinesa, claro. Comida judaica. O básico. Comida caseira. Olhe. — Ele abriu o telefone e mostrou o sorriso gravado de uma mulher de cabelo grisalho e aparência agradável. — Judy Liang — ele disse, deixando transparecer seu amor. — A cozinheira doméstica da minha infância.

— Ela parece legal — Maggie disse, e era verdade.

— Ela é. — Ele guardou o telefone.

A comida chegou. *Dongpo rou* era um quadrado de precisão geométrica de carne de porco coberta de gordura, grelhada durante horas com um molho escuro. Maggie ergueu a camada de gordura com delicadeza com os pauzinhos e tirou a carne magra e macia de baixo.

— Ah, você é tão americana! — ele disse. — O comensal chinês aceita a gordura.

— Deixe-me ver *você* comer.

Ele pegou um pedaço e colocou na boca. Então disse:

— A verdade é que eu também não gosto muito da gordura.

Ela deu uma risada. Não conseguia parar de comer a carne de porco. Que era suculenta e deliciosa.

— Você diria que isto é culinária refinada ou banal?

— Ambas. Muitas coisas aqui são assim. É banal no sentido de que é uma das receitas mais comuns desta cidade. Fazem em tudo que é canto. É refinada no sentido de que prepará-la como se deve, deixando a carne suculenta e macia e a gordura como um creme leve e perfumado, é uma façanha rara.

— Você vai incluir no seu banquete?

— Vou sim — ele disse, surpreendendo-a. — Mas acho que de um jeito diferente.

— Que bom — ela disse. — Porque eu amei.

Ela se voltou para a segunda travessa, que trazia raiz de lótus, um aipo amarelo crocante de gosto forte e lingüiça. Também uma delícia. E aí o frango-de-mendigo. De início, parecia uma ave inteira enrolada em papel-alumínio, mas ele abriu, desdobrou camadas de sacos de assar quebradiços e rompeu o selo de um invólucro apertado de folhas de lótus. Um cheiro magnífico de frango com ervas tomou o ar.

Maggie mal podia esperar. Logo de saída, pegou com os pauzinhos um bocado de frango que se soltou da carcaça. Estava suculento e denso, com um sabor profundo, o bom valor nutritivo do frango, primeiro marinado, depois recheado com os pedacinhos aromáticos de verduras e presunto curado no sal que tinha sido enfiado na cavidade e que agora tomava conta de todo o frango. Tudo tinha ainda o toque pungente e almiscarado da folha de lótus.

No mesmo instante, ela viu que escreveria sobre aquele lugar. Deveria dar a receita deste prato, capturar o alvoroço glorioso deste restaurante, descrever as janelas altas com vista para o lago e para as colinas virgens e verdejantes da outra margem. O espaço da coluna era inadequado, inadequado até para contar a história de Sam Liang, que era muito mais rica do que seria possível incluir em um texto curto. E, além dele, havia tantos momentos a descrever, tais como este, este almoço no Lou Wai Lou.

Depois de comerem, saíram do prédio e pararam nos degraus para admirar o lago.

— Eu não acredito no que existe atrás de mim — ela fez um gesto com a mão para trás do ombro esquerdo. — Aquela cidade cinzenta cheia de buzinas. Enquanto ali — apontou para o outro lado do lago — não vejo nada além de árvores e colinas. Nenhuma construção. Nos dias de hoje, é surpreendente! O que tem para lá?

— Mosteiros, essas coisas — ele disse. — Templos.

Então ela olhou ao redor e viu que a atenção dele estava longe dela e do lago, concentrada na base dos degraus, onde um senhor de idade segurava um balde de água e um pincel comprido como um esfregão, e o molhava na água e usava para dar voltas no piso amplo e liso.

— O que ele está escrevendo? — ela sussurrou.

— Um poema. A menos que seja curto, o início não vai mais estar aí quando ele chegar ao fim. Vai evaporar. E a idéia é essa. É como uma declamação.

— Mas quem é ele?

— Só um sujeito que saiu para aproveitar o dia.

— Você consegue ler o poema?

— Eu? Não! Impossível. — Olhou para Maggie. Se ela ficasse aqui, com o tempo, entenderia melhor. Apenas a metade da beleza do que o homem fazia era o poema, sem dúvida algum clássico adorado. A outra metade era a caligrafia dele, que transformava cada caractere em algo como uma pintura abstrata, bonita, mas absolutamente indecifrável para Sam.

— Ancião — ele disse, em um mandarim educado. — Será que posso incomodá-lo perguntando quem é o autor deste poema?

— Su Dongpo! — o homem berrou escada acima, deliciado.

— É o sujeito que deu o nome à receita de carne de porco — Sam disse a ela.

Ele sabia como a conexão entre comida e poesia parecia estranha no início; lembrava-se da explicação de tio Xie. "A relação número um é entre o chef e o gourmet, meu filho. O chef deve dar ao *meishijia* aquilo que ele deseja. Aqui em Hangzhou, há mil anos, os *meishijia* são os *literati*, de modo que lhes damos pratos com nomes de poetas. Criamos entalhes e apresentações em alusão a poesias famosas e a estilos de caligrafia ao longo da história. Nos esforçamos para criar receitas de modo tal a inspirar o pensamento poético. A recompensa mais elevada a qualquer chef de Hangzhou é ouvir poesia ser criada e aplaudida por seus comensais no salão. Ah! Nenhuma outra coisa na minha vida me deu uma sensação tão boa, à exceção da minha mulher, do meu filho e das minhas filhas... e de você, meu filho, é claro. É isto que precisa entender se quiser ser um verdadeiro chef chinês. Comer é só o início da culinária! Só o começo! Ouça. Sabor e textura e aroma e todo o prazer não são nada mais do que um portal. Cozinhar realmente bem vai além disso, envolve a mente e o espírito; reflete-se na arte, na natureza, na filosofia. Sustenta a mente e eleva o espírito do *meishijia*. Nunca prepare comida apenas para ser comida, sobrinho!"

Sam tinha tentado, mas o fato de ser estrangeiro realmente o atrapalhava aqui. Ele tinha nascido e crescido nos Estados Unidos, onde recebera sua educação. A ele faltava a riqueza estonteante de referências e os pontos sensíveis que conheceria se tivesse sido criado aqui. Só tinha os tios. Eles fizeram tudo que puderam para lhe transmitir cinco mil anos de cultura, começando no momento em que ele chegou. Por isso, além de aceitar seus maus tratos, ele também se sentia agradecido.

Em outro táxi, avançaram rua acima, na direção do lago e dos hotéis. Estava na hora. Ele precisava ir para a casa do tio.

Tinha ligado. Fora informado de que Xie tinha sido carregado para a cozinha e estava à sua espera. Sua mulher, Wang Ling, estava a seu lado e, desde ontem, seus quatro filhos estavam em casa; três filhas e um filho. Só uma filha, Songling, ainda vivia em Hangzhou; era gerente de outro restaurante venerável, o Shan Wai Shan. Era a única da família Xie a ter seguido o pai no mundo da culinária. As outras duas filhas, Songan e Songzhe, e o filho, Songzhao, todos tinham carreiras e famílias em Xangai. Eram da geração de Sam, e ele pensava neles como se pensa em primos afastados, raramente vistos mas sempre mencionados com carinho. Quando nasceram, o pai fizera questão de usar o nome tradicional da geração, de modo que os primeiros nomes começavam todos com a mesma sílaba. Naquela época, na década de 1950, isso já era bem raro; mas este era o Terceiro Tio, um antiquado teimoso, que ainda usava o nome da geração, mesmo depois de seu próprio pai ter morrido na prisão por ser cozinheiro imperial.

O velho tivera a mesma vontade de ferro com Sam. Ninguém era mais duro com Sam do que Xie. Ninguém usara palavras mais duras. Xie o chamara de monte inútil de lama e de tartaruga sem mãe. Dissera-lhe que não merecia ser um Liang. Mais vezes do que Sam suportava lembrar, tirara das mãos de Sam o que ele estava preparando e jogara no lixo. "*Zai kaishi yixia*", o tio ordenava, batendo a *wok* limpa mais uma vez na frente dele. Comece de novo. E Sam engolia a humilhação e sabia que o tio não o ensinaria se não acreditasse que ele era capaz de aprender, que era capaz de conseguir. Cada vez, Sam se determinava a continuar tentando.

E agora o tio estava deslizando para longe da terra, e a única coisa que Sam queria era chegar até ele, rapidamente, e estar em sua companhia mais uma vez, enquanto ainda vivia.

Ela se voltou para ele no banco de trás.

— Por favor, indique um bom lugar para eu comer hoje à noite. Perto do meu hotel.

— Sozinha?

— Claro que sozinha.

— Você não pode comer sozinha — ele disse e, ainda quando falava, começou a se perguntar o que estava fazendo. Por que não simplesmente se despedir? Estava na hora de ir para a casa do tio. — Eu te falei, essa é uma das coisas importantes da comida chinesa. Talvez *a* mais importante. Tem a ver com compartilhamento.

— Eu não me importo de comer sozinha. Sempre como sozinha quando viajo, e sempre, *sempre*, desde que Matt morreu.

— Isso é má sorte. Pode ser que eu tente mudá-la.

— Você não pode me mudar — ela lhe informou.

— Mas comer sozinha é antichinês.

— Eu não sou chinesa. Olhe, Sam, você está sendo superlegal, e realmente não precisa ser. É só que, já que estou aqui, não quero desperdiçar uma refeição. Quero ir a algum lugar bom hoje à noite. É só me dizer. Nada mais.

— Seria fácil indicar um lugar. Mas o que você realmente deveria fazer é me acompanhar. Coma com a família Xie. Depois eu trago você de volta para cá.

— Não quero me intrometer entre você e a sua família.

— Não vai. Vai é ficar observando muito. Eu vou ser a única pessoa com quem você vai poder conversar, e pode ser que fique muito ocupado. Tudo bem para você?

— Sim — ela disse. — Sou jornalista. Adoro observar. Mas esta é a sua família. É um momento sensível.

— Mas eu gostaria que você viesse.

— Tudo bem — ela disse, depois de um minuto.

Ele sentiu o sorriso em seu rosto. Sentia-se à vontade com ela, algo que não sentia havia muito tempo. Ela era amiga dele. Não havia nada de errado nisso.

Tinham chegado ao estacionamento do hotel dela. Ela escorregou porta afora e arrastou sua mala atrás de si.

— Você espera um instante? Posso só colocar estas coisas no quarto? Já volto.

— Tudo bem — ele disse.

Maggie fechou a porta e se afastou apressada até a entrada. Estava ciente de que ele a observava por trás. Quando era mais nova, preocupava-se com o fato de seu corpo ser bonito ou não; agora, não mais. Estava velha, 40 anos, e, além do mais, ele não estava interessado. Ainda assim, estava contente de acompanhá-lo. Sentia certa atração por ele. Talvez fossem ficar amigos no final das contas.

Ela correu escada acima para deixar as coisas no quarto e desceu de novo. Outra coisa: seria uma bênção ter companhia nesta noite, não ficar sozinha. Ela tinha conseguido, obtivera a amostra, enviara o material; quando uma tarefa era concluída, sempre sobrava aquela sensação de desânimo. Tinha também a tristeza, a noção de irrevogabilidade: se Shuying não fosse filha de Matt, então ela, Maggie, jamais veria o rosto dele em forma viva, nunca mais. Com o tempo, poderia até vir a esquecer o rosto dele. Ela se lembraria dele da maneira como aparecia em fotografias. Ela se veria envelhecer no espelho, e só se lembraria dele jovem.

— Está tudo bem? — Sam disse quando ela entrou no carro.

— Está — ela respondeu, e fechou a porta atrás de si.

Xie devia ter caído no sono, porque acordou com o barulho da porta do carro. Depois, outra porta. Vozes. Uma mulher. Suas sobrancelhas bastas se ergueram. Finalmente, depois de todo esse tempo, o garoto trouxera uma mulher aqui! Uma teia instantânea de idéias desabrochou e se ramificou em sua mente enquanto ouvia seus passos se aproximando da porta.

— *Men kai-de*! — ele gritou. A porta está aberta!

A porta se abriu e por ela entrou o sobrinho, sorrindo, com os olhos marejados. E atrás dele uma mulher de fora com olhos grandes e escuros e cabelo desgrenhado.

O sobrinho se abaixou ao lado dele e o abraçou à maneira ocidental enquanto murmurava-lhe alguma coisa em chinês. Então, disse:

— Tio, esta é Maggie McElroy — e ergueu a mão para a moça.

Xie fez o que pôde para lançar um sorriso. Ela era agradável apesar do rosto, que era anguloso demais. Claro que ela podia ter cara de cachorro que ele ficaria feliz da mesma maneira, levando em conta que ela era mulher e que o sobrinho a levara até ali.

— *Huanying, huanying* — Xie disse.

— Ele lhe dá as boas-vindas.

— Prazer em conhecê-lo — disse Maggie.

— *Ta hen gaoxing renshi ni* — disse Sam.

Xie observava os olhos dela. Sempre sabia quando alguém entendia.

— Ela não fala? — ele perguntou, de modo abrupto, em chinês.

— Não, tio, nenhuma palavra.

— Que pena.

— Não! Não, tio, não é isso. Ela não é minha namorada. Ela é jornalista, está fazendo uma reportagem sobre a competição. Não é nada além disso.

— E por acaso eu disse alguma coisa? — Xie quis saber. — Por acaso este caroço inútil disse qualquer coisa além de bem-vinda?

— Não. Sinto muito. De todo modo, vou levá-la de volta ao hotel depois do jantar.

— Ela é sua amiga, é bem-vinda.

— Ela não é... ah, deixe para lá. — Além do mais, era sua amiga, de certo modo.

Tio Xie lançou um olhar severo para ele.

— Basta. — A voz idosa era autoritária. — Mostre-me seus pulsos!

Sam desabotoou os punhos e dobrou as mangas da camisa. Ele sabia que não teria cicatrizes novas suficientes para agradar ao tio. Cozinheiros chineses sérios sempre tinham uma espécie de assinatura em queimaduras. Estas podiam passar muito do pulso e subir pelo antebraço todo. Só de esticar a mão por cima do fogão, o chef podia se queimar com o óleo que espirra, e as queimaduras deixavam suas próprias marcas especiais. Até os funcionários do serviço de Imigração norte-americano que conferiam os vistos de trabalho de chefs chineses sabiam que deviam examinar os pulsos e os antebraços em busca do padrão de queimaduras de óleo.

Xie esticou o pescoço.

— Mais perto! — disse com voz áspera e, quando conseguiu olhar, soltou uma gargalhada de desdém fraca. — O que você faz o dia todo? Fica descansando? Quando vai correr para agarrar os pés do Buda? No dia do banquete? Não sabe que a esta altura já vai ser tarde demais?

— Tio, tenho pensado e experimentado receitas...

— Jogue seu pensamento pela descarga! É o americano em você achando que, de alguma maneira, tudo de que precisa vai surgir como que por mágica dentro de si! Errado! Você precisa aprender! Para aprender, precisa trabalhar!

— Mas, tio...

— Se estivesse trabalhando, teria queimaduras!

Atrás deles, Maggie só olhava. Apesar de não entender o chinês deles, era óbvio que, por mais doente e fraco que o velho estivesse, falava bem duro. No entanto, Sam parecia não se importar. Ele sentiu que ela os observava e se virou.

— Não se preocupe. É a maneira dele de me dizer que sou importante para ele.

— Tudo bem — ela respondeu.

Então tio Xie interrompeu abruptamente com seu mandarim ríspido:

— Estou esperando! E como você não trouxe esta mulher estrangeira aqui para me dizer que tinha um sentimento especial por ela, por que está falando com ela? Caroço! Carne de cachorro! Acha que me resta muito tempo? Lave as mãos! Prenda o cabelo! Devia cortar isso. Está horrível. Prepare-se!

— Agora nós vamos cozinhar — Sam disse a Maggie. — Vai ter que me perdoar.

— Não há nada a perdoar. Vou observar. É para isto que estou aqui. — Ela se esgueirou para o lado e se sentou. — É divertido observar você.

— Está vendo, é por isso que eu queria que você viesse. Você é simpática comigo. Dos meus parentes, só recebo amor bruto. Ah, aqui está Wang Ling, a esposa de tio Xie.

Ele se abaixou para abraçar uma mulher baixinha e de cabelos brancos, frágil como um passarinho.

Ele falou em chinês com a senhora, apresentando Maggie, e depois disso ela pegou no cotovelo de Maggie com uma mãozinha surpreendentemente

temente forte. Sentou-se ao lado de Xie e acalmou-o enquanto Maggie se acomodava em seu banquinho de madeira gasto encostado na parede.

Primeiro, ele colocou de molho folhas de lótus, que Maggie gradualmente foi percebendo que serviriam para envolver costeletas. Observou enquanto Sam seguia as instruções de tio Xie e misturava uma marinada de molho de soja, cebolinha, gengibre, açúcar, óleo de amendoim e óleo de gergelim, mais uma colher cheia de alguma coisa.

— Pasta de feijão — ele disparou para ela por cima do ombro.

O caderno dela saiu da bolsa quase por conta própria e ela começou a anotar coisas.

As costeletas e a marinada voltaram para a geladeira.

— Precisa penetrar — disse Sam. Então ele tirou as folhas de lótus da água, molhadas e molengas como orelhas de elefante. Ficou olhando para elas por um segundo. — Já percebi meu erro — ele disse a Maggie, em inglês. — Eu devia tê-las cortado com uma tesoura quando ainda estavam secas.

— Inútil — desdenhou Xie.

— Completamente — Sam concordou, e começou a cortá-las com uma faca serrilhada.

Depois de meia hora, o tio disse:

— Muito bem. Pegue as costeletas. Primeiro, tire os pedaços todos da marinada, as cebolinhas e o gengibre... jogue fora. Deixe um pouco da marinada na carne. Você vai colocar duas costeletas do tamanho de um bocado em cada folha de lótus. Primeiro, passe-as na farinha de arroz de cinco temperos... pegue bastante, isso, agora faça uma pasta. Pegue alguns dos maiores flocos de arroz. Grandes o suficiente para a boca sentir. Pronto, agora enrole. Está com o prato pronto? Enfileire-as. Não! Tartaruga! O lado liso para baixo! Você vai virar para servir, está lembrado? Apenas observe a sua estupidez!

— Ele não parece nada feliz — Maggie disse.

— Não é tão mau quanto parece — Sam respondeu.

Agora Wang Ling se inclinava sobre o velho, dizendo a ele que estava na hora de subir para uma soneca.

— Sim, titia — Sam concordou. — Tem razão. Tio, eu o carrego para cima. Vamos acordá-lo daqui a duas horas, quando as costeletas estiverem prontas. Será que está bom assim?

— Bom! — disse Xie. — Eu quebro a sua cabeça inútil no meio se não fizer isto! — Ele então se desmanchou todo em um ataque de tosse.

— Venha, tio — Sam disse, e ergueu o corpo velho e magro nos braços como uma criança e o levou com delicadeza na direção da escada. Wang Ling se inclinou para pegar a cadeira de ratã vazia.

— Ah, não — Maggie apressou-se em dizer. — Permita-me.

E pegou a cadeira, que era leve, e seguiu Sam por um corredor central e depois subindo uma escada de um lanço só entre paredes caiadas. No alto, viraram no segundo quarto.

Estava quente, com o cheiro acre de gente de idade, dos livros, dos copos, das xícaras de chá, dos remédios. Sam deitou Xie na cama florida. As cortinas se levantavam com a brisa.

— Obrigado, meu filho — Xie disse a ele, a voz trêmula, exausta.

Agora, Maggie pensou, ele realmente parecia doente. Sua pele era um pergaminho amarelado, as mãos fracas e paralisadas. O peito subia e descia com esforço. Estava tentando falar com Sam.

— *Guolai* — ele sussurrou. Venha aqui.

Sam se inclinou para mais perto.

— Suponho que não tenha a menor idéia para o menu, tem?

— Ainda não, tio.

— Fiz um para você, meu filho. Songling me ajudou. Songzhe, Songan e Songzhao vão trazer todos os ingredientes que você precisa. Vai preparar tudo hoje à noite. Quando estiver terminado, mesmo que não use nenhuma das receitas dali, vai compreender a progressão clássica.

— Sim, tio. Vou começar assim que chegarem.

— Acorde-me assim que as costeletas ficarem prontas. — Ele ergueu a cabeça do travesseiro, a única coisa que ainda conseguia movimentar. — Não me faça ir atrás de você!

— Não, tio — o sobrinho disse, puxando a coberta com carinho. Xie observou enquanto ele e a mulher de cabeça encaracolada se esgueiravam para fora do quarto. Ele próprio podia sentir o banho suave do sono chegando. Dormir agora era seu conforto, o sono e as lembranças, juntamente com o olhar generoso e as mãos gentis de sua velha esposa. E de seus filhos. E do sobrinho, agora que tinha chegado.

As injeções que a mulher lhe dava levavam a dor embora, ao mesmo tempo em que deixavam a mente dele clara como vidro. Tudo a seu redor era como um sonho. O que antes estava longe ficava perto. Os dias de sua juventude, especialmente, pareciam tão puros e imediatos como se tivessem acabado de ocorrer.

Na época, Hangzhou era um paraíso para os amantes da boa comida, e era assim há mil anos. Até os textos mais antigos registravam sua "abundância de arroz e de peixe". No século XII, na dinastia Song do Sul, restaurantes e casas de chá representavam dois terços dos estabelecimentos comerciais da cidade. Para superar uns aos outros, chefs de Hangzhou se voltaram para o uso generoso de ingredientes, até mesmo os raros, que nem mesmo serviam para comer, mas só para dar sabor aos outros: camarões graúdos usados como tempero, ovas de caranguejo como gordura. E depois havia a culinária decorativa. Ele precisava se lembrar de tocar nesse assunto com o sobrinho. Em certos pontos da história de Hangzhou, a apresentação alcançara picos de virtude e exagero, com mosaicos elaborados de *hors-d'oeuvres* em tons fortes e o corte de ingredientes de pratos principais em formato de flores e de animais. Ah, e havia ainda as iguarias locais: o vinagre negro de Zhenjiang e o vinho de Shaoxing.

Era adequado que o sobrinho tivesse sua aula final aqui em Hangzhou. Em nenhum outro lugar da China o povo se ocupava tanto com a gastronomia. Ah, ele pensou, tremendo de prazer, por tantos séculos homens cultos não viram mal nenhum em passar horas e horas bebendo vinho e declamando poesia, debatendo o que era melhor: o camarão fresco rosado aromatizado com folhas de chá verde de padrão imperial ou o sável sem pele envolto em gordura de omento e cozido no vapor com vinho.

Refeições assim mereciam bajulação; e, assim, um novo elemento da culinária chinesa nasceu em Hangzhou: o prazer do elogio, feito pelo chef, entregue ao comensal. Isso, por sua vez, deu lugar a uma subescola de receitas caracterizadas pela superação da sutileza, receitas que só podiam ser apreendidas por aqueles que tivessem bom gosto genuíno.

Nesse mundo de fadas alimentício nascera o pequeno Xie, com seu melhor amigo e irmão juramentado, Jiang Wanli. As duas famílias viviam em complexos adjacentes, os meninos pareciam unidos em todas as coisas.

Trabalhavam juntos em banquetes fechados no restaurante, sem servir, apenas observando nas laterais com suas vestes de seda cinzenta e as túnicas pretas sobrepostas, prontos para encher copos de vinho ou trocar pratos. Ali aprenderam a lição esotérica da culinária. Comida não era só para comer. Era uma linguagem. Era um regulador. Determinava a escala de poder. Cada vez que os garotos serviam, observavam isso. Cada refeição era uma arte, era um deleite, mas também uma revelação de hierarquia.

Antes de um banquete começar, esperavam os convidados na entrada, onde se estendiam o lago, a ponte arqueada e as árvores com folhas emplumadas, no estilo comedido mas ornamentado que havia muito era a marca da região. À medida que conduziam os que chegavam às suas salas particulares de refeições, as mesas já postas com pratos frios, iam trocando cálculos silenciosos, através de olhares e nada mais. Quem se sentaria no *shangzuo*, o assento de honra de frente para a porta? Quem se sentaria no assento mais baixo, de costas para a porta? Que receitas tinham sido escolhidas? Quem serviria quem? Que brindes seriam feitos? Em que ordem? Que alimentos de prestígio seriam servidos? Essas eram as partes da linguagem do banquete que tinham significado. A conversa, as palavras que eram ditas à mesa, não significavam quase nada. Era pela etiqueta que o veredicto era pronunciado. Os rapazes viam subordinados serem rebaixados, sucessores serem escolhidos, a revelação de um traidor no grupo. Às vezes, observavam os gestos afáveis que significavam que o banquete, com sua mistura formal de súplica e magnanimidade, não passava de um espetáculo, já que o candidato de sucesso tinha sido escolhido anteriormente, pela porta dos fundos, tão velha quanto o tempo.

Ah, Xie pensou em uma agonia de esperança, a refeição do garoto teria que ser brilhante: em todos os aspectos, em todos os níveis. Todas as mensagens corretas teriam que ser enviadas por meio das receitas, todas as ressonâncias tocadas. Ele observou as copas de pontas compridas dos bambus do lado de fora da janela e ficou imaginando mais uma vez por que seu movimento estava tão estranho agora, tão quebradiço na brisa. Foi seu último pensamento antes de pegar no sono.

Na cozinha, Maggie e Sam encontraram os quatro filhos de Xie, todos na casa dos 40 anos, todos com as bochechas enviesadas do patriarca. Nenhum deles se parecia com a mãe, delicada, de rosto estreito, nem mesmo o filho. Sam apresentou-os: Songling, a mais velha, Songan e Songzhe, as duas outras mulheres, e Songzhao, o filho.

Sam disse a ela que eles falavam um pouco de inglês, mas ela não ouviu uma palavra. Todos falavam em chinês ao mesmo tempo. Sacolas de corda trançada como cornucópias transbordavam por cima dos balcões. Cabaças, ervas, repolhos e cebolinhas de todo tipo se espalhavam, tubos de ovas de peixe frescas rosadas, enormes peixes vivos batendo a cauda em baldes plásticos e duas galinhas vivas, em gaiolas.

— Você vai matar os animais? — Maggie perguntou.

— Não aqui — ele disse. — Tem um lugar do lado de fora para isso. Não se preocupe. Não vai ser quando você estiver perto.

— Me dê algum toque, que aí eu vou dar uma volta.

— Pensando melhor, talvez você devesse assistir. — A idéia o fez sorrir. — Você está na China. Na verdade, Maggie, as irmãs têm um plano para você, se quiser. Elas todas vão fazer massagem. Querem que você vá junto.

— Uma massagem? — ela perguntou.

— Elas sempre fazem coisas juntas quando vêm para a casa dos pais. — Ele estava separando em pilhas as verduras e os legumes, os montes de massa fresca cortada a mão, os ovos.

— *Women shunbian qu* — uma das irmãs ofereceu.

— Elas vão de qualquer maneira — ele traduziu.

— A uma casa de massagem? — ela perguntou.

Ele deu uma risada.

— Não é desse tipo. Bom, elas existem por aqui também, pode acreditar... mas não é o caso desse lugar.

— Imaginei — ela disse. — Vi garotas em Pequim.

— Pare de imaginar — Sam disse a ela. — Elas estão por todo lugar.

De fato, a prostituição tinha ressuscitado junto com o setor de restaurantes, na década de 1990. Assumia todas as formas e passava por todo tipo de canal: um deles era o dos estabelecimentos de massagem cuja verdadeira razão de ser imediatamente se tornava óbvia pelas luzes fracas, os cubículos mobiliados com camas e as ditas massagistas usando vestidos justinhos e fendas que revelavam os quadris pálidos.

Sob luz fraca, as garotas que trabalhavam lá geralmente eram bonitas. Pelos padrões ocidentais, também não eram caras. Além disso, havia o fato de que a prostituição aqui não era escondida em lugares secretos e pérfidos, da forma como acontecia no Ocidente. Era direta, visível. Serviços sexuais disfarçados eram oferecidos abertamente nos melhores hotéis e centros de negócios. Serviços em domicílio ofereciam tudo que se quisesse em locais mais privados. No nível mais alto da casta estavam todas as mulheres que fossem mantidas em apartamentos ou estabelecimentos profissionais para prestar serviços sexuais: amantes profissionais. Se você quisesse sexo pago (e Sam, pessoalmente, não queria, não por ter vergonha, mas porque, para ele, pagar parecia tirar toda a graça da coisa), a China era um ótimo lugar para se estar. Muitos chineses gostavam. Alguns homens *laowai* também, apesar de aterem-se quase sempre a garotas de bares e massagistas.

— Não vou mentir — ele disse então a Maggie. — Há esse tipo de casa de massagem em toda parte. Fazem muito sucesso aqui, com os chineses e com os estrangeiros também. Mas isso também vale para o outro tipo, o legítimo, em que os profissionais são treinados e a coisa é totalmente terapêutica e simplesmente fazem massagem tanto em homens quanto em mulheres. E é ótimo. Você deveria ir. As irmãs querem que vá.

Elas então começaram a falar em coro, em chinês, obviamente dizendo: Sim, sim, ela tem que ir.

— Nós não vamos conseguir conversar — Maggie disse.

— Não faz mal. Você vai receber uma massagem.

— Acho que cairia bem — Maggie reconheceu. Tirando abraços e apertos de mão, ninguém a tocara de fato no ano que se passara. Todo mundo era gentil com ela, mas a gentileza estava no coração das pessoas. Não sentira as mãos de ninguém na pele. Ninguém a segurara nos braços. Com muita freqüência ficara sozinha no barco, se abraçando, mesmo de dia, com as cortinas bem fechadas para protegê-la do sol forte e do leve som dos cabos ao vento.

Sam disse algo em chinês, e Songling engatou o braço no de Maggie.

— Venha — ela disse, e a levou para fora.

— Tchau — Maggie gritou para Sam, e ele simplesmente olhou para ela com um sorriso que pareceu penetrar sua concha até o interior de seu ser, e que dizia: *Já, já você vai se sentir bem.*

Songzhe se sentou ao lado dela no banco de trás do carro, e Songan foi na frente com Songling. Fizeram uma curva passando por um monte de árvores verdes cheias de bambus. Quando passaram por um portão de entrada com uma placa em inglês e em chinês, ela viu que tinham atravessado o Jardim Botânico de Hangzhou. As irmãs conversavam sem parar, como passarinhos, felizes por estarem juntas, e Songzhe toda hora se inclinava para dar um apertão de leve no braço de Maggie. O contato físico aqui era tão comum, Maggie pensou. Essa era uma das razões por que ela estava gostando. Isso e o fato de as pessoas andarem em grupo. Sam, por exemplo; apesar de ter passado a maior parte do tempo sozinha com Sam, parecia que ele tinha um rebanho de familiares que lhe fornecia apoio de base. Eram briguentos, mas estavam presentes. Essa era uma maneira de se apoiar. Não era a vida de Maggie, nunca tinha sido, mas ela gostava daquilo.

Quando pararam na frente do lugar das massagens, ela viu que de fato se parecia com uma clínica. Chinesas de avental branco e sapatos baixos as receberam e conduziram a uma sala com oito cadeiras reclináveis de couro separadas por mesinhas laterais com bebidas e material de leitura. Uma TV afixada na parede despejava em chinês um programa de turismo pelo país. As irmãs Xie jogavam conversa fora e riam. Colocaram os pés em recipientes de madeira forrados com plástico e cheios de água quente com ervas. Dava para sentir como elas estavam felizes por estar juntas, mesmo que fosse por causa da doença terminal do pai, mesmo que seus olhos se enchessem d'água ao mesmo tempo em que elas conversavam e davam risada. Cada uma delas tinha fofocas e revelações e novas fotos digitais nos celulares, que mostraram a Maggie. Ela entendia como elas se sentiam. Ela compreendia a felicidade, e compreendia o pesar. Muitas vezes, no decorrer do último ano, se dividira entre os dois, como acontecia com elas agora.

— *He shenmo*? — disse uma das mulheres de avental branco, parada ao lado dela, e Songzhe traduziu:

— Algo para beber?

— Água — disse Maggie. — Por favor. E será que dá para desligar aquilo? — Ela apontou para a TV, agora mostrando imagens de picos de montanha com música estridente.

No mesmo instante, as três irmãs fizeram um gesto de desdém para a TV, sem parar de falar; elas não gostavam, não estavam olhando, não se importavam. Maggie recebeu uma garrafa de água, deu um gole, recostou-se e se entregou às mãos da moça que tirou seus pés da água, secou-os, equilibrou-os no banquinho e começou a massageá-los. A mulher era segura e tinha dedos fortes. Maggie sentiu sua âncora levantar, seu eu cerceado finalmente se erguia e flutuava e começava a rodopiar com a correnteza. O mundo se desintegrou. Logo passou a enxergar apenas imagens desconexas e pensamentos dispersos e luminosos.

Da mesma forma, a conversa das irmãs deu lugar ao silêncio do prazer quando as massagistas soltaram as pernas e os pés delas e passaram para a cabeça, o pescoço, os ombros e braços de cada uma. Maggie deixou-se levar. Em um meio sonho, enxergou o rosto de Matt. *Até onde você foi com ela? O que fez? Houve outras?* Mas ele não respondeu. Um muro de vidro parecia separá-los. Ela era capaz de enxergar a luz bem-humorada em seus olhos e a barba por fazer em seu queixo. Viu o rosto galês dele, acanhado e corajoso.

Ela é ou não é sua filha?

Ela flutuou com os dedos fortes da mulher apertando seus ombros e seu pescoço, subindo até o couro cabeludo e depois descendo para a parte superior da coluna para começar tudo de novo. Os músculos de Maggie estavam duros e tensos. À medida que suas camadas externas foram relaxando e se soltando, imagens de Matt se erguiam como bolhas, estouravam e sumiam. Maggie agora sentia as mãos da chinesa em seu pescoço. Ela se lembrava de Matt dois anos antes, levando-a à festa de aniversário do filho de um amigo dele, Kenny. Ela se lembrava de ter reclamado no caminho, dizendo que as pessoas não deviam convidar amigos adultos para a festa de um menino de três anos, mas Matt rompeu a carapaça dela, como geralmente fazia. Ele era o delicado do casal. Ele era a razão por que a relação entre os dois tinha bons modos. "Sabe o quê?", ele dissera. "Kenny tem mais orgulho desse rapazinho do que de qualquer outra coisa que já tenha feito. Então, tudo bem."

Na festa, ela não conhecia quase ninguém, só a mulher de Kenny, de modo que ficou com ela na cozinha para ajudar. Conversavam enquanto cortavam melões e abacaxis, bananas e uvas, para fazer uma salada de frutas. Do outro lado da passagem, convidados tagarelavam ao redor da mesa de comida e formavam uma roda risonha em torno de Kenny e Matt, que brincavam com o pequeno William no chão. Os dois homens estavam deitados de barriga para cima com os joelhos levantados, fazendo barulhos e dando risada, montando o menino em seus joelhos e passando-o de um para o outro enquanto ele dava risadas de prazer.

"Olhe só para Matt", disse Valerie, a mulher de Kenny. "Ele está adorando."

Era verdade. O rosto de Matt se iluminara. Seus olhos estavam tontos de prazer. A maneira como ele segurava o menino era cheia de carinho.

Ele quer ter um. Olhe só para ele. Olhe. Aquilo era tão inegável que Maggie achou que seu coração racharia ao meio.

"Tem razão", ela respondeu baixinho. "Está mesmo."

Valerie colocou a última fruta na travessa e limpou as bordas com um pano.

"Então, quando é que vocês dois vão ter um?"

Agora, anos depois, deitada de barriga para cima, os dedos de uma chinesa apertando seu braço, abrindo sua mão, massageando-a, Maggie se lembrou de como buscara uma resposta, como Valerie percebera seu desconforto e, gentil, deixou para lá. Ela se lembrou do baque silencioso dentro dela que lhe dizia que Matt nunca ficaria tranqüilo, nunca ficaria contente, até ter um seu. Ela sabia que isso definiria a vida a dois deles. Como de fato definiu, no pouco tempo que lhes restava.

Não adianta ficar pensando nele. Ele nunca vai voltar. Ela sentiu a velha tristeza mais uma vez. Uma das irmãs murmurou algo baixinho em chinês; a irmã a seu lado soltou uma risadinha. Maggie deu um meio sorriso involuntário em resposta. Não tinha entendido. Não fazia diferença. Elas estavam felizes ali juntas, e tinham feito com que ela tomasse parte daquilo. Era o *guanxi*, a família profunda e gentil. Achou que começava a compreender. *Então, faça deste o início. Avance a partir daqui.* A idéia parecia suave e clara na cabeça dela. A sala ficou imóvel, só tinha o som da respiração delas, suave, como neve caindo. Ela deixou o mundo para lá e dormiu.

9

No fim da dinastia Song, Hangzhou era o centro do mundo e no meio da cidade ficava o Caminho Imperial, fortemente iluminado e tão alegre quanto ruidoso. Ruidosamente alegre. Podia-se descrevê-lo como uma avenida de restaurantes, lojas de vinho e casas de chá, mas era muito mais. Tinha artistas e cortesãos, música, ópera e poesia. A culinária era a mais rara, a mais exótica. Senhoras adoráveis cantavam, contavam histórias, propunham charadas. Os comensais rivalizavam para compor os poemas mais elegantes e bebiam de acordo com o resultado. A noite virava outro mundo. Afastando-se do restaurante, estreitos becos abrigavam quartos com mulheres envoltas em seda esvoaçante e fracas lâmpadas que queimavam a noite toda. A cidade tinha modos dos mais sutis e perspicazes. Quando chegava um forasteiro que não sabia a forma correta de comer, todos os clientes, de trás de suas mangas de seda, riam dele.

— Liang Wei, *O Último Chef Chinês*

Sam contou os últimos minutos até tirar as costeletas do fogo. Já tinha subido e sussurrado a Songzhao, que despertaria o tio de sua soneca. Enquanto as costeletas assavam no vapor, ele começara a trabalhar no menu: matara e limpara as galinhas, preparara pratos frios, misturara pastas e molhos. Ainda tinha muito o que aprender. Devia ter começado antes. Mas a vida em Ohio era boa e fácil. Ele tinha deixado que se estendesse por tempo demais.

A experiência como professor não lhe exigira muito nem lhe consumira o tempo. E um homem que dava aula para crianças era um ímã de mulheres. Essa fora uma grande vantagem. As mulheres adoravam um homem que trabalhasse com crianças. Adoravam em dobro um que soubesse cozinhar e o fizesse por prazer. Ele quase sempre estava com alguém, e mesmo que esse alguém mudasse o tempo todo, a vida era boa. Ele só foi começar a se cansar de pular de uma brincadeira de casinha para outra quando passou dos 30, quase todos os amigos sossegaram com alguém e ele continuou a carregar o seu eu numa malinha surrada de mão.

Naquela mesma época, começara a pensar na China. Tinha resolvido deixar de lado a comida ocidental, ignorar os alertas do pai e começar a aprender chinês. Ao longo daquele ano, pegara o carro várias vezes para ir até Cincinnati atrás de vagens longas e broto de ervilha, frascos, pastas e molhos. Tirou muito tempo para pensar. A China também era metade dele. Era neto do Último Chef Chinês. Algo de que podia fugir ou assumir.

Fez o pai se sentar com ele, dicionários à mão, para começar a passar *O Último Chef Chinês* para o inglês. Os dois anos em que estudara a língua na faculdade não haviam preparado Sam, nem de longe, para executar a tarefa sozinho. Mas assim que ele entendeu os caracteres e passou a ser capaz de pesquisá-los, pôde passar mais tempo com o livro. Adorava a língua chinesa, sua elegância alusiva. Adorava toda a noção de história que ela trazia consigo. E, após meses de leitura e cozinha, passou a amar também a comida, apesar de saber mal ter lhe raspado a superfície.

"Quero ir, Ba", ele dissera. "Eu quero voltar."

"Para onde?" O pai estava lendo o jornal chinês de Chicago e escutava sem prestar a menor atenção.

"Para a China."

"Seja razoável", respondera o pai.

"É sério. Os tios já estão ficando velhos. Quero ir enquanto ainda podem me ensinar. Vou cozinhar, Ba. Vou aprender. Estou com 37 anos. Se não começar agora, não começo nunca mais."

"Então aprenda!", Liang Yeh rosnara. "Quer jogar sua vida fora, urinar em cima de tudo, inclusive da sua educação, que a sua mãe e eu trabalhamos tanto para te dar, e eu é que vou impedir?"

"Não faça isso, Baba."

"Suponho que a minha opinião não tenha valor..."

"Claro que tem."

"... mas até você sabe que não é um chef chinês! Você é bom com comida, reconheço. Tudo que você prepara é excelente. Mas para se tornar um chef chinês é preciso começar cedo. Tem que ser ensinado com mão de ferro."

"Eu posso aprender", Sam disse, teimoso.

"*Zi wo chui xu*", disparou o pai em resposta, você diz palavras grandiosas. "Acha que consegue? Aprenda a cozinhar, então! Só não volte para a China."

"Mas eu tenho que voltar para a China. É o único lugar em que posso aprender."

Liang Yeh tremia.

"Palavras fortes. Lógica distorcida. Você pode ir para Chicago."

"Ba", disse Sam. "Foi você mesmo que me disse que um chef chinês não pode cozinhar nos Estados Unidos! Tá lembrado? Aqui não existe culinária. Não existe público."

"É verdade! Mas você não pode voltar."

"Olha, eu entendo o que você passou. Foi difícil."

"Você não entende! Eu devia escrever, para você entender de verdade."

"Sim! Devia mesmo! Faça isso! Mas por que não percebe que, seja lá o que tenha havido, o mundo mudou? Não vai mais voltar a ser o que era. Outras coisas podem acontecer, mas não aquilo."

"Você não sabe de nada!", o pai urrou. "E se te prendem? Eles podem fazer qualquer coisa!"

"Tá louco? Por que iriam me prender? Eu sou americano."

"Eu sou seu pai! Eu fugi!"

"Ba, eles não se importam. Isso já ficou no passado."

"Você vai jogar tudo fora!"

"Em primeiro lugar, você está errado. Não vai acontecer nada comigo. Em segundo, quanto à sua opinião sobre minha vida, está enganado de novo. Eu realmente acredito nisso. Sinto mesmo que, pela primeira vez, estou fazendo algo certo. Eu *quero* ir. Eu vou."

"Qual foi a única coisa que eu sempre pedi a você?"

"Que nunca voltasse à China. Mas agora não faz mais sentido. Sinto muito."

Naquele momento, o tom dele mudou, já não discutia mais, era um consolo. Ele já sabia o que iria fazer.

Liang Yeh sentiu.

"Então, vai fazer isto independentemente de tudo?"

Sam assentiu.

"Venha", disse para o pai e pegou seu braço. "Sente-se um pouco. Vamos comer alguma coisa."

Agora as costeletas estavam prontas e tio Xie estava acordado. Sam e Songzhao o levaram para o andar de baixo. Sam percebeu que a cor de Xie tinha piorado. Tinha o tom mosqueado perolado da barriga de uma tartaruga. Puseram-no no meio da cozinha, nada mais do que ossos magros e frágeis por baixo do cobertor.

— *Shiji cheng shu* — ele orientou. A oportunidade se apresenta. — Rápido!

E Sam apagou o fogo, ergueu a tampa da panela e deixou sair uma nuvem cheirosa.

— Tire-as daí — Xie disse com voz trêmula. — Não, não encoste nelas ainda. Precisam repousar. Dez minutos. Venha se sentar ao meu lado.

Sam pegou uma banqueta e se acomodou bem perto dele. Depois de um tempinho, escutou o pequeno carro resmungando ao subir colina acima. As três irmãs e Maggie entraram. A expressão de contentamento de Maggie era algo bom de se ver.

— Parece que você gostou — ele disse.

— Eu amei — ela o corrigiu. — Foram tão legais comigo... — e deu um apertão no braço de Songan e de Songzhe.

— Chegaram na hora das costeletas. — Ele usou luvas pesadas para virar a travessa de assar a vapor em cima de outra. Agora, os pacotinhos de lótus, cada um com dois pedaços suculentos de costeleta de porco, estavam com a parte da emenda para baixo. — O lótus é especial de Hangzhou — ele disse a Maggie.

— Eu vi no lago. Tinha montes lá.

— Você precisa vir aqui no meio do verão, quando eles florescem. Quando se chega perto de um para sentir seu perfume, é absolutamente surpreendente. O botão não tem o mínimo cheiro de flor, parece cânfora. Como uma loja de medicamentos chineses. Mas a folha tem seu sabor próprio, que se solta ao ser cozida. — E ele transferiu um pacotinho de lótus para um pratinho para cada pessoa presente.

Dentro das folhas, a carne das costeletas se soltou sob os pauzinhos, suculenta, magra e bem cozida com uma cobertura macia de farinha de arroz aromatizada. Por baixo, o sabor mais escuro e complicado da carne, do tutano e das ervas aromáticas. Maggie achou maravilhoso. Comeu tudo menos os ossos, que mordiscou até tirar toda a carne e devolveu, limpinhos, para a folha. Teve vontade de lamber a folha, de tão bom que estava, e ela nem estava com fome. Deu uma olhada na sala. Songan, Songzhe e Songzhao comiam alegremente. Songling dava pedacinhos da carne para o pai, pacientemente. E então, todo o movimento na sala cessou.

O rosto de Xie se desmanchou em decepção.

— Jogue tudo fora — disse, com tristeza.

Sam engoliu em seco. O que sobrara para jogar fora? Todo mundo tinha comido tudo.

Xie voltou o olhar para Songling. Ela removeu a porção dele e levou de volta para a cozinha.

— Qual é o problema? — Sam perguntou em chinês.

Todo mundo ficou lá parado, pouco à vontade, em silêncio.

— Reconheço que cebolinha e gengibre ressaltam a carne de porco — disse Xie. — Carregam o sabor, que é um sabor escuro, e o trazem à luz. É sua função. Mas esta é uma receita refinada! O mais importante é a sofisticação e a sutileza, não os picos de sabor. Tudo precisa ser exposto com inteligência. Cada sabor tem que ser uma brincadeira de textura, ao mesmo tempo em que cada textura sugere um sabor. Isso não se alcança com os extremos. Nunca. O condimentado, o marcante, o picante nunca vão funcionar.

— Então os sabores estavam fortes demais.

Xie assentiu brevemente.

— Você pode ser rústico, mas nunca grosseiro. Sempre acredite na inteligência do comensal. Sempre o brinde com sutileza. — As palavras dele se dissolveram em uma tosse aguda e fortíssima.

Songan deu tapinhas em seu ombro, Songling acariciou sua mão.

— Baba — disse Songling. — Assim vai se cansar.

— Sim, sim. — Apontou o queixo para Sam. — Bom, o que está esperando? Comece de novo!

Sam trocou olhares discretos com os quatro irmãos; nenhum deles queria que o senhor de idade ficasse exausto. Carregaram-no para um canto tranqüilo da cozinha, deixando os dois americanos sozinhos.

Maggie observou quando Sam se virou e pegou mais um pacote de costeletas da geladeira. Estava claro para ela que o velho não tinha gostado das costeletas. Ela tinha atacado sua porção sem a menor vergonha depois que a primeira mordida floresceu em sua boca: a carne de porco era adorável, profunda como mogno, com realces fortes de cebola e gengibre.

— Qual foi o problema? — ela quis saber.

— Ele achou os sabores acentuados demais.

— Cebola e gengibre?

Ele suspirou por cima da nova fileira de costeletas magras, frescas e rosadas.

— Você percebeu.

— Isso não quer dizer que eu achei problemático.

— Ele tem razão. Uma refeição como esta precisa ser sutil. — Começou a cortar com estalos irritados de cutelo. — Eu já devia saber disso.

— Bom — ela disse. Ficou lá só escutando o ritmo dos cortes dele. Este era um som de que ela gostava. Logo reparou que a cozinha era um aglomerado de molhos, pilhas de alimentos picados, travessas cobertas e tigelas usadas; ela foi até onde ele estava em pé. — Acho que você devia ir mais para lá, Sam. Se puder. Abra espaço na pia. Eu não sei cozinhar absolutamente nada. Jamais pensaria em tentar ajudá-lo. Mas posso lavar. Sou bem boa lavando, e tem muito o que lavar aqui. Deixe-me limpar a sua bagunça.

— Não pode fazer isto. Deve ficar sentada. Você é visita.

— Você quer que eu fique relaxada, certo? Que me sinta à vontade? — Ela esperou pelo olhar de confirmação dele. — Então, deixe-me ajudar. Você é americano. Sabe que as visitas gostam de ajudar.

— Mas você pode ir lá para cima. Para o quarto em que vou ficar hoje à noite. Vai ver as minhas coisas. É silencioso. Nós chamamos na hora do jantar.

— Sam! Eu quero ajudar.

— Certo.

O tom dele era resignado, mas dava para ver que ficara satisfeito. Ela abriu espaço em um balcão e o cobriu com um pano, então começou a esfregar os pratos e as tigelas sujas e a empilhar tudo de cabeça para baixo em uma pirâmide em cima do pano. Quando terminou a construção, secou tudo e começou de novo.

— Você é precisa — ele disse, observando o empilhamento dela.

— Você também — ela disse, referindo-se à maneira dele de cortar. — Te ensinaram bem. — Ela o observou. — Por que começou tão tarde? — quis saber. — Estava aqui imaginando.

— No fundo, acho que eu queria isso demais.

Ela virou de ponta-cabeça uma travessa esmaltada pingando e ajeitou na circunferência da pirâmide.

— O que quer dizer com isso?

— Você já desejou uma coisa tanto que ficou até com medo de se permitir tê-la?

— Como o amor — ela disse de repente, e logo desejou não ter dito nada. Engoliu em seco. — Como estar apaixonada.

— É — ele respondeu devagar. — Assim mesmo. — Colocou as costeletas em uma tigela nova, lavou as mãos e voltou a prender a meada de cabelo atrás da nuca. — Como um desejo tão grande que você sabe que nunca vai se perdoar se falhar. E, por isso, você se segura. — Ele lavou cebolinhas e as cortou em rodelinhas verdes. — E daí você acorda um dia e percebe que, se não fizer aquilo agora, vai sair do seu alcance para sempre. — Ele olhou de viés para ela. — Sabe como é?

— Sei — ela respondeu. — Sei sim.

Ele assentiu.

— Então, eu vim para cá.

— Acho que o seu lugar é aqui.

— E em alguns aspectos, não é.

— Sem dúvida. Mas eu adoro ver você com a sua família. Eles são ótimos. Até mesmo o seu tio, mesmo quando está em pé de guerra. — Ela olhou para trás de si, para o homem frágil embaixo do cobertor que agora cochilava com respirações rascantes. — Ele é duro com você.

Sam sorriu para a tábua de cortar do tio, que, percebeu, era igual às que ele tinha na cozinha de seu restaurante em Pequim, uma enorme fatia desgastada de tronco de árvore.

— Tinha um gourmet famoso no século XVIII chamado Yuan Mei, que escrevia. O conselho dele era: se você quiser comida realmente boa, seja duro com o cozinheiro. Ele dizia que o mestre sempre deve fazer uma advertência severa *antes* de a comida ser servida, de que amanhã a comida tem que estar melhor. Se não...

Maggie deu risada.

— Em outras palavras, não é só ele.

— Então é cultural — disse Maggie. — Mas também é pessoal. Ele te ama.

— Ama sim — Sam concordou.

— Então vá em frente — ela disse e passou os olhos pelos balcões cobertos de comida. — Surpreenda-o hoje à noite.

Ele sorriu. Pegou um pano limpo e começou pelo alto de sua nova estrutura perfeita, desmanchando-a em ordem, enxugando.

O jantar foi um caleidoscópio de 12 pratos e duas sopas que Maggie, em nível puramente visceral, classificou entre as melhores refeições de que se lembrava. Era estranhamente reconfortante ser a pessoa de fora numa mesa familiar em que tudo era dito em chinês. Ela não entendia nada, mas também entendia tudo. Estavam tontos com a comida, uns com os outros, felizes por estarem juntos apesar do lamento antecipado que já subia à tona em lágrimas matreiras e olhares trêmulos. Revezavam-se ao redor da mãe e sentados ao lado do pai. Diziam coisas para fazer os outros rirem. Soltavam gritos de admiração exaltada cada vez que Sam trazia um prato novo à mesa. E ninguém esperava que ela fizesse absolutamente nada.

Sua posição era perfeita para observar o ritmo da mesa, e para começar a ver como funcionavam os maneirismos deles. Logo ficou claro que o objetivo geral era servir os outros e evitar ser servido. Dava para ver que era como eles faziam uns com os outros, por isso entrou no esquema.

Combinava com ela resistir tanto a ser servida, em especial naquela noite em que estava comendo do jeito como comia quando estava trabalhando. Consumia uma quantidade pequena de cada coisa, mas com atenção elevada. Ao longo dos anos, percebera que não conseguia comer muito quando comia com olho crítico. Para dizer a verdade, seu limite para comer com real atenção era de quatro bocados; depois disso, não estava mais sentindo o gosto, só comendo. Então, quando estava trabalhando, passava muito tempo fazendo pesquisa, planejando e investigando a comida; na verdade, só comia um pouquinho.

Os amigos lhe perguntavam como ela conseguia fazer seu trabalho sem engordar; ela respondia que era o contrário, que era o trabalho com comida que a mantinha magra. Para exercer sua função, não podia simplesmente fechar os olhos e comer. Tinha que ir devagar, pensar, prestar atenção e parar depois de ingerir bem pouco. E isso era bom. Quem escrevia sobre comida não devia ser gordo.

Naquela noite, ela se concentrava na perfeição da comida. Primeiro os aperitivos, servidos em temperatura ambiente: um purê aromatizado com ervas que Sam lhe explicara ser vagem-jacinto, depois bolinhos leves e deliciosos de glúten com molho doce saboroso, pimentões torrados na frigideira e uma espécie de salada picadinha com tofu seco e ervas selvagens maceradas. Ela adorou o pato condimentado crocante com pãezinhos, o porco *dongpo*, aquele que tinham comido no restaurante (carne de porco magra por baixo de uma capa de gordura que se descolava para deixar um molho suculento e delicado na carne). Mas o melhor de tudo foi a segunda sopa. Fez todo mundo engolir em seco ao redor da mesa, até o tio Xie. O peixe vivo se transformara em bolinhas de peixe claras e macias, leves, arejadas e ultrafrescas. Elas flutuavam no caldo perfeitamente intenso de peixe com camarão, nuvens de tofu macio e tiras comprimidas de folha de mostarda. Enquanto comia, sentia que aquilo nutria cada parte dela; era uma sopa da qual sabia que iria se lembrar pelo resto de sua vida.

No final, ele serviu um potinho doce de arroz e frutas secas, e então finalmente se sentou. Disse que aquilo se chamava *ba bao fan*, arroz de oito tesouros. Ela estava tão agradavelmente satisfeita que não acreditava que ele traria ainda mais um prato, muito menos algo doce, mas assim que ela deu a primeira mordida na sua porção, percebeu que comeria cada migalha.

— Aquela sopa estava genial — ela lhe disse depois.

— É uma receita do restaurante de Songling, o Shan Wai Shan. A sopa é uma das especialidades deles. — Ele se virou e falou com os outros em chinês e escutou a resposta de Songling. — Ela diz que eles recebem 800 pedidos por mês. Vem gente do mundo todo para tomar essa sopa. Os mais apaixonados podem até comprar uma das sopeiras azuis e brancas para levar para casa. São feitas exclusivamente para esta sopa em Jingdezhen. A receita movimenta uma indústria inteira.

— A refeição foi maravilhosa — ela disse. — Maravilhosa. O seu tio adorou. Todo mundo adorou.

Ouviu-se um clamor de concordância ao redor da mesa, e Sam foi brindado e aplaudido.

Então, voltou sua atenção ao Terceiro Tio. Esta era a opinião que ele realmente queria.

— Os camarões bêbados estavam muito bons, e os peixes em crosta de tofu crocante também. É para isso que serve o significado de uma refeição. Muito bem — tio Xie pronunciou, e lançou-lhe um olhar de orgulho.

Sam entendeu. Assim que vira camarões bêbados no menu, percebera que o tio lhe fazia um elogio. O prato fora incluído como homenagem a Yuan Mei. Sam reconhecia a receita dos textos de Yuan. "Todo chef desde o século XVIII deve a Yuan Mei parte de seu aprendizado", o tio lhe dissera. "Leia-o, meu filho. Só assim vai merecer a alcunha de chef chinês." Ao incluir esse prato, o tio apostava que Sam fizera o que lhe tinha sido mandado e reconheceria a referência. Sam reconhecera. E devolvera o elogio, dessa vez agradando ao tio. Fez isso adicionando uma receita de peixe com casquinha crocante de tofu, descrito pela primeira vez na literatura do século XVII de Li Yu, outro gourmet célebre. O tio ficou satisfeito. Sam adorava essas camadas de aprendizado, esses metaníveis que faziam de uma refeição um ato de poesia.

— Obrigado — ele disse ao tio.

Depois disso, as três irmãs expulsaram todo mundo da cozinha enquanto limpavam, e Sam e Maggie se sentaram na sala da frente com tio Xie, Wang Ling e Songzhao. Por intermédio de Sam, foram feitas algumas perguntas em relação ao trabalho de Maggie, que tipo de artigos escrevia, e então perguntaram o inevitável *Você é casada?*, ao que ela respondeu, rápido e sem rodeios: era viúva. Essa era a resposta-padrão dela. Já não precisava mais dar uma explicação ou contar a história. Simplesmente dizia isso.

Sam olhou para o relógio e de repente ergueu o torso da cadeira: a nova fornada de costeletas estava pronta. Ela ouviu a conversa e as risadas da cozinha, os barulhos e batidas da louça, o baque da cesta quente de bambu. Depois de um minuto, ele voltou com uma fileira fumegante de pacotinhos de lótus e pratinhos e pauzinhos. Esperaram dez minutos; então cada um teve que abrir e experimentar.

Todos abriram. O cheiro era ainda melhor do que o da primeira fornada. O aroma era maravilhoso. Maggie mal podia esperar para provar, por mais entupida que estivesse com o jantar. *É melhor não comer tanto*, ela pensou, e mesmo assim, em seguida, pegou um pedaço de carne de porco macia empanada no arroz. Era o céu em sua boca, magro mas suculento por ter ficado embebido na gordura e no tutano.

Sam se sentou ao lado do tio e levou um pedacinho de carne até os lábios do senhor. Xie mastigou a carne e fechou os olhos. Primeiro, Maggie achou que ele tinha ficado feliz. Mas logo notou que engoliu com esforço, e recusou mais. Maggie pousou seus pauzinhos. Tinha achado as costeletas maravilhosas. A primeira fornada tinha sido boa, e esta era ainda melhor. Mas o tio de Sam estava fazendo algum tipo de crítica racional e trabalhada. *Ah, por favor*, ela pensou. E Sam continuava a escutar com atenção.

Ela o seguiu até a cozinha.

— E agora?

— Os sabores estão menos óbvios, mas não totalmente integrados.

— Será que não há a possibilidade de ele não estar entendendo o objetivo? Há uma sinfonia de sabores neste prato. É aquela combinação de sabores de que você estava falando, como chama mesmo...?

— *Tiaowei* — ele respondeu.

— Certo — ela disse, como se tivesse se lembrado, o que não era o caso. — Além disso, tem a textura. A cobertura de arroz está na consistência exata para suavizar a sensação que a carne de porco passa. Também arremata o sabor dele. Aliás, qual o aromatizante da farinha de arroz? Anis?

— Chama-se cinco temperos. É uma mistura de condimentos. É muito comum aqui.

— Ah. E ainda tem o sabor da folha de lótus. *Eu* digo que as costeletas estão brilhantes.

— Obrigado. — Ele deu um sorriso cansado. — Fico feliz mesmo com isso, mas preciso fazer de novo. Eu disse a ele que faria. Pode me dar alguns minutos? Tenho certeza de que você quer voltar agora. Deixe-me só colocar a próxima fornada na panela de cozimento a vapor e eu a levo. Songling vai ficar de olho no fogo enquanto eu não estiver aqui.

— Claro. Demore quanto quiser. Mas eu vou lá para cima, se não houver problema, para o quarto que você mencionou antes. Pode ir me chamar quando terminar?

— Claro — ele respondeu.

— Faz muito tempo que saímos de Xangai.

— Foi hoje de manhã? — Ele fechou os olhos. — Parece que faz um mês.

Ela assentiu.

— Vá — ele disse, e apontou as escadas para ela. — Quando as costeletas estiverem na panela, eu a chamo.

No andar de cima, no segundo quarto, ela viu as coisas de Sam em uma pequena pilha no banquinho na ponta da cama. Ele era organizado, mas disso ela já sabia.

Havia uma luz fraca acesa. Ela fechou a porta e se sentou na cama. O rosto de duende de Shuying parecia se materializar à sua frente, os olhos, os cachos. *Se você for filha dele, então me permita voltar a ver seu rosto.*

Demoraria dias até ela descobrir. Por ora, tinha feito tudo o que podia. Agora era hora de esperar, e de ficar cansada. Depois de poucos minutos ela se levantou e apagou a luz e voltou para a cama. Deitou-se. A calma e o bem-estar se instalaram nela imediatamente. Achou que nunca tinha visto um lugar tão pacífico quanto aquele quartinho chinês. Apenas descansaria ali durante um segundo, resolveu, mas então fechou os olhos e dormiu.

Algum tempo depois, no escuro, acordou com uma mão encostando nela, e ergueu a cabeça lentamente, distante.

— Shh — Maggie ouviu. Abriu os olhos.

A porta estava meio aberta. Entrava luz do corredor. Songling se inclinava por cima dela. Maggie viu suas bochechas e o queixo triangular. *Ela se parece com tio Xie*, Maggie pensou e voltou a fechar os olhos. Sentiu Songling tirando seus sapatos. *Querida Songling. Obrigada.* Daí sentiu a chinesa cobri-la com um cobertor. O calor se assentou com suavidade sobre ela. Os passinhos de Songling saíram e a porta se fechou, e tudo virou escuridão.

Maggie acordou na cama. Era de madrugada, estava escuro. Onde ela estava? Sim. Tinha caído no sono. Já era muito tarde. Toda a residência dos Xie estava absolutamente quieta.

Ela escorregou para fora da cama e se esgueirou até a janela. Não havia luzes lá fora, apenas árvores e bambu, mas a lua estava cheia e seu mercúrio pálido era exatamente o suficiente para que ela enxergasse as horas em seu relógio.

Três e meia. Droga. Alta madrugada. Todos estavam dormindo. Então, onde estava Sam?

Ela se esgueirou até a porta e a abriu sem fazer barulho. A luz do corredor continuava acesa. O brilho a ofuscou e ela fechou os olhos durante um longo segundo, antes de voltar a abri-los. E então ela o viu. Estava enrolado em um cobertor a seus pés, dormindo.

— Ei — ela disse. Ele não se mexeu. Ela se abaixou e colocou a mão no ombro dele. — Ei, acorde.

Ele se ergueu apoiado nos cotovelos e olhou para ela.

— Tudo bem — ele disse. — Estou bem. — E torceu o corpo para voltar a se deitar.

— Não. Venha. — Ela o puxou pelo braço até que o fez ficar em pé, cambaleando. Arrastou-o para dentro do quarto e fechou a porta. De novo, a escuridão. Que bom. Ela o guiou para o outro lado da cama e ele desabou, agradecido, e ficou quieto e imóvel de novo, quase no mesmo instante. Ela se deitou do outro lado e puxou o cobertor para cima dos dois. Estavam completamente vestidos. Ele parecia uma cadeia de montanhas estreita atrás dela, com uma mão de marfim escuro curvada por cima do travesseiro branco. Ela se virou de costas para ele e dormiu.

Quando Maggie abriu os olhos, o sol entrava pela janela e ela ouvia sons baixos e distantes, louças batendo, risadas que subiam e desciam e chinês. Esticou a mão e apalpou o outro lado da cama. Estava vazia. Agora ela ouvia a voz clara dele lá embaixo, sobressaindo entre as outras.

Ela saiu da cama para a luz quente. Ao som dos pés dela no chão, uma confusão de passos aproximou-se pelo corredor e mãos bateram em sua porta. Ela se abriu imediatamente.

Eram as três irmãs.

— *Ni qilai-le* — disse Songling, com o ar alegre de quem tinha se cansado de esperar Maggie dar algum sinal de vida. Puseram uma toalha e um paninho de lavar na cama e se aglomeraram ao redor dela, pegando em seu cabelo fofo com interesse genuíno. Agora que ela passara a noite na casa delas (ou talvez porque parecesse agora que ela tinha passado a noite com o homem que conheciam como primo, não tinha certeza), seus laços tinham se estreitado. Songan pegou uma escova de cabelo da gaveta. Maggie teve de detê-la.

— Não. Nunca.

Pegou um pente de dentes largos da bolsa e mostrou para elas, e todas quiseram usá-lo. Songzhe penteou o cabelo dela, depois foi a vez das outras. Foi gostoso para Maggie, as mãos delas sobre seus ombros, o som musical de sua conversa, os puxões ritmados em sua cabeça. Ela quase seria capaz de cair de novo no sono, ali sentada.

Então ela ouviu os passos de Sam na escada. Estranho o fato de ela já conhecer o som dos passos dele. Ele estendeu a mão para a porta, bateu e a empurrou, e então ficou paralisado ao ver todas aquelas mulheres a seu redor.

— Estão cuidando do meu cabelo — Maggie disse.

— Ah. Entendi. Quer tomar um banho? Depois vamos tomar o café-da-manhã.

Claro, ela pensou, mais uma refeição.

— Alguém mais precisa usar o banheiro?

— Agora não. São chineses. Tomam banho à noite. Você dormiu e nem viu.

As irmãs se levantaram e saíram em fila, sorrateiras, sorrindo, como se agora fosse hora de Maggie e Sam ficarem sozinhos.

— Elas gostaram de você — ele disse. — Elas me falaram.

— Elas acham que estamos juntos.

— Não — ele disse. — Expliquei que somos só amigos.

— Bom, sinto muito. Roubei o seu quarto.

— No fim das contas, não — ele disse.

Ela ficou olhando para o nada e de repente se deu conta de que aquele momento precisava ser rompido.

— Certo — ela disse. — Deixe-me tomar banho. Vou ser rápida. Já desço.

E ele deu meia-volta rapidinho e saiu.

O café-da-manhã foi *congee*, mingau de arroz com tiras de algas levemente salgadas e sabor agradável de mar, e amendoins crocantes salgados. Ovos cozidos, picles e pãezinhos assados no vapor e salpicados de cebolinha rodeavam a travessa. Dois tipos de chá foram servidos, Dragon Well verde, que era especialidade de Hangzhou, e um *oolong* leve e floral que Sam disse ser de Fujian. As mulheres se sentaram ao redor dela, sorrindo e dando risada. Davam-lhe tapinhas carinhosos e apertões afetuosos ocasionais. *Ele é um bom homem*, seus olhos pareciam dizer. *Cuide bem dele.* Elas tinham entendido mal, é claro. Ainda achavam que ela era a mulher dele. Até o patriarca lhe lançou um sorriso caloroso e tolerante. Ela olhou para Sam. Ele deu de ombros, como que para dizer que sentia o drama, mas não podia fazer nada. Na verdade, ela não se importava; até estava gostando. Ela gostava da maneira como se sentia na companhia daquelas pessoas.

Mas logo Sam precisaria se despedir. Tinham que pegar o trem a tempo de tomar o avião. Ele deu um longo abraço em cada um; o mais demorado de todos foi no tio. Maggie também os abraçou, apertando a bochecha contra a de cada um deles por sua vez.

Foram no carro de Songling, com Songzhao no banco do carona e Maggie e Sam no de trás, confortáveis, recostados lado a lado, deslizando pelas curvas verdes da luz do bambu. Chegaram ao lago, com seus barcos e a serenidade da sombra das árvores, e o rodearam por um tempo, até chegar ao hotel. O carro deu a volta enquanto ela corria até o quarto para pegar a mala, descia de elevador até o lobby e fazia o *checkout*. Nem tinha usado o quarto.

Afastaram-se do lago e entraram nas ruas movimentadas. O trânsito se arrastava entre os prédios comerciais altos. Songling e Songzhao conversavam baixinho em chinês, na frente. Sam estava contente e cansado. O cabelo dele estava bem preso para trás em seu rabo-de-cavalo, mas aqui, à luz forte do dia, ela era capaz de enxergar os fios cinzentos que partiam das têmporas.

— O que foi? — ele disse, olhando para ela.

— Nada.

— Meu cabelo grisalho. — Ele ergueu os braços e passou as mãos acima das orelhas.

— Como sabe que eu estava olhando para isso?

— Como é que eu não ia saber? Estou sentado bem do seu lado.

Ela fez que sim, mas por dentro estava pensando, não, isso não explica. Porque ela passara a vida toda sentada ao lado de pessoas, e a maior parte delas nunca fizera a menor idéia do que ela estava pensando. Nem gente que ela conhecia razoavelmente bem. Mas parecia que ele sabia, pelo menos de vez em quando.

— Maggie — ele disse, em tom de quem está sentindo o terreno. — Queria pedir desculpas por ontem à noite.

— Desculpas pelo quê? — ela perguntou. — Fui eu que caí no sono no seu quarto.

— Mas eu estou me sentindo mal. Queria dizer uma coisa. A minha intenção realmente era passar a noite no corredor.

Songling e Songzhao continuavam conversando na frente. Songling soltou uma risadinha e eles prosseguiram em chinês.

— Eu gosto de você — Sam disse. — Nunca tive a intenção de desrespeitá-la. Fui dormir no corredor justamente porque nunca faria isso.

É preciso respeitar a viúva, ela pensou, com uma pontada de mágoa.

— Eu não me ofendi — ela disse.

— Porque eu nunca faria esse tipo de coisa assim sem mais nem menos — ele disse. — Nunca fiz e nunca farei. Bom — ele fez uma leve careta confessional —, não posso dizer nunca. Mas apesar de eu ser sem noção a respeito de quase tudo, pelo menos isso eu já entendi, com esta idade: que não há nada de descompromissado em pessoas que ficam juntas desse jeito.

— Não foi assim — disse Maggie. — Eu obriguei você a entrar porque estava dormindo no chão. Além do mais — ela completou, enquanto olhavam através das janelas lado a lado —, eu também nunca faria isso assim sem mais nem menos.

— Certo — ele disse.

O assunto estava encerrado. No rádio, havia um monólogo cômico chinês, pontuado pelas risadas de uma platéia de estúdio, acompanhada pelas risadinhas do banco da frente e até, uma vez, um risinho de Sam. Maggie estava se acostumando com este mundo que enxergava a seu redor, o mundo chinês, sobre o qual ela era capaz de flutuar como uma nuvem. Era uma coisa estranha de sentir, começar a reconhecê-lo, mas ela se sentia livre aqui. Ela se sentia bem.

Logo estavam na estação, e desceram do carro e colocaram as alças das malas nos ombros. Houve despedidas emotivas de parte a parte, e Sam e Maggie trocaram abraços rápidos com Songling e Songzhao. Quando ela abraçou Songling, a mulher despejou um riacho de chinês musical em sua orelha, e Maggie lhe deu um apertão extra de concordância como resposta. Seja lá o que Songling tivesse dito, ela tinha concordado. Solidariedade de irmã. Parte dela não queria ir embora dali nunca mais, queria ficar para sempre neste lugar onde nem conseguia entender ninguém. O carro partiu. Sam estava atrás dela. Ela se virou, relutante, e o seguiu escada acima e atravessou as portas que davam para dentro da estação.

10

A culinária chinesa acumula excelência na busca do artifício. Apesar de dizermos que nosso objetivo é *xian*, o sabor natural intocado de uma coisa, na verdade, com freqüência, criamos esse sabor com a adição de várias coisas que então devem se tornar invisíveis. Então, sabor é em parte a qualidade dos ingredientes e em parte a mão do cozinheiro. Este pode alcançar extremos. Não há nada que um gourmet adore mais do que ver um pato glaceado chegar à mesa, pungente e forte com aquilo que deve ser o *nong* aromático de carnes suculentas, só para descobrir que o "pato" é composto totalmente de vegetais. O cozinheiro superior se esforça para agradar a mente ao mesmo tempo em que agrada o apetite.

— Liang Wei, *O Último Chef Chinês*

Aterrissaram, dividiram um táxi até a cidade e encostaram na frente do prédio dela.

— Bom — ele disse.

Uma bolha de silêncio se ergueu entre os dois. Remexeram-se nos bancos. Nenhum deles tinha pensado sobre o que dizer neste momento.

— Certo — ela disse. Colocou a bolsa no ombro e se preparou para sair.

— Olhe, agora eu vou ficar trabalhando feito um louco, mas se você tiver alguma pergunta...

— Por favor — ela disse. — Vá em frente, boa sorte. Não se preocupe comigo.

— Obrigado.

— Vou começar a escrever.

— Já tem material suficiente?

Ela deu uma risada.

— Diria que sim.

Ela sabia muito bem que não precisaria entrevistá-lo ou jamais voltar a se encontrar com ele; só precisaria saber o resultado do concurso. Já tinha o suficiente para três reportagens. Um dos seus caderninhos estava quase tomado por anotações sobre o que ela tinha visto e observado e ouvido dizer; outro trazia uma lista cuidadosa e obsessiva, escrita em letra de forma, que ela sempre fazia de tudo que comia. Nunca, aliás, tinha acumulado uma lista tão carregada de descrições, explicações e histórias como esta. Já tinha o suficiente. Era coisa demais. O mais difícil seria peneirar as informações e descobrir onde colocar o eixo central de seu texto. Ela se voltou para ele.

— Por favor, ligue para mim para dizer como foi. Dizer que vou ficar esperando seria uma maneira monumentalmente amenizada de colocar as coisas. Cinco dias, certo? Sábado à noite? Vou acender velas.

— Faça um vodu para mim.

— Farei, o melhor vodu de todos. Vou escrever a sua história.

Ele deu risada, a risada franca e inesperada que de algum modo ela sabia, toda vez que a escutava, que ele trouxera consigo dos Estados Unidos. Esse era o lado garoto dele. Ela gostava. Naqueles últimos dois dias, tinha gostado de muitas coisas nele.

— Boa sorte — ela disse.

Pegou as mãos dele e apertou entre as dela, então desceu do táxi.

Dentro do apartamento, tudo continuava na mesma. Lá estava o computador dela e sua mala, que tinha dispensado naqueles dias em favor de uma bolsa de mão. No fim do corredor ficava o quarto onde ela dormira com Matt três anos antes e que, nesta viagem, é preciso admitir, ela tinha evitado: passava as noites na sala até mal conseguir se agüentar de pé, aí então se arrastando pelo corredor, tateando no escuro e desabando em cima da cama. No banheiro, pendurou sua solitária toalha. Já tinha deixado sua marquinha ali.

Ela ficou lá parada um pouco, olhando através da escuridão para as colunas reluzentes dos prédios lá fora, reparando que se sentia diferente pela primeira vez em muitos meses e que estava interessada na mudança. Talvez fosse a China, a atmosfera de ousadia e emoção, a liberdade sem amarras de estar longe de seu dia-a-dia. No entanto, também era o prazer dos dias passados com Sam em Hangzhou. Ela ainda se sentia pesarosa, mas o luto já não parecia mais alojado em todas as suas células e fibras. Ela partira do princípio de que envelheceria com aquele pesar, que aquilo seria como seu rosto, seu jeito de andar ou os tiques na fala dela. Agora via que o pesar também era algo que podia mudar.

Ela se virou de costas para a janela e a cidade. Estava na hora de começar a trabalhar em seu texto, apesar de Sarah ter sido bem generosa ao dizer que não precisaria se apressar. "Esqueça o seu prazo de sempre", ela dissera ao ligar de Los Angeles alguns dias antes. Maggie lhe explicara que a competição só terminaria depois do banquete de Sam na noite de sábado, e que o artigo não podia ser concluído antes disso. "Tudo bem", disse Sarah. "Demore mais alguns dias, se for necessário. Fique mais um pouco aí. Só volte a tempo da sua coluna de fim de ano."

"Está de brincadeira? Até parece que eu iria perder esta." Maggie era famosa pelas colunas de fim de ano, triunfantes peças de humor sombrio, o oposto do espírito natalino. Ela odiava festas de fim de ano. Aquilo tinha a ver com o lar, algo que, como conceito social, ela realmente nunca compreendera. A cada ano, ela levava sua coluna na direção completamente oposta: escrevia sobre fazer o almoço de Natal em balcões de restaurantes que servem pratos prontos, ou sobre acordar em hotéis baratos à beira-mar no meio do inverno, ou sobre dar uma volta por lojas de conveniência para ver quem mais além dela tinha renegado a data e saído para comprar meia dúzia de cervejas e batatas fritas. "Não se preocupe", dissera a Sarah. "Estarei de volta para escrever a coluna de fim de ano."

Agora estava na hora de começar o artigo sobre Sam Liang. Ela se instalou no sofá com um bloco em branco, uma caneta e seus caderninhos. Sempre trabalhara assim. Antes de passar as idéias para o computador, começava à mão, criando uma teia com suas melhores idéias, imagens, pensamentos e lembranças. Lia suas anotações e separava tudo que adorava. Era sua primeira peneira: ela tinha que adorar. Se ela não adorasse, como é que alguém mais adoraria?

Então ela examinava seus garranchos para encontrar frases que fizessem sentido e separar momentos. Quando tudo isso estava rearranjado em uma página nova, geralmente começava a ver qual seria seu eixo. Daí, partia para a escrita.

As idéias estavam vindo com facilidade, e ela rapidamente preencheu a página com lembranças da família Xie. A verdade era que se sentira feliz com eles, feliz por longos períodos, horas. Tinha conseguido esquecer todas as coisas sombrias e se sentir como antes: como se gostasse de sua própria vida, como se estivesse envolvida. Tinha a ver com Sam, sim, e com a China, mas ela tinha que reconhecer que a família também tinha parte naquilo. A ligação entre eles era tão forte. Apesar de naturalmente não ser a família dela, ela se sentia abençoada pela oportunidade de ter estado perto dela e por se banhar nessa ligação por um tempo.

Pegou uma folha limpa de papel, escreveu *Guanxi* no meio, e fez um círculo a seu redor.

Era isso. *Guanxi.*

Em seguida, ela já começou a questionar a idéia. Poderia uma coluna sobre comida ser mais a respeito do conceito chinês de relacionamentos? Mas quanto mais ela olhava para aquilo, mais sabia que escreveria assim. Porque este era o coração da culinária, pelo menos da parte que Sam conseguira lhe mostrar. A partir da família, estendendo-se para tudo, comida era o centro das relações humanas na China. Era o núcleo básico da interação. Todas as refeições eram compartilhadas. Nada jamais era colocado em prato individual. Ela percebeu que era a direção exatamente oposta à que a culinária eurocêntrica parecia estar tomando: a do pequeno, do amontoado, do precioso, da apresentação individual acima de tudo. O próprio conceito da apresentação individual era estranho aqui. E isso transformava completamente todo o ato de comer.

A comida era o código de etiqueta aqui, e também o que definia a hierarquia. Sam a fizera ver que uma refeição era comida, mas também uma apresentação de símbolos, sugestões e referências que conectava as pessoas não só umas às outras, mas também à sua cultura, à sua arte e à sua história.

Ela fez uma pausa. Não estava bem certa: Será que *guanxi* só se aplicava às conexões entre pessoas ou entre idéias também? Pegou outra folha de papel e anotou no topo esta que seria a sua primeira pergunta a Sam. Então colocou essa página de lado. Por ora, tinham se despedido; ela não ligaria para ele. Tinha vontade. Foi difícil se acostumar a não estar mais com ele. Mas ele precisava trabalhar. Ela esperaria.

Na manhã seguinte, quando acordou, Sam pensou rapidamente sobre quanto dinheiro tinha gasto com o celular naquele mês, então chegou à conclusão de que não fazia diferença, porque se tratava de tio Xie. Digitou o número do pai.

— Por favor — disse, quando Liang Yeh atendeu. — Não pode vir para cá? Ele está perguntando sobre você. Ainda dá tempo.

— Você acha que não quero ir? — Liang Yeh atacou em retorno. — Não é fácil fazer o que me pede.

— Não é. Eu sei. É difícil para você.

— Você diz que sabe, mas não sabe.

— Bom, se quiser que eu saiba, escreva. Sempre disse que escreveria.

— Já escrevi — respondeu o pai.

— O quê?

— Você ouviu bem. Vai ver! Vou mandar por e-mail.

— Quando? — disse Sam, refletindo. *Ele pode ter começado, mas talvez demore meses.*

— Agora mesmo — respondeu Liang Yeh. — Meu computador está ligado. E o seu?

— Já escreveu? Terminou?

— Já — respondeu o velho e, um minuto depois, o texto apareceu na caixa de entrada de Sam.

Ele mal podia acreditar. Tinha passado anos infernizando o pai para que escrevesse o que tinha acontecido. Sam reparou no tamanho do arquivo. Era um documento longo.

Salvou-o e fez back-up, então colocou de lado para ler mais tarde. No momento, precisava se concentrar em seu menu.

Apenas escolher as receitas certas e conseguir executá-las à perfeição nos próximos dias não bastaria: o mais importante era o jogo do menu em si; seu ritmo, seu significado, suas camadas de referência. Na superfície, era um banquete de ao menos 12 pratos, a ser apresentado para o júri em uma determinada noite. Parecia simples, porque essas eram as regras em sua totalidade. Mas Sam sabia que a refeição seria julgada em vários outros níveis.

Ele precisava de ajuda. Precisava de sustância. Então abriu *O Último Chef Chinês* na seção do menu.

* * * O menu fornece a estrutura e compreende o tema e a atmosfera da refeição. O tema pode ser espirituoso ou nostálgico, literário ou rústico. É desenvolvido ao longo da refeição como uma linha musical.

Antes de começar, leve em consideração a opulência. Se for excessiva, é perversa. Yuan Mei disse: não coma com os olhos. Mas a extravagância, de um tipo ou de outro, seja nos ingredientes, no esforço ou no talento, faz parte de qualquer grande refeição.

Não existe uma única estrutura para um banquete. Várias formas podem ser usadas. No entanto, existe uma estrutura clássica, e esta pode servir como a base do chefe: quatro *hors-d'oeuvres*, e quatro pratos principais mais quatro sopas; ou, para circunstâncias maiores e mais extravagantes, oito e oito.

Os *hors-d'oeuvres* devem entreter, ao mesmo tempo que determinam o tema da refeição e fixam seu estilo. Depois, os pratos principais. Comece com algo frito, leve, fino como teia de aranha, algo estonteante. Depois uma sopa, encorpada e grossa, de frutos do mar. Depois disso, uma ave inesperada. Daí um legume leve e saudável para clarear, depois uma segunda sopa, diferente da primeira.

Feito isso, chega-se ao ponto em que o menu vai além da comida e se transforma em uma dança mental. É aí que se começa a brincar com a refeição. Aqui temos receitas de artifício, receitas que chegam à mesa como uma coisa e se revelam outras, totalmente diferentes. É possível oferecer receitas em reconhecimento ao conhecimento de pintura, poesia ou ópera do comensal. Ou pratos que suscitem a criação de poesia à mesa. Muitas coisas são capazes de provocar o intelecto, mas apenas se tiverem sido pensadas com afinco e executadas com ousadia.

Para dar início ao estágio final, o chef serve um pato assado. Então uma terceira sopa, mais uma vez diferente. O último prato geralmente é um peixe inteiro. O peixe deve ser tão bom que, apesar de os comensais estarem satisfeitos, cairão em cima dele, deliciados. E então, quase com um ar de desculpa modesta, pelo número de pratos ter sido tão grande, uma sobremesa é servida, algo criado a partir de frutas ou de feijões ou de castanhas em purê ou até mesmo de arroz — que apareceria agora à mesa pela primeira vez em forma de pudim ou bolo, ou para engrossar uma sopa de feijão doce. Se o chef for habilidoso, por mais longa que a refeição tenha sido, isto também será consumido com rapidez. * * *

Sam largou o livro. Obviamente, precisaria de um fio condutor. Tinha que haver um princípio unificador. Quanto mais ele pensava, mais queria que fosse alguma coisa literária.

Não havia lugar melhor para começar do que por Su Dongpo, o poeta. Esta seria a recomendação do Terceiro Tio. Ele quase ouvia sua voz idosa dizendo aquilo. A receita com carne de porco que até hoje trazia seu nome provavelmente era o prato que serviam a Sam com mais freqüência quando estava em Hangzhou. Quando era preparado do jeito certo, ficava perfeito, como devia ser: o sabor da carne de porco profundo e delicado, a gordura doce e macia como suflê. Simples. A receita deixada pelo próprio poeta não podia ser mais simples: uma panela limpa, a carne de porco, um pouco de água, fogo baixo e a disposição para esperar. Paciência acima de tudo. Os chefs ao longo dos séculos tinham adicionado os realces de molho de soja, vinho, cebolinha e gengibre nas duas horas iniciais do cozimento, depois os ingredientes aromáticos eram removidos e a carne de porco ficava banhada no caldo por quatro horas. Quando preparada corretamente, a receita era um triunfo de *you er bu ni*, o sabor da gordura sem ser oleoso, combinado com *nong*, o sabor concentrado denso e carnudo.

Sam andara pensando em uma variação. Por que não preparar a receita no estilo dos oito tesouros, assando a carne numa forma, da mesma maneira que se preparava pudim de arroz *ba bao fan*? Ele poderia envolver a carne de porco com arroz, botões de lírio, castanhas de ginkgo, tâmaras, orelhas-de-nuvem, tofu seco... Ele poderia colocar a carne de porco na brasa no fundo, com a parte de cima para baixo. Manter a gordura ali. Cozinhar no vapor durante horas. Mas ficaria muito encorpado à medida que o arroz fosse absorvendo a gordura; encorpado demais. Talvez devesse deslocar a forma lentamente, inclinar um pouco para tirar a gordura derretida antes de colocar em cima do prato.

Essa idéia veio da metade americana de Sam; nenhum chef chinês se livraria da gordura. Mas será que não era possível obter *you er bu ni* com uma proporção menor de gordura? Ele teria que tentar, testar, experimentar. Isso significava preparar o prato pelo menos cinco ou seis vezes antes de sábado. Estendeu a mão para pegar o papel que continha sua lista e adicionou a nova tarefa: descobrir um modo de reduzir a gordura.

A vida em Pequim tinha mudado, no final das contas. A gordura no passado tinha sido parte fundamental da dieta local, e por bons motivos. Nunca em Ohio ele sentira algo tão congelante quanto o inverno gélido de Pequim. Em épocas anteriores, o estilo aberto das casas tradicionais com pátio da capital fornecia pouca proteção. O sistema de aquecimento era localizado: a *kang*, ou cama da família, era construída por cima de canos alimentados por fogo, os braseiros que defendiam apenas partes de cômodos contra o vento gelado do norte. Muita gente naquela época simplesmente usava roupas bem acolchoadas durante todas as horas que passavam acordadas, dentro e fora de casa. Adoravam a gordura na comida e precisavam dela. Além disso havia os pobres, cujo prato básico era *cu cha dan fan*, chá cru e arroz sem condimento. Carne era cara demais para servir como fonte principal de calorias, de modo que consumiam gordura para completar a dieta. À medida que essas sombras do passado iam ficando claras para Sam ao longo dos anos que passava na cidade, ele ia compreendendo mais e mais por que receitas gordas de entupir as veias como *mi fen rou*, um bolo de arroz de sabor exuberante, feito com toicinho e carne de porco moída, estavam entre os pratos locais preferidos fazia tempo. Mas as pessoas tinham calefação central agora. Até operários de classe baixa consumiam proteína animal. Já estava mais do que na hora, Sam concluiu, de tirar um pouco daquela gordura.

Aprender sobre a comida de Pequim tinha sido um ganho por tabela nos quatro anos que passara lá. Historicamente, parecia que a capital tivera o estilo de Shandong como sua principal influência culinária. Com ênfase nos sabores claros e leves com acentos sutis como cebolinha, esta culinária deu origem a pelo menos um descendente um tanto distante que se tornou bem conhecido no Ocidente, a sopa de *wonton*. Quando preparada da maneira correta, essa sopa era típica do estilo de Shandong por sua clareza e seu sabor fresco e natural.

No entanto, a culinária de Pequim também era a culinária da corte imperial. Dos mongóis aos manchus, dinastias sucessivas tinham trazido consigo os sabores de sua terra. Certos governantes, tais como o imperador Qianlong no século XVIII, dedicaram energia considerável para trazer receitas gloriosas de todos os cantos da nação, chegando a ponto de viajarem incógnitos para experimentar as receitas nos restaurantes e nas barraquinhas de rua originais. Diz-se até que Qianlong andou num bote de lago impulsionado por uma mulher simples, e que lhe pagou para que cozinhasse para ele. Qualquer receita que interessasse ao imperador era imediatamente aprendida por uma equipe de chefs. Dessa maneira, a comida de cada província passou a fazer parte da cozinha do palácio. Essas coisas Sam tinha aprendido com a leitura de *O Último Chef Chinês*.

O que acontecera com a comida nas décadas posteriores à publicação do livro de seu avô também o interessava. Uma vez que Pequim crescera e se moldara, principalmente durante o período frenético de obras no início da década de 90, a cidade foi se enchendo de mão-de-obra migrante. Não havia como avançar nas construções sem ela; nisso, a China era muito parecida com os Estados Unidos. Mas, na China, os migrantes não vinham de outros países, mas de áreas rurais e províncias remotas. No que o fluxo de trabalhadores de Sichuan aumentou, abriram-se restaurantes, cafés e barraquinhas, e logo os habitantes de Pequim tomaram gosto por *hua jiao*, cinza picante, o pimentão de Sichuan. Virou condimento popular, todo mundo tinha um pouco na cozinha. Trabalhadores de Henan trouxeram seu *hong men yang rou*, cordeiro cozido no vapor; os que vieram de Gansu introduziram o *Lanzhou la mian*, sopa de carne e macarrão ao estilo de Lanzhou; e de Shaanxi veio *yang rou pao mo*, uma sopa de cordeiro e pão sem fermento. Do nordeste veio *zhu rou dun fen tiao*, carne de porco assada no vapor com ervilhas ou massa de amido de batata, e *suan cai fen si*, repolho azedo com *vermicelli*.

Havia ainda a comida do noroeste distante, região islâmica. Na década de 80, junto com as primeiras investidas da privatização, o câmbio ilegal vicejou. Ondas de migrantes Uighur de Xinjiang foram atraídas para Pequim, onde ajudaram a reviver a cultura da comida de rua com seus kebabs típicos e dominaram o mercado negro do câmbio. Também deixaram uma marca permanente na capital, com suas maravilhosas rodas de pão chato com gergelim, seu cordeiro grelhado e refogado e seus melões Hami incrivelmente perfumados.

Sam retornou a atenção à receita de porco *dongpo* com arroz cozido no vapor que tinha em mente; sim, tiraria a gordura. Agora já conhecia comida o suficiente para tanto. Tinha confiança. Quando ele cozinhasse os bolinhos e os tirasse das formas, teria um domo encorpado marrom-escuro de arroz enriquecido com a carne de porco por cima, cortado nos quadrados exatos tão importantes para a receita, já que a precisão do corte determinava a suavidade do sabor.

Claro que ele precisaria deixar uma camada fina de gordura. Para o gourmet chinês, isso era tudo. Deveria ser leve e fragrante, com sabor de *xian* como o de manteiga fresca. Tinha que derreter na língua como uma nuvem, macio, *nun*, completamente tenro. Sam sabia que teria de deixar a gordura no ponto exato. Antes de iniciar o cozimento no vapor, ele esfregaria a carne com sal para tirar os sabores muito pesados; depois enxaguaria várias vezes para obter clareza.

Pôs um lote de CDs no *shuffle* e começou a trabalhar. Sentiu-se feliz pela primeira vez desde que deixara tio Xie, desde que abraçara o corpo de papel contra o seu e que sentira a respiração do moribundo em sua bochecha. O tio partiria em breve, mas seu desejo seria de que Sam cozinhasse, que preparasse uma receita maravilhosa como esta. Tinham se despedido em definitivo. Ele pôs o quadrado de carne de porco na tábua e esfregou com sal grosso.

Carey estava em seu escritório, preocupado, quando Maggie ligou. A mãe dele estava no hospital novamente em Connecticut, e estava mal. Ele tinha que decidir se iria para lá. Não era a primeira vez. Já fizera essa viagem várias vezes. A cada vez, os dois se despediam e ele dizia a si mesmo que, da próxima vez, mesmo que parecesse o fim, ele não retornaria. Ainda assim...

Em diversos aspectos, Pequim estava começando a se parecer afastada demais de sua antiga vida, da pessoa que ele fora. Não era só a mãe, agora à beira da morte, a irmã e os filhos dela (já no jardim-de-infância); eram os amigos dele também. Ele era gregário. Pessoas eram o tipo de bem que ele tinha fama de saber acumular. Tinha feito inimigos também (alguns), mas esses ele não mantinha: ia descartando ao longo do caminho. Não tinha muita dificuldade de bloqueá-los da mente e do coração. Carey se esforçava ao máximo para manter uma imagem positiva de si e, por isso, não tinha hábito de olhar para seus próprios defeitos. Ele os escondia com muitos, muitos amigos. Um bom número deles morava nos Estados Unidos. À medida que ficava mais velho e ia morar cada vez mais longe, devia ter passado a sentir menos falta deles, mas ocorreu o oposto. Ele pensava mais neles. Talvez porque sua ligação com os velhos amigos permanecesse imaculada. Quando os conhecera era mais jovem, mais generoso, mais verdadeiro.

Ele devia voltar. Essa idéia estava lhe passando pela cabeça com freqüência ultimamente, mas nunca fez muita coisa a respeito. A situação dele aqui era agradável demais. No início, Carey vira só as liberdades óbvias, as mesmas que fizeram Matt pirar tão rápido. Com o tempo, Carey compreendeu que a China tinha a capacidade de permitir a qualquer um se recriar de alto a baixo e se transformar numa pessoa nova. Um estrangeiro poderia transformar este mundo no que bem entendesse. Para alguns, tinha a ver com a riqueza inimaginável que se tinha na economia local; para outros, o atrativo era o sucesso com as mulheres. Tinha até encontrado uns sujeitos que chegavam à China como ascetas modernos; eram os homens de respeito que trajavam as roupas puídas dos estudiosos e que se escondiam em quartos alugados nos *hutongs*, os becos da cidade, para aprender chinês. Seja lá qual fosse a imagem dos sonhos de alguém, a China fornecia a moldura, fazendo todas as vontades dos ocidentais, apesar de não os acolher exatamente.

O problema é que, a certa altura, o sonho acabava. A pessoa acordava. Ficou brincando preguiçosamente com o telefone.

A recepcionista ligou para avisar que Maggie tinha chegado.

— Peça que entre — ele disse.

Assim que ela apareceu, ele percebeu que ela estava diferente. Os olhos dela antes tinham contornos de preocupação e tristeza. Agora, ela parecia quase contente.

— Parabéns — ele disse.

Ela tinha todos os motivos para estar feliz.

— Obrigada. Aqui estão as autorizações, assinadas. — Passou as páginas para o outro lado da mesa. — Guardei cópias. Daqui a seis dias, terei notícias do laboratório.

— Que rápido!

— Paguei pelo serviço de urgência. E enviei de Hangzhou, em vez de trazer até aqui.

— Bem pensado — ele disse. — Então. — Cruzou as mãos. — Você a viu?

— Vi.

— Era parecida com Matt?

— Essa foi a parte estranha — ela respondeu. — Não era. Pelo menos, no começo, achei que não. É uma coisinha linda de olhos arregalados. Parece um elfo. Não tem nada da gravidade que o rosto de Matt tinha. Mas bom, eu não tinha como entender nada do que ela dizia, claro, mas havia certa luz nos olhos dela, um jeito de virar a cabeça e olhar, e fui apunhalada por uma sensação, Carey, tipo, senti uma lâmina me espetando. Mesmo. Como se fosse ele.

Ele sentiu uma onda de tristeza ao escutá-la. Ela podia muito bem estar imaginando coisas.

— Ainda bem que os resultados vão sair logo.

— É — ela respondeu. — Mas falando nisso... ver Shuying de fato me fez pensar. Como ela era, Gao Lan? Você se lembra?

— Acho que sim — ele disse. Ela podia até ter falado de forma casual, mas ele não caíra nessa. Qualquer esposa ganharia tempo, fingiria não se importar e aí atacaria quando o momento parecesse certo para perguntar. — Ela tinha uma aparência chinesa antiquada, com rosto oval, como as mulheres dos quadros.

— O que ela fazia?

— Se bem me lembro, era funcionária de escritório de nível médio. Há montes de moças com inglês básico como o dela em Pequim. Nunca soube muito sobre ela.

— Que idade? — Maggie perguntou.

— Deixa eu ver... A essa altura deve estar com uns 30, 32.

Ele observou enquanto Maggie absorvia a informação. Ela certamente já devia ter imaginado que Gao Lan era mais nova que ela.

— Então — Maggie disse —, explique uma coisa. Por que, durante todo esse tempo, Shuying foi criada pelos avós?

— Ih, isso é bem comum aqui. Muita gente faz isso. Antigamente todas as gerações costumavam morar juntas, em uma mesma casa grande. Agora não, as pessoas moram separadas, mas muitos avós ainda tomam conta das crianças. Costuma-se dizer: se você precisa de um *ayi*, para que dar dinheiro para um desconhecido? Dê para os seus próprios pais.

— Mas Gao Lan trabalha tão longe...

— Talvez ela não possa ganhar a vida em Shaoxing.

— O que ela faz... isso é outra coisa que descobrimos. Está trabalhando numa empresa de logística. Não conseguimos saber o nome. Só que é logística.

Ele anotou.

— Isso é um pouco vago. Mais alguma coisa?

— Tem, sim. Está sentado? Está preparado? — Ela se inclinou para a frente. — Matt não era o único. Gao Lan estava saindo com outro estrangeiro ao mesmo tempo. Os avós acreditam que as chances de Shuying ser de Matt são só meio a meio.

— Como você sabe disso?

— Os avós disseram.

— Não acredito que contaram isso para você.

— Eles não sabiam que estavam contando. A pessoa que foi comigo fingiu que não sabia falar chinês. Eles providenciaram um tradutor, e daí ficaram falando com total liberdade na nossa frente.

— Ah. — Ele sorriu com admiração. Ela tinha peito. — A pessoa é chinesa? Ou ocidental?

— Meio a meio — ela disse.

— Ah. É mulher?

— É homem.

— Sei. — Ele examinou Maggie mais uma vez.

Talvez fosse esta a razão da mudança de espírito que ele tinha notado quando ela entrou. Que bom. Queria vê-la recuperar a alma. Mas ficou intrigado com o porquê. Maggie não era exatamente sua amiga. Ele gostara dela quando a conhecera três anos antes, mas isso foi porque ela chegara com Matt, e Matt tinha se tornado seu amigo ao longo das noitadas que os levaram aos limites extremos do que os chineses chamam de *guiding*, as regras estabelecidas. *Não se preocupe, vou guardar seus segredos*, Carey lhe dissera. Naturalmente, isso significava que ele talvez precisasse mentir para a esposa de Matt algum dia, mas como não a conhecia na época, foi fácil prometer. Agora Matt não estava mais aqui e ele tinha que ajudar a mulher dele, claro. Era sua função. *Shi wo yinggai-de*, ele pensou, uma das primeiras expressões simples em chinês que tinha aprendido. É o que devo fazer.

Ele abriu a pasta à sua frente e pôs as autorizações lá dentro. Antes de tudo e no fim das contas, ele era advogado. Ficava feliz com a maneira como a estrutura mantinha as coisas coesas. Pegou uma folha que tinha preparado.

— Acho que você vai se sentir melhor quando vir isto — ele disse. — Talvez você tenha razão, e a chance de ela ser filha dele seja só meio a meio, mas digamos que seja. Descobri que a sua exposição não seria tão alta quanto você pensa. Matt deixou a casa para você, certo?

— Deixou sim...

— Espero que você não se importe de eu ter levantado esses dados. Não foi difícil. O escritório cuidou do testamento, afinal de contas. Então... o seguro de vida era suficiente para terminar de pagar a casa. E você fez isso. Certo? É o que diz aqui. Que você liquidou a dívida da casa.

— Foi sim...

— Isto quer dizer que você está em boa situação. Se não tivesse liquidado a dívida da casa, eu me preocuparia. Você fica exposta é nos seus bens líquidos. Entende? A residência principal está fora de questão. Então, se tudo que ele deixou para você estiver investido ali, você não precisa se preocupar, aconteça o que acontecer. Ninguém pode mexer nisso.

— A casa — ela disse.

— Certo.

— Eu vendi a casa.

Silêncio.

— Mas você comprou outra — ele respondeu.

Foi uma daquelas afirmações esperançosas que é quase uma pergunta.

— Não.

— Então onde você mora?

— Em um lugar pequeno alugado. — Ela sabia que ele não podia imaginar *como* era pequeno, então deixou assim.

— Onde está o dinheiro? — ele perguntou.

— No banco.

A voz dele se estrangulou.

— Então você pode perder a metade de tudo.

— Isto está claro — ela respondeu. — Mas, em primeiro lugar, só se ela for filha dele. E se ela for filha dele, por que vai ser uma perda? Ela *deve* ficar com o dinheiro.

— Metade de tudo? Em dinheiro vivo? — Ele recolheu a planilha e guardou ao se dar conta de que ela nem iria olhar para aquilo. — Não acredito que você possa dizer uma coisa dessas.

— Bom, estou dizendo.

— Será que estou enganado? Ou parece que você realmente não se preocuparia muito se o resultado do exame batesse?

— Não é isso. Há algumas coisas com que a gente não pode se importar ou deixar de se importar. Elas simplesmente *são*. Talvez tenha sido isso que mudou: eu conheci Shuying. Ela deixou de ser uma teoria. É uma criança. Se for filha de Matt, eu vou cuidar dela. Não acredito que você sequer sugira que eu faça algo diferente.

Ele ficou um pouco injuriado com isso.

— *Há* gradações, você sabe. Mas, bom. Talvez ela seja filha dele. E talvez não seja. Se não for, pronto. Nós nos livramos do processo e tudo acaba.

— E Shuying?

— Aí Shuying deixa de ser problema nosso. Eles processam o outro cara. A essa altura, você não tem mais nada a ver com isso.

— E se eles precisarem de ajuda para isso?

— Maggie! — ele a recriminou.

— Não quero que a criança passe necessidade.

— Pare. Vamos ver o resultado do exame. Daí conversamos.

— Certo — ela respondeu. — Mas só por enquanto. Até eu saber. — Ela remexeu na bolsa e pegou o recorte de jornal. — Trouxe isto para mostrar para você. Chegou a ver? Saiu no jornal depois que Matt morreu.

Carey olhou e sentiu seu coração se contrair. Lá estava Matt, o homem ao lado de quem ele vagara pela noite mágica e retornara, vez após vez, aos rigores do dia. Lá estava Matt no chão, imóvel, estatelado. Bolsas e pastas se espalhavam por todos os lados. Carey imaginara a morte de Matt tantas vezes, enxergara-a, pensara nela. Agora, ali estava ela, a esquina, a multidão. A dor veio à tona e o atingiu. Pessoas se aglomeravam ao redor de Matt na foto. Uma mulher estava debruçada em cima dele, capturada pela câmera olhando para o alto, os olhos esbugalhados de medo.

A mulher. Ele parou. Parecia que sua pele ia se descolar de seu corpo.

— O que foi? — Maggie perguntou.

Ele apontou para a foto granulada e escura.

— Essa mulher aí. Está vendo?

— Estou — disse Maggie. A mulher debruçada por cima de Matt, sim, ela a vira milhões de vezes. Estudara-lhe o rosto. — Ninguém nunca conseguiu pegar o nome dela. Eu daria qualquer coisa para falar com ela. Talvez ele tenha dito alguma coisa, no fim. Se disse, eu gostaria de saber o que foi. Mas ninguém sabia quem ela era.

— Pode ser que eu saiba.

A voz dele era um fiozinho fino e hesitante, mas fez a cabeça dela se erguer de supetão.

— É só uma possibilidade...

— O quê? — Maggie sentiu o ar lhe fugir, deixando um vazio.

— A foto não está boa. Não está nítida. Talvez eu não deva dizer nada. Mas... — Ele colocou a ponta do dedo na imagem granulada do rosto da mulher. — Acho que você precisa se preparar para a possibilidade de que esta aqui possa ser... — Ele engoliu em seco. — Parece Gao Lan.

Maggie saiu do prédio num rompante, como alguém que viesse nadando do fundo, segurando a respiração, os pulmões gritando em busca de ar, o coração em recusa, em negação. Na calçada, não conseguiu retomar o fôlego. Todo mundo que passava por ela estava seguro em grupo, em pares, grupos de três, de quatro. Ela tropeçava e se debatia no meio das pessoas, a única sozinha. No passado, sua vida tivera um padrão, um padrão de dois. Ela e Matt. Não mais.

Se Gao Lan estava com ele no dia de sua morte, tudo mudava. A roda girou mais uma vez. Isso significava que eles tinham um relacionamento. Então, a chance de Shuying ser filha dele, ou pelo menos de ele *achar* que ela era, era bem maior. Se é que ele sabia de sua existência. Será que sabia? Maggie deu corda a essa possibilidade com vários movimentos em seu tabuleiro de jogo mental. Talvez Matt não soubesse nada sobre o outro homem. Talvez só soubesse que o momento batia. Isso lhe bastaria. Sua natureza generosa e sua bondade teriam dado conta do resto. Isso e o fato de estar começando a querer muito um filho. Então, talvez ele soubesse, no final das contas. Talvez tivesse mentido mais para Maggie do que ela estava disposta a acreditar.

Ela sentiu que estava caindo por um buraco escuro. O homem que sempre acreditou conhecer, aquele que habitara sua memória por todo o ano anterior, ia se apagando. Em seu lugar uma nova figura ia se materializando, uma versão mais obscura, uma sombra de seu marido, um homem que guardava segredos e vivia dividido. *Pergunte para mim*, parecia que ele lhe dizia. *Pergunte o que realmente aconteceu.*

E, no entanto, ela o conhecia bem, não? Será que ele não tinha sido real? Ele tinha sido um bom homem. *Lembre-se disso também.*

Ela se lembrava do dia em que começara a sangrar antes do dia certo, havia dois anos, um ano antes de ele morrer; viu logo que havia algo errado. Ligou para o médico e disseram que ela fosse até lá para uma consulta. Ligou para Matt, só para informá-lo. Ele insistiu em levá-la, e disse que esperasse até ele chegar.

Ele chegou em meia hora, acalmou-a, rodeou-a, acomodou-a no carro. No consultório do médico, ficou a seu lado, envolvendo seu ombro com sua mão ossuda. Ela estava com fibrose, o médico dissera. Devia ficar de cama até o sangramento forte parar. Não devia se levantar, a não ser para ir ao banheiro.

"Eu cuido dela", disse Matt.

"Se não parar em 12 horas, liguem para mim. Aliás, isto não costuma melhorar. E pode complicar a gravidez. Então, se quiserem ter filhos, é melhor ter logo." Ele examinou a ficha. "Você está com 38 anos", disse a Maggie. Para Matt, perguntou: "E você..."

"Quarenta e dois."

"Compreendo", disse o médico.

Maggie achou que ia começar a chorar.

Matt percebeu.

"Obrigado", disse com a voz firme. "Ficamos agradecidos pela informação."

Ele pediu que o médico saísse do quarto, tirou Maggie dali, levou-a até o carro, para casa e a pôs na cama. Por muito tempo, apesar de estarem no meio da tarde, ele ficou lá deitado com ela.

"Não fique mal", ele disse. "Ele não nos conhece. Nada além de nós dois e do que nós dois pensamos interessa."

"O mundo inteiro se juntou para ficar contra mim. Todo mundo acha que eu devia ter um filho seu."

"Não quero saber disso", ele disse. Estava falando sério. Já chegava de piadas bobas. Quando começaram a remoer a questão, ela com freqüência buscava refúgio em ironias divertidas, como um escudo: *Filhos? Mas eu mal consigo ter taças de vinho! Como é que vou poder ter filhos?* Mas isso era passado. "Me escuta", ele disse naquele dia, na cama. Pôs a mão na barriga dela. "Você é a mulher que eu quero. Sim, é verdade que também quero ter um filho. Mas não tanto quanto quero ficar com você. Mesmo que você diga não, nunca, fora de questão... pode ser que eu não fique muito feliz, mas nem por isso vou embora. Você é minha esposa."

Ela então chorara, pondo para fora tudo o que segurara antes, vendo o amor dele, sentindo-o. E agora Carey vinha lhe dizer que talvez Gao Lan estivesse com Matt quando ele morreu. Talvez.

A raiva cresceu dentro dela, sussurrando pelo seu cérebro. Ela abriu o telefone abruptamente e digitou o número de Zinnia.

— Precisamos encontrar Gao Lan — ela disse.

— Aconteceu alguma coisa? — Zinnia estava no chão de seu apartamento, brincando com seu filho de dois anos. Ao som da voz de Maggie, sentou-se com a coluna ereta e ajeitou os óculos pretos da moda em cima do nariz pequeno. Segurava o menino em um abraço frouxo enquanto escutava. Quando Maggie terminou, ela disse: — Você acha que pode ser ela?

— Como posso saber? Ele acha que sim, talvez, e ele é a única pessoa que eu conheço que já a viu. Precisamos encontrar alguém mais que a conheça. Precisamos encontrar ela própria.

— Tem razão — disse Zinnia. — Vou me empenhar ainda mais. Já estive em vários escritórios do edifício Sun, onde Carey disse que ela trabalhava.

Enquanto falava, Zinnia pensava em Carey. Agora ele teria que ajudar. Ela lhe pedira que ligasse para uma ou duas mulheres com quem tinha saído. Alguma provavelmente conheceria Gao Lan, e as que não conhecessem conheceriam mais gente, e em algum lugar daquela corrente existiria um morador de Pequim que saberia onde Gao Lan estava agora. E que saberia por que nenhum dos antigos colegas de trabalho dela a vira nos últimos três anos. Logística, foi o que Carey tinha ouvido de Maggie. Isso podia significar um monte de coisas. Não bastava. Precisavam de alguém que soubesse.

No entanto, quando ela pressionara Carey em relação a essas mulheres, ele se esquivara: "Perdi o contato com ela", disse sobre uma, e "Da última vez que nos falamos, não foi nada bom, não dá para ligar para ela", em relação a outra.

Zinnia era uma profissional de compostura que se portava sempre da maneira mais adequada, e havia certas perguntas que nunca faria a um homem no trabalho. A vida particular dele não era de sua conta. No entanto, obviamente havia algo errado, porque ele já passara bastante dos 40 e ainda não tinha se casado. Isto era uma aberração. Ela não sabia por que ele continuava assim. Ele não era um invertido; gostava de mulher. Talvez até demais. Talvez o problema fosse esse.

A direção da vida era uma coisa importante. Ela acreditava que todo homem e toda mulher deveriam se casar e formar família. O fato de Carey não fazê-lo, envelhecer e continuar a passear pelo mundo do amor, no começo parecera a Zinnia algo meramente americano. Com o passar do tempo, depois de conhecer vários outros do país dele, ela percebera que não era uma característica nacional, mas algo específico dele. Observava-o com fascínio, sempre imaginando qual seria a próxima moça a se apaixonar por ele. Ele era atraente, no sentido de ser louro e comprido, mas era velho. A pele de seu rosto estava começando a ficar caída. Mas ele continuava atraindo mulheres, apesar de parecer sempre terminar com elas antes que o conhecessem bem o bastante para de fato conseguirem enxergá-lo. Talvez, Zinnia concluíra, ele não desejasse ser enxergado.

A porta fez barulho e o marido dela entrou, corado da subida de três lanços de escada, com sacolas de corda trançada cheias de legumes e um peixe batendo-lhe nas pernas. Largou a comida e ficou radiante ao ver o garotinho se aproximar dele com seus passos incertos. Ela os observou com amor.

— Nós vamos encontrá-la — ela disse a Maggie ao telefone, sem desgrudar os olhos de seus dois homens. — Vamos desvendar tudo. *Existe* um padrão. Sempre. Só precisamos enxergá-lo.

Quando Sam acabou de ler o documento extenso no inglês abrupto e cheio de idiossincrasias do pai, voltou ao começo para reescrever tudo. Foi rápido, já que não precisava comparar o inglês trôpego com um texto original em caracteres. Ele gostava de fazer aquilo, da mesma forma que gostava de trabalhar com o pai nas traduções; era a única maneira de colaboração que jamais existira entre os dois. Quando terminou, sentiu-se próximo do velho, certo de que conseguiriam conversar. Ligou mais uma vez para ele.

— Ba — disse quando Liang Yeh atendeu. — Adorei o que você me enviou. Será que podemos transformar em epílogo para o livro?

— Talvez.

— Pense a respeito. Mas, Baba. O que aconteceu com você não é único. Todo mundo teve dificuldades. Mas tudo já ficou para trás. Não posso dizer que não haja cinismo aqui, nem que as coisas não sejam corrompidas internamente, de certo modo. Mas talvez seja o que sobrou, agora, depois de tudo que aconteceu: ninguém mais acredita em nada. Mas, no que diz respeito à vida, e se é seguro ou não... pode acreditar, tudo isso já ficou para trás.

— Você acha que eu não tenho coração? — Liang Yeh disparou em resposta. — Eu faço o que posso. Você sabe com que freqüência eu ligo para o Pequeno Xie agora? Todos os dias! Isso mesmo! Sabe quanto isso custa?

Sam ouviu um barulho, e então sua mãe pegou o telefone.

— Sammy — ela disse. — Eu sei que é difícil. Mas deixe que ele seja como é.

Ele desligou, decepcionado. Leu a história toda do pai mais uma vez. Não bastava ler. Ele precisava mostrar para alguém.

Vários amigos lhe passaram pela cabeça. A pessoa que sempre retornava era Maggie. Ela tinha visitado Hangzhou. Tinha conhecido a família Xie. Ela compreenderia.

Enfiou as mãos no bolso em busca do cartão em que ela tinha anotado seu e-mail. Não, ele não sabia onde tinha colocado. Pegou o telefone para ligar.

Naquele momento, Maggie rolava a tela do computador, examinando todas as mensagens de e-mail que Matt lhe enviara, tudo dos dois últimos anos de sua vida. Pela primeira vez, estava pensando em selecioná-las e apagá-las, todas. Não havia back-up. Ela podia apagá-lo. Empurrar tudo isso para fora de sua vida de uma vez por todas.

Ela selecionou as mensagens. Todas ficaram azuis.

Seu telefone tocou.

Não queria atender. Estava ocupada. Isto era importante. Ela estava se livrando de Matt. Mas a telinha dizia que era Sam Liang.

— Alô — ela disse. — Pode esperar um minuto?

— Claro.

Com cuidado, ela clicou em toda a seleção até desmarcar cada mensagem e saiu do programa. Se ia apagá-las, queria que fosse em um momento em que estivesse prestando atenção total. Não agora, com alguém ao telefone.

— O.k. — ela disse a Sam. — Voltei. — Havia uma vulnerabilidade na sua voz, mas ela soube disfarçar. — Como é que você está?

— Bem — ele disse. E então: — O que houve?

— Nada.

— Maggie — ele disse.

— Você tem muita coisa a fazer. Não vai querer escutar os meus problemas.

— Estou perguntando — ele disse.

Ainda assim, ela hesitou. Infidelidade e mentiras carregavam uma mácula; ela sabia que contar a ele poderia ser um erro. Mas ele já conhecia metade da história.

— Tem uma foto do jornal, do acidente do meu marido. Dá para ver Matt no chão, parte de Matt, morto, e uma mulher debruçada por cima dele.

— Que parte de Matt?

— Os pés e as pernas.

— Certo — disse Sam lentamente, como se visualizasse a cena.

— Essa mulher. Ninguém nunca pegou o nome dela. Estranho, porque geralmente esse tipo de pessoa se apresenta. Mas aí, hoje, por acaso mostrei a foto para um sujeito do escritório de advocacia daqui. Ele acha que a reconheceu. Acha que é Gao Lan.

— Com o seu marido quando ele morreu?

— Foi o que ele disse.

— Ele tem certeza?

— Não. Não dá para enxergar o rosto muito bem.

Ele ficou em silêncio com ela por um minuto, ou ao menos sua voz ficou. Ela escutava enquanto ele picava alguma coisa. Gostava de os dois poderem ficar quietos juntos. Era como estar no mesmo lugar fazendo algo, coisas diferentes, duas pessoas próximas, mas produzindo separadas. Fora assim com Matt, apesar de precisarem ficar longe um do outro para que continuasse a dar certo.

— Parece que não consigo pensar em mais nada além de achá-la. É que nem com Shuying: eu tinha que conseguir a amostra, eu tinha que ver o rosto dela. Mas agora é ainda mais forte. Eu preciso ver que tipo de mulher ela é.

Ele ficou em silêncio durante um minuto.

— Só espero que você se sinta melhor quando a vir.

— É sempre melhor saber.

Maggie precisava encaixar a mulher em sua escala de estima, absorver sua aura de aparência e personalidade, julgá-la. Tinha que se assegurar de que, apesar de aquela mulher ter atraído a atenção do marido, não era páreo para Maggie. Que nunca fora. Era uma questão de restauração básica do poder feminino.

— Não dá para acreditar quando eu me escuto — ela disse a Sam Liang. — Eu conto para você as minhas coisas mais pessoais.

— Eu gosto disso — ele protestou.

— Acho que contei coisas demais para você.

— Por quê? Eu conto uma coisa sobre mim. Assim você vai se sentir melhor?

— Vou.

— Certo. Foi logo depois que voltamos de Hangzhou. Aliás, foi estranho, não foi? Voltar de Hangzhou. Depois de passarmos dois dias juntos. Sempre nós dois, e daí, bum.

— Foi estranho — ela disse, contente por ele ter falado isso.

— Então, nós voltamos. Eu liguei para o meu pai. Disse a ele que era sério, que tio Xie estava morrendo, que ele por favor viesse. Que superasse seus medos. E, para explicar por que não poderia fazer isso, ele me mandou a história da vida dele, até o momento em que ele fugiu da China. Como se eu fosse ler e dizer, *Ah, papai, agora percebo que você tem razão, foi tão ruim que você não deve voltar à China nunca mais mesmo*. Mas eu não me senti assim. Eu liguei para ele e disse que entendia, mas sério, você está seguro, nada vai acontecer, e por favor, por favor venha ver Xie antes que ele morra. Você precisa vir. Por favor. Eu implorei.

Ela sentiu uma pontada por ele.

— Deu certo?

— Não. Ele disse que não.

— Sinto muito.

— Mesmo eu, filho dele, pedindo dessa forma, não adiantou.

— Você não pode mudá-lo. Não sei qual é o problema dele, mas é provável que esteja fora do seu alcance.

— Tem razão.

— Pelo menos agora você tem a história dele.

— Valeu a pena esperar.

— Você manda para mim? — Maggie pediu.

— Claro! Foi por isso que eu liguei, na verdade. Quero que você leia. Mas não encontro o seu e-mail.

— Pode mandar — disse Maggie, e ditou seu endereço.

Ele foi até o computador e apertou um botão.

— Pronto. Acabei de mandar. Diga o que achou.

— Digo sim. — Ela se sentiu um pouco melhor por falar com ele. O jeito como ele era, a maneira como pensava a deixava se sentindo mais leve. Ele fazia com que ela se lembrasse do mundo que existia além dela mesma. Ainda por cima, tinha tudo para ser um chef fantástico. Ela sentia que ele merecia aquele prêmio com cada centímetro de sua alma. — Sabe a coisa que eu mais quero de todas? — ela disse. — Quero que você vença. Quero que você consiga.

Ela era capaz de escutar o sorriso na voz dele.

— Então, por você, eu vou tentar.

— Não por mim! Pela sua família.

— Certo — ele disse. — Por eles.

11

A coisa mais importante de todas é preservar a civilização. Na posição de homens, somos a soma de nossos antepassados, dos grandes pensadores, dos grandes mestres, dos grandes chefs. Nós que conhecemos os segredos da comida devemos passá-los adiante, porque nossas realizações na comida não são menores do que nossas realizações na filosofia, ou na arte; aliás, os três não podem ser separados. Essas são as coisas que nos tornam chineses. No Ocidente é diferente. Lá, Platão é um dos sábios preferidos. Ele ensina que a comida é o oposto da arte, uma rotina exercida para satisfazer necessidades humanas, nada mais — pior, é uma forma de lisonjeio. Nós, os chineses, por outro lado, olhamos para os *Analectos* de Confúcio, onde está escrito que "não há objeção à comida mais fina, nem ao corte mais fino".

— LIANG WEI, *O Último Chef Chinês*

* * * Nasci tarde para o meu pai. Ele pode ter sido um dos grandes chefs de seu tempo e pode ter escrito um livro que o tenha transformado no gastrônomo de toda uma geração, mas ele não teve filhos — ao menos não até a esposa dele morrer, em 1934, e ele finalmente — depois de ter ignorado os apelos dos amigos por muito tempo — arrumar outra. Poderia ter feito isso antes. Muitos homens naquele tempo faziam. Escolhiam uma concubina. Liang Wei poderia ter feito isso sem nem erguer uma sobrancelha, porque sua esposa se revelara infértil, mas nunca fez. Ele quis ser moderno. Era um chef tradicional, produto da Cidade Proibida, do feudalismo, mas se recusou a arrumar outra.

Só que ela então morreu. Ele organizou um enterro grandioso, maior do que podia pagar. Os sutras foram entoados por 49 dias. Quando Qingming chegou na primavera, o dia do Brilho Puro em que os mortos são homenageados, ele ofereceu suas preces no túmulo dela. Depois, mandou chamar a casamenteira.

Ele queria uma moça jovem, disse à mulher de mais idade, mas não nova demais. Queria quadris amplos para carregar crianças. E queria uma moça que soubesse cozinhar. Alguém precisava supervisionar sua cozinha em casa enquanto ele cuidava do restaurante. O cozinheiro que ele contratara não bastava. Para meu pai, até a comida em casa tinha que se elevar às alturas. Para ele, cada bocado, até o petisco mais insignificante a ser consumido com chá, era digno de talento e atenção.

Wang Ma, a casamenteira, trouxe-lhe minha mãe, de 24 anos. O nome dela era Chao Jing, Cristal Transcendente. A aparência dela não tinha nada a ver com seu nome. Ela era uma moça comum, como outra qualquer, com nariz achatado e sardento. Mas seus olhos brilhavam com inteligência e humor. Era forte na cozinha e incomparável no mercado, sendo que esta última habilidade meu pai nem ousara desejar. Ninguém era capaz de superá-la, nem mesmo Ah Heng, o cozinheiro contratado. Era direito de Ah Heng fazer compras. Ele obtinha uma boa fatia de seus ganhos por meio da pequena comissão que recebia com cada compra e, assim como tantos cozinheiros de Pequim da época, usara aquela fonte de renda reduzida para construir uma rede de jogo que controlava da casa de sua família, ali perto. Apesar disso, ele às vezes se retirava e permitia que minha mãe fosse às compras. Ela se preocupava com a comida; os vendedores a adoravam. Todos queriam agradá-la. Ela sempre levava para casa ingredientes superiores a preço baixo.

E ela dirigia uma cozinha maravilhosa. Com freqüência penso nos banquetes que meu pai servia em casa quase todas as noites, quando tirava algumas horas de folga do restaurante para ir para casa comer — refeições maravilhosas que nunca poderia ter apresentado sem Ah Heng nem, acima de tudo, minha mãe. Mesmo que a refeição fosse simples, mesmo que os convidados fossem poucos, ele sempre dispensava o mesmo cuidado e amor a cada receita, como se estivesse servindo o próprio Yi Yin, o maior chef da história, que, como ele, começara como escravo. Pensava em tudo com muitos dias de antecedência e juntava amigos amados. Enviava um poema como forma de convite. Todos aqueles que o recebiam entravam em um estado apaixonado de espera. Havia sempre um motivo temático para se reunir: o festival Osmanthus, o aniversário do nascimento de um poeta, os primeiros caranguejos da temporada. Os convidados às vezes apresentavam um quadro ou uma obra de caligrafia para acompanhar a refeição. Observações sobre culinária inevitavelmente levavam a observações sobre poesia, sendo que os dois assuntos compartilhavam, em grau surpreendente, tanto o vocabulário quanto o estilo de expressão crítica. No final das contas, poemas propriamente ditos eram inventados, inspirados pela comida, lubrificados pelo vinho.

As pessoas pensam na história da culinária como uma história que se conta em restaurantes, mas na China ela é contada, em grande parte, nas cozinhas das grandes casas. Isso era verdade em relação a meu pai. A reputação dele tinha três suportes, como os recipientes de bronze de antanho. Havia o famoso livro dele, havia o restaurante e havia a cozinha de sua casa e de sua família. Às vezes, eu achava que era na cozinha de casa, em Houhai, onde ele realmente criava sua comida, com a esposa a fazer compras e a ajudar. Este era seu verdadeiro filho na vida, seu legado: Liang Jia Cai. A Cozinha da Família Liang.

O preparo da refeição noturna começava cedo. Aprendi que não havia melhor lugar para ficar do que atrás da minha mãe no caminho das compras, serpenteando pela multidão do mercado Hata Men sob a luz cristalina do outono, embebido pelo clamor alegre, pelos risos dourados, pelos gritos e apitos dos vendedores de doces com suas bandeiras coloridas ao vento. O mundo era um festival para mim, inabalado mesmo pela ocupação japonesa com suas colunas de soldados e suas mulheres estranhas trajando quimonos. Quando chegávamos ao mercado, estávamos de volta ao nosso mundo, o mundo chinês, e selecionávamos com alegria desenfreada capões e brotos de bambu, aguapés e ovos frescos de pato, camarões, enguias de água doce suculentas, ervas selvagens dos estuários pantanosos do sul e três cores de amaranto. Ao caminhar de volta para casa, cantávamos.

À medida que fui crescendo, meu pai e Ah Heng passaram a permitir que eu os observasse enquanto cozinhavam. Adoravam me ter por perto, apesar de ficarem sempre resmungando e gritando para que eu saísse da frente. Então um ou outro fazia um sinal para que eu me aproximasse, pegava um ingrediente secreto — alguma erva esmagada ou um pedacinho enrolado em papel ou uma pasta — do bolso, lançava um olhar fingido, exagerado e teatral para se assegurar de que o outro não estava olhando, e o adicionava à receita. Como se tivessem algo a esconder um do outro. Mas cada um deles adorava o efeito obtido com a revelação de um segredo raro, de modo que entravam no jogo. E eu aprendia.

Certas noites, depois de a refeição terminar e os convidados terem voltado para casa, meu pai passava um tempo sentado na cozinha. Fumava um pouco de tabaco no cachimbo de água de Ah Heng e contava histórias sobre a Cidade Proibida enquanto os outros limpavam a cozinha.

Nessas ocasiões, encerrada mais uma refeição concebida e executada com elegância, ele geralmente falava com mais anseio sobre os alimentos rústicos. Ao ouvi-lo falando assim, dava para acreditar que não existia nada melhor que a comida simples do dia-a-dia. Ele insistia que a verdadeira culinária consistia no preparo perfeito dos alimentos mais simples, apesar de todos sabermos que ele não cozinhava assim.

Ele também nos contou de como a Imperatriz Viúva Ci Xi solicitava periodicamente a comida rústica da estrada que fora forçada a consumir quando a família imperial fugiu da Rebelião dos Boxers. Isso fazia parte do folclore do palácio e fora ensinado a Liang Wei da maneira mais meticulosa possível por seu próprio mestre, o renomado chef imperial e conhecedor de antiguidades Tan Zhuanqing. Mestre Tan ensinou meu pai a preparar *xiao wo tou*, os bolinhos rústicos de sorgo em formato de dedal que a imperatriz se lembrava de ver seus carregadores comprando de vendedores na beira da estrada, parando a caravana aos solavancos, sob o vento forte de uma passagem na montanha, para comê-los, minúsculos e quentinhos. Anos depois, ela os pediria quando desejava voltar a se sentir viva. Por um instante ela fora comum, quase pobre, vivendo do lado de fora, ao ar livre, como uma pessoa de classe baixa. Estranhamente, entre todas as suas lembranças, essa era uma das mais eletrizantes.

Meu pai costumava dizer que detectava um sorriso torto no rosto de Tan Zhuanqing quando ele preparava *xiao wo tou* para a imperatriz. Assim como muitas receitas chinesas, *xiao wo tou* tem uma segunda camada de significado além de sua aparência e de seu aroma e sabor. De fato, nas décadas que se seguiram, entre as pessoas versadas em comida, a receita adquiriu certa conotação. Preparar *xiao wo tou*, servi-lo, até mesmo referir-se a ele, era falar da Maria Antonieta da China. Ci Xi não se importava nem um pouco com seu povo. O reinado dela levou ao fim um sistema que persistia havia milhares de anos. Papai nos ensinou que, quando preparávamos *xiao wo tou*, fazíamos referência ao pior tipo de desprezo imperial pelas pessoas comuns, de modo que deveríamos ser extremamente cuidadosos em relação ao lugar e ao momento em que a receita era servida. Aqueles bocadinhos deliciosos e rústicos eram também afirmações políticas de grande força, capazes de causar a ruína de um chef. Tomem cuidado, ele nos dizia.

Eu nunca os preparei fora de casa. Aliás, depois que fui trabalhar no restaurante, aos 16 anos, nunca mais os preparei.

Quando comecei no restaurante, em 1951, o governo estava prestes a fechar o setor. O Liang Jia Cai estava entre os restaurantes preferidos de todos, mesmo da realeza do partido. Essa gente adorava comer lá. Sempre pediam as melhores mesas. Assim, o nosso foi um dos últimos lugares a fechar.

Aproveitei ao máximo os poucos anos que tive no Liang Jia Cai e adicionei ao cardápio oito receitas que se tornaram campeãs de venda. As pessoas começaram a dizer que O Último Chef Chinês iria ter, afinal de contas, um sucessor. Dei uma entrevista para a nova revista com fotos editada pelo governo. Papai ficou satisfeito. Ele trabalhava comigo todos os dias para me mostrar o maior número possível de receitas antigas, como ele se lembrava delas.

Em 1954, fecharam o nosso negócio. Escolheram alguns poucos restaurantes que permaneceriam abertos para oficiais e convidados do Estado, e fecharam o restante. No início, papai ficou lívido de saber que o nosso não era um dos poucos a permanecer abertos. Ainda assim, tivemos sorte. Alguns anos mais tarde, o fato de ter um restaurante em estilo imperial, mesmo que fosse sancionado pelo Estado Comunista, viria a ser algo muito perigoso. Desse destino ele fora poupado.

Quando o Liang Jia Cai foi fechado, fui transferido para o Gou Bu Li, em Tianjin. Foi uma colocação de sorte, porque Tianjin não era longe, apenas 120 quilômetros, e eu pude visitar meus pais com freqüência em seus últimos anos. O restaurante em si era um dos lugares para comer mais famosos de toda a China, mas era uma casa de bolinhos. Poucas comidas eram mais proletárias do que aquilo. Até o nome, que surgiu do apelido do chef original e significava Um Cão o Ignora, passava a noção de rudeza. Fui informado de que ali se serviam muitos tipos de bolinhos antes da libertação, mas quando estive lá só serviam o característico pãozinho cozido no vapor e recheado com carne ou repolho. Não havia problema nisso. Dá para preparar uma receita maravilhosa com repolho. Os melhores pratos podem ser preparados com os ingredientes mais simples. E não há nada mais elevado nesse aspecto do que um bolinho de carne cheiroso, leve como uma nuvem. Eu os preparei dia após dia, semana após semana, por quatro anos. Eu vivia nas moradias acopladas ao restaurante. Nós, os cozinheiros, todos tínhamos sido transferidos para lá de outros lugares, sem família; morávamos na unidade de trabalho. Dormíamos em um quarto comprido e baixo, com duas fileiras de beliches. Era o melhor lugar do mundo para eu me esconder.

Meus pais morreram com um ano de intervalo e eu não tinha mais ninguém no mundo além de Jiang, Tan e Xie; apesar de sermos irmãos jurados, tínhamos sido separados pelo tempo e pela distância. Eu me perdia nas enormes cozinhas do Gou Bu Li, divididas em postos enormes para cada estágio da produção. Havia enormes superfícies enfarinhadas de pedra para fazer a massa, rodeadas de trabalhadores sovando e misturando para apresentar os círculos mais perfeitos possíveis de massa meio fermentada. Havia fileiras de tábuas de corte superdimensionadas em que o recheio era picado e temperado. Havia as pessoas que enrolavam e as que fechavam os bolinhos com suas travessas rasas gigantescas de recheio e suas pilhas de embalagens, constantemente renovadas. Havia o cozimento: fileiras e mais fileiras de suportes de bambu gigantescos para cozer ao vapor, cada um deles com capacidade para oitenta, cem, 150 *baozi*. Eu mantinha a cabeça baixa. Como muita gente naquela época, percebi que o segredo da sobrevivência era a invisibilidade. Meu único objetivo era sobreviver. Eu era bem reservado.

Outros não tiveram tanta sorte. Primeiro, o pai de Xie foi para a prisão. Depois, o velho Ah Heng, o cozinheiro doméstico de meu pai, foi denunciado. Eu sentia medo cada vez que respirava. Eu era Liang, filho do famoso Liang que escrevera *O Último Chef Chinês*. Era só questão de tempo. Eu tremia todos os dias, esperando.

O primeiro sinal foi a mudança no pôster de caracteres vermelhos que havia muito estava afixado nas cozinhas. O antigo pôster nos incentivava a servir às massas bolinhos exemplares. Quem não ia querer fazer isso? Mas então ele desapareceu, e um outro surgiu, preenchido por um texto mais denso. Eu o reconheci imediatamente. Era uma passagem dos escritos do Comandante Mao.

Banquetes suntuosos estão proibidos de maneira geral. Em Shaoshan, condado de Xiangdan, foi decidido que os convidados deverão ser servidos apenas com três tipos de alimentos animais, especificamente frango, peixe e porco. Também está proibido servir brotos de bambu, algas e macarrão de lentilha. No condado de Hengshan foi resolvido que oito pratos e nada mais devem ser servidos em um banquete. Apenas cinco pratos são permitidos no Terceiro Distrito Leste e no condado de Lilin; e apenas três pratos de carne e três pratos de verduras ou legumes no Segundo Distrito Norte, ao mesmo tempo em que banquetes de ano-novo estão inteiramente proibidos no Terceiro Distrito Oeste. Em Xiangxiang, há proibição completa de todas as "festas com bolo de ovo", que não são de maneira nenhuma suntuosas. (...) Na cidade de Jiamu, no condado de Xiangxiang, as pessoas evitam o consumo de alimentos dispendiosos e usam apenas frutas para fazer oferendas aos ancestrais.

Olhei para o pé do texto: "Relatório de Mao sobre uma investigação do movimento camponês em Hunan", março de 1927. Trinta e um anos atrás. Mas eu sabia exatamente por que aquilo estava sendo pendurado agora. Todo mundo sabia. Estávamos acostumados às mensagens transmitidas por meio de simbolismo histórico. Era um sinal. Havia uma mudança em curso. Aqueles que tinham conhecido privilégios estavam em perigo.

Se você acreditasse no que os camaradas estavam dispostos a dizer, todo mundo no Gou Bu Li tinha origem camponesa ou operária. Éramos todos completamente proletários. Mas todo mundo sabia que não era verdade. Cada um aprendia a manter segredo a respeito de seu passado, ao mesmo tempo em que estava sempre atento, ávido, em busca de pistas ou de fofocas fervilhantes a respeito da vida dos outros.

Então eu esperei. Observei. Eu sabia que algo aconteceria.

Quando chegou, foi na forma de um pedido de comida. Eu estava na cozinha, no meio da zoeira de quase uma centena de cozinheiros, no meu posto, que era o do acabamento. O acabamento era a parte mais difícil, mais agradável, mais sutil da confecção do *baozi* do Gou Bu Li. Cada bolinho branco e lustroso precisava ter o formato de um botão bem apertado de crisântemo, fechado em cima, com nada menos do que 18 dobras. Os meus eram perfeitos. Eu trabalhava com cuidado. Sempre de olhos baixos.

Um dos garçons do andar de cima me abordou. "Camarada Liang?"

"Sou eu." Não interrompi meu ritmo de dobrar.

"Há um pedido especial de uma mesa lá de cima."

Ergui os olhos. Não existiam pedidos especiais. Só *baozi*, carne de porco e repolho. "O que é?"

"Fizeram com que eu repetisse. Disseram que desejam *xiao wo tou*."

"*Ei*? Repita mais uma vez."

"*Xiao wo tou*. Disseram que era a sua especialidade."

"Bobagem", respondi. "Nunca ouvi falar disso. Não sei o que é." Mas eu sabia sim, exatamente.

"Disseram que você saberia", ele disse.

Ele era jovem, a pele de seu rosto era lisa como a de uma ameixa. "Ouça", eu disse, "volte lá e diga a eles que sente muito, mas que não fazemos isso neste restaurante. Tá esperando o quê? Vá!" E eu observei enquanto ele se afastava apressado.

Não voltei a ver o garoto naquela noite. Quando terminamos, eu limpei a minha área com rapidez e voltei ao dormitório de beliches a tempo de enrolar meus poucos artigos de vestuário e escondê-los embaixo do travesseiro. Meu *hukou*, meu registro de residência, que me dava o direito de existir na China, um lar, um lugar no padrão — isso deixei na bolsa costurada por dentro do meu bolso interno. Mais tarde, eu teria de encontrar uma maneira de me livrar dele.

Eu me lavei completamente, esfregando cada pedacinho do meu corpo, pensando que talvez nunca mais voltasse a me banhar. Esgueirei-me de volta ao quarto de beliches depois de as luzes se apagarem, de modo que ninguém me viu subir na minha cama completamente vestido, até de sapatos.

Fiquei lá deitado, quieto como uma pedra, enquanto a lua se erguia por sobre os telhados de Tianjin. Aquele quarto cheio de homens, homens da cozinha exaustos que tinham cozinhado ao lado de panelas quentes e que tinham limpado e que finalmente tinham ido para a cama, aquietados por uma floresta suave de suspiros e roncos.

Esperei horas para me levantar. Para sair do beliche, eu precisava pisar na cama do homem de baixo. "Desculpe, camarada." E sussurrei uma gíria local para banheiro. O homem roncou e voltou a dormir. Eu percorri o corredor central abaixado, segurando a barriga, como se estivesse passando mal, escondendo minha trouxa. Esgueirei-me para fora e passei pelos fundos das cozinhas. Os últimos homens estavam lá dentro limpando, e tinham arranjado suportes com sobras de bolinhos na porta, que dividiriam mais tarde para levar para casa. Peguei cinco dúzias, amarrei apertado em três panos na minha trouxa e segui em frente, segurando a barriga, até a latrina, depois saí de novo por uma porta de fundos e fui dar num beco de Tianjin. Nunca éramos prisioneiros em nossos coletivos de trabalhadores, mas se alguém saísse, não tinha para onde ir.

Segui caminhando. Primeiro, atravessei a cidade com suas sombras silenciosas e depois passei horas andando entre construções que iam escasseando até finalmente chegar ao campo, seguindo em direção a leste, sob as estrelas. Mais tarde, sob o sol. Caminhei sem parar até chegar, finalmente, às planícies que levavam ao mar. O ar estava frio, e isso era o que era bom para os *baozi*. Na posição de cozinheiro, eu era bem alimentado, melhor do que a maior parte das pessoas, e tinha reservas para caminhar uma noite e um dia sem comer. Eu só bebia, parando quando podia nas bombas dos agricultores.

Quando alcancei a areia plana, fina e oleosa, já era noite mais uma vez, e eu não conseguia caminhar mais. Tropecei para cima de um píer cheio de barcos. Havia barcos de pesca, montes de madeira escura e pesada, e alinhadas em seus ancoradouros, as embarcações maiores — barcos de casco de metal com motor a diesel recuperados dos anos de guerra, remendados, refeitos, batendo contra os pilares de madeira, com as linhas estalando. Eu tinha dado meus últimos passos; se não me deitasse, teria um colapso. Então cambaleei pela prancha de madeira ao lado de um dos ancoradouros, manobrei minha perna por cima da amurada e saltei para dentro de um barco. Era grande, 14 metros de casco pelo menos. Três portas de metal. Puxei uma; ela se abriu. Descendo uma escada, havia um espaço em forma de cunha e um leito. Desamarrei os *baozi* da cintura e desabei.

Quando acordei, um homem se debruçava por cima de mim segurando uma faca comprida, cuja ponta pressionava bem de leve contra minha garganta. Senti meus olhos se esbugalharem quando eu me encolhi para longe, mas ele me seguiu com facilidade com sua faca afiada.

"Não se mexa", ele disse no dialeto de Tianjin. Com a mão livre, examinou-me em busca de armas, mas só sentiu meu *hukou* interno e algumas moedas não ameaçadoras no meu bolso.

"Se você quiser me matar, não tem problema", eu disse com voz rouca. "Já estou morto."

Ele me arranhou de novo com a faca, como se estivesse refletindo sobre o assunto. Tinha rosto amplo e achatado, enrugado e queimado de sal, com sobrancelhas grossas de taturana. Era impossível adivinhar sua idade. "Para mim, parece bem vivo."

"Não por muito tempo."

"A menos quê?", ele ofereceu.

"*Yuan zou gao fei*", sussurrei. Viajar longe e voar alto. Fugir. Desaparecer. Começar de novo.

Vi no rosto dele que compreendeu. "Para onde?"

"Qualquer lugar", respondi. Um minuto antes, eu era um homem morto. Agora meu coração batia forte de esperança.

Ele me examinou de cima a baixo. "Você não tem nada."

"Tenho aquilo", disse e apontei com o olhar. "Abra."

Ele finalmente afastou a faca alguns centímetros e estendeu a mão para a trouxa, sem tirar os olhos de mim.

Desamarrou o primeiro nó e vi quando a expressão do rosto dele mudou ao sentir uma lufada do aroma, e então ele afastou o pano e viu os *baozi*, cozidos, em suas fileiras arranjadas, levemente comprimidas. Inclinou o rosto para perto deles e inalou. Naquele tempo, bolinhos de carne eram comida de festa, e apesar de um homem como ele ser abençoado por ter oportunidade de comer a sua cota de peixe, um bolinho de carne era algo que experimentava apenas algumas vezes por ano. E esses eram bolinhos do Gou Bu Li.

Olhou de novo para mim. Tinha decidido. "Certo", disse. "Vou para o sul. Estou levando carga para uma unidade em Fuzhou. Posso deixá-lo por lá. Vai demorar 18 dias, talvez vinte. Tenho quatro homens. Partimos com a maré hoje à noite. Fique aqui até eu dizer." Ele me jogou um cobertor de lã crua, saiu e trancou a porta.

Demorou 21 dias para chegarmos à província de Fujian, dando a volta na península de Shandong e descendo pelo litoral, passando a grande desembocadura do Yang-tsé. Quando finalmente chegamos aos primeiros dedos do estuário do Min Jiang, a norte de Fuzhou, ele disse que eu deveria desembarcar ali, e não perto da cidade. Que encontrasse algum lugar tranqüilo na costa. Que me escondesse durante um tempo.

Esconder-me onde?, pensei. Como? Mas chegamos a uma pequena enseada e o capitão abaixou o bote e me deixou em águas calmas, batendo pela cintura. Nós nos despedimos como irmãos, com promessas de nos encontrarmos de novo nesta vida ou na próxima. Eu me arrastei pela água que parecia gelo líquido até a terra firme, com minhas roupas secas por cima da cabeça. Subiram o bote e esperaram eu aparecer na praia de pedregulhos e me secar antes de colocarem os motores em marcha a ré. Mesmo depois disso, fiquei lá acenando até que as luzes do barco já estivessem bem longe, no meio da água. Então eu me virei e caminhei reto, terra adentro.

O problema é que não havia terra. Assim que saí dos pedregulhos, fiquei com água pelos joelhos. Achei que, se continuasse avançando, eu conseguiria sair dali, mas ocorreu o contrário. Fui engolido pela água. A escuridão caiu. As criaturas acordaram. Ouvi os gritos e os silvos de todos os tipos de habitantes. Continuei vadeando. Eu não sabia onde estava. Não estava com frio; em vez disso, queimava de febre. Precisava parar, me deitar. Não consegui encontrar uma área seca grande o bastante para isso. O melhor que pude fazer foi me sentar no colo molhado de algumas raízes, meio na água, meio fora dela, com a cabeça encostada na árvore, até perder a consciência.

Quando acordei, estava deitado em um barco de fundo chato, quente, celestial, coberto por uma manta, olhando para o rosto gentil de minha mãe. Ela impulsionava o barco com uma vara. Cristal Transcendente, com seu rosto gentil e suas mãos fortes; o que ela estava fazendo ali? Um garotinho estava sentado atrás da minha cabeça com a mão nos meus ombros. Era eu mesmo. Era um sonho. Não. Era a morte. Eu tinha morrido. Estava tudo acabado.

Eu não estava morto, estava doente, e fui conduzido através do doce leite da bondade humana para uma casa tosca de palafitas, onde eu queimava e suava de febre. A mulher cuidou de mim. O rosto dela era o de Deus para mim. Ela raramente me abandonava nos piores momentos. Ela me esfriava com panos molhados. O menino, chamado Longshan, ia e vinha, ajudando-a.

Eu melhorei. Eles viviam no pântano, longe dos vizinhos mais próximos na comuna rural. Eu ficava sentado na varanda, enfraquecido, observando a luz mudar sobre as plantas aquáticas, que abundavam, cheias de vida, mesmo com o inverno que se aproximava. Liuli — esse era o nome da mulher — era caçadora habilidosa e sabia montar armadilhas muito bem. O trabalho dela na comuna era capturar enguias para as cozinhas dos operários. Aquele era o ano em que os chineses tiveram que parar de cozinhar em casa e fazer suas refeições nos refeitórios mantidos em cada unidade de trabalho. Por sorte, Liuli morava longe do vilarejo, e fora dispensada desse experimento social específico. Entregava enguias vivas duas vezes por semana e, em troca, recebia uma quantidade modesta de arroz, farinha, óleo, fósforos e outros itens de primeira necessidade.

Naturalmente, ela podia complementar isso com as sobras do que apanhava, mas enguia era só o início das coisas que Liuli conseguia levar para a mesa. Ela e Longshan saíam e voltavam com cobras, aves aquáticas, pererecas e todo tipo de algas e bulbos de lírio e raízes de lótus e plantas aromáticas do pântano. Eu os observava com admiração e consumia a comida boa e simples deles. Recuperei minhas forças.

Eles compreenderam que ninguém deveria saber que eu estava lá. Liuli não dizia nada em suas viagens para entregar as enguias, e fora isso não se encontravam mesmo com quase ninguém. O garoto não ia à escola. Ele não tinha pai. O que aconteceu com o homem que o gerou eu nunca soube. Ele era uma criança solitária, meio selvagem; se apegou a mim com a mesma rapidez que a água se mistura ao vinho.

Eu poderia ter ficado lá para sempre. Liuli era uma mulher simples, quase acanhada demais para me olhar no rosto, apesar de ter me feito escapar da morte com seus cuidados e de ter lavado cada pedacinho do meu corpo quando eu estava doente. Eu a respeitava e nunca teria ousado olhar para ela da maneira como um homem olha uma mulher sem que ela fizesse o convite. Mas eu a amava. Não sei se a amava como mulher ou como irmã ou como anjo, ou em uma parte do coração onde essas coisas não fazem diferença. No entanto, com ela e o garoto Longshan eu vivi, naquelas semanas, o período mais feliz da minha vida. Quase incapazes de nos comunicar — porque ela falava apenas um dialeto local de Fujian que eu não entendia —, conseguimos conhecer o espírito humano um do outro por meio dos dias que se desenrolavam, primeiro com doença, depois com risos e tarefas domésticas compartilhadas.

Certa noite, antes de partir, eu cozinhei para eles. Esperei até que tivessem saído para pegar enguias. Eles não sabiam nada a respeito de quem eu era ou do que eu era capaz de fazer, de modo que, quando voltaram e encontraram minha refeição em cima da mesa, seus queixos caíram quase até o chão. Naquele momento, eu senti picos de prazer.

Eu tinha preparado enguia, claro, mas não a enguia cozida que ela fazia quase toda noite. Em vez disso, fiz uma enguia com sal e pimenta, pedacinhos finos e crocantes de filé frito com um molho de pimenta silvestre de pungência profunda. Assei um pato à maneira de Tan Zhuanqing, usando o método transmitido por meu pai, e então fiz um segundo pato inteiramente de soja e de glúten, e recheei com raiz de lótus e bulbos de lírio e tofu seco e alho silvestre, tudo unido com uma camada de algas escuras que crescem entre o capim. Assei até a casca ficar crocante e reluzente como a pele verdadeira do pato.

A comida foi demais para eles. A aparência, o cheiro e o gosto os deixaram boquiabertos. Nunca tinham comido receitas assim, apesar de todas elas terem sido preparadas com os alimentos que consumiam todos os dias. O rosto deles se iluminou quando provaram os alimentos e, no entanto, aquilo quase os deixou com medo de mim, do fato de eu ser capaz de transformar os alimentos deles em uma refeição daquelas. Liuli levou as coisas para a pia depois e se recusou, pela primeira vez, a permitir que eu ajudasse na limpeza. Ela evitava os meus olhos.

Naquela noite, mencionei que partiria. Ela não ficou desgostosa nem contente. Claro que eu precisava ir embora. Eu não pertencia àquele lugar. Eu não fazia parte do lar nem da vida deles. Ao cozinhar para eles, eu estourara a bolha. Nossa distância, as vastas diferenças entre nós agora nos definiam. Liuli ficou acanhada na minha frente. Ela se escondia. Eu queria me comunicar com ela mais do que nunca, mas não fiz nada. Ela era uma mulher boa, uma boa mãe; ela e o garoto salvaram a minha vida. Acima de tudo, eu tinha que demonstrar respeito. Passei meus últimos dias na água, brincando com Longshan, incapaz de me furtar a lançar longos olhares especulativos para a casa onde eu sabia que ela estava, dividida, pensando em mim.

No final, ela me deu algum dinheiro que tinha economizado, e isso decidiu a questão. Ela me forçou a aceitar; ela insistiu. Acho que nós dois sabíamos que, se ela não tivesse feito isso, talvez eu nunca partisse, e isso ela não queria. Ela sabia que eu nunca seria capaz de olhar para ela de frente, como igual, e isso é o mínimo que qualquer mulher merece.

Então ela me deu o dinheiro e eu aceitei. Vivendo da maneira como ela vivia, dependendo da água, ela conhecia gente que atravessava o mar para viver e que não podia ser contida por governo ou lei nenhuma. Gente assim poderia levar alguém para Hong Kong e desová-lo em uma praia próxima entre pescadores desinteressados — só era preciso pagar. Na China, sempre existiu o *hou men*, a porta dos fundos, que pode ser aberta por dinheiro ou relações, e através da qual muitas coisas podem ser negociadas. Graças a Liuli, aquela porta se abriu para mim. Quando eu a atravessasse, seria apenas para continuar seguindo em frente até chegar à América, mas na época eu não sabia disso. Eu só sabia que aquela seria a última vez que eu a veria. Embarquei em um bote nos limites do pântano. Ela se afastou impulsionando seu barquinho com uma vara, seus olhos nos meus, seu rosto imóvel, surpreendente, como o de minha mãe. * * *

12

No dialeto de Pequim da minha juventude, a comida era sempre usada para descrever as coisas básicas. Ter trabalho era *jiao gu*, ter grãos para mascar. Ter perdido o emprego era *da po le fan wan*, ter quebrado a tigela de arroz. Essas palavras faziam a diferença entre a vida e a morte para as pessoas pobres. Assim, essas palavras englobavam um mundo.

— LIANG WEI, *O Último Chef Chinês*

Na noite de quinta-feira, após vários dias só cozinhando, dormindo e cozinhando mais, Sam se pegou de olhos colados no relógio. Naquela noite, Yao Weiguo prepararia o banquete para o comitê: Yao, seu principal rival. Nesta noite era Yao, amanhã Wang Zijian, e então, no sábado à noite, a décima e última noite da competição, Sam. Apesar de programas de rádio com participação dos ouvintes fervilharem com trocas de declarações sobre os méritos dos dez chefs, e de as apostas estarem na mesa, o júri propriamente dito mantivera silêncio completo. Até então, nenhum dos jurados deixara vazar qualquer informação sobre os banquetes. Tudo na mídia era especulação. Sam não estava sabendo de nada.

Ele se sentia abençoado por ter ficado com o último dia. Seus sabores seriam os últimos a ficar na mente dos jurados. Por outro lado, talvez já estivessem exaustos. Ele tomaria cuidado para não exagerar. O melhor seria buscar o sucesso na simplicidade. Pelo menos era isso que tinha em mente.

Ele ainda tinha 48 horas. Faltava fazer o último ensaio de cada receita, em especial as que eram novas para ele: estas, precisaria repetir várias vezes. Também ainda estava juntando tigelas, pratos, travessas, pinturas e caligrafia que tivessem a ver com o tom da refeição. Cada vez que qualquer faceta da refeição ressoasse no banquete, ele queria que tudo mais na sala e na mesa multiplicasse o efeito. O efeito não podia ser descarado, tinha que ir tomando corpo calmamente.

Olhou de novo para o relógio. Tinha tanto a fazer. Precisava trabalhar. Mas ele sentia um ímpeto incessante de sair, de ir dar uma olhada na região onde Yao morava, de caminhar pelo *hutong* que ficava atrás do restaurante de Yao, o Red Door, se aproximar do banquete dele e ver o que era capaz de sentir, o que conseguia ouvir, o que podia cheirar. Fechou os olhos. *Não faça isto*. Mas ele sabia que faria.

A noite caía quando ele trancou o portão, as sombras cresciam, e ele sentiu uma onda conhecida de amor pela área em que morava. Seus vizinhos sentiam a mesma coisa. Dava para ver pelo jeito como as avós passeavam com criancinhas, os velhos gritavam por cima de seus jogos de cartas e, no calor, puxavam as camisas de baixo até as axilas. Estava na maneira como grupos de meninas caminhavam perto do lago, exibindo seus corpos de gazela dentro das roupas apertadinhas da última moda. Ele amava aquele lugar por todas essas razões, e depois, em dobro porque, além disso tudo, ele ainda morava na casa em que sua família morara por mais de oitenta anos, apesar de o período não ter sido contínuo.

O esforço e o dinheiro que Sam investira para reformar tudo, à exceção do pequeno quarto que dava para o norte, era outro ponto dolorido na recusa de Liang Yeh em voltar. Sam queria levá-lo até ali. Mostrar para ele. *Aqui está, Ba. Olhe.*

Ele lhe dissera isso quando ligou de novo, naquela manhã. "O mais importante é que Xie precisa de você. Ele está se agüentando para vê-lo. E você deveria vir. A sua casa está esperando, a casa de seu pai. É seguro."

Em resposta a isso, ao menos, Liang Yeh simplesmente ficara em silêncio. Foi um avanço.

Sam caminhou até o metrô, tomou a direção sul e trocou de linha. Algumas estações para o oeste o levaram até o bairro do restaurante de Yao. Caminhou um pouco, distraído, como se desse um passeio sem objetivo determinado. Depois de um tempo, cedeu e entrou no *hutong* que passava atrás do estabelecimento de Yao. Ninguém o veria ali. Estava escuro.

As janelas altas de trás da casa estavam escancaradas. Ele se aproximou e ouviu risos e o barulho de louça batendo lá dentro, e então uma onda crescente de congratulações. "*Hao! Hao!*", diziam as vozes. Bom! Bom! Sam sentiu aquela espiral de tensão por reflexo. Não devia ter ido até lá.

Ouviu um som à direita e se virou para ver uma silhueta saindo das sombras: não, não era uma silhueta, eram duas. Quem?

Sam berrou mentalmente. Era Jiang. E Tan. O queixo deles também caiu ao reconhecê-lo.

A longa troca de olhares se transformou em riso abafado e, em segundos, os três já estavam contorcendo o corpo e segurando a barriga. Faziam sinais uns para os outros para que ficassem em silêncio, o que só piorou a situação.

— Shh! — Sam lançou um olhar para as janelas de trás do restaurante de Yao, que estavam abertas.

— Vamos! — Jiang disse com voz rouca, enxugando os olhos. — Por que ficar parados aqui? Vamos caminhar até o mercado noturno de Uighur. Fica só a alguns quarteirões. Você comeu? Eu não comi. Estou desmaiando de fome! Vou morrer! Vamos.

E os três saíram caminhando pelo *hutong*.

No mercado, luzes baratas se estendiam pelo beco e os vendedores berravam atrás de enormes círculos de *woks* com tampas que, ao serem levantadas, deixavam escapar lufadas encorpadas de vapor. Fileira após fileira de homens de Uighur com rostos eurasianos morenos cuidavam de grelhas de carvão, onde produziam cordeiro em todas as formas, desde espetinhos até carne macia picadinha marinada, assada na grelha e colocada em pães de gergelim achatados cortados ao meio.

Não havia dúvida de que a refeição de Yao tinha sido brilhante, Sam pensava enquanto caminhavam entre as pessoas e as mesas e os aromas quentes e enfumaçados. Mas e daí? A dele também seria brilhante. Sentia-se confiante quando os tios estavam a seu lado.

Depois de muito pensarem nas opções, escolheram macarrão grosso cortado à mão com caldo de legumes e densas e suculentas costeletas de cordeiro incrustadas de cominho, numa travessa enorme. Comeram no silêncio solidário de parentes designados uns para os outros muito antes que qualquer um deles tivesse nascido.

Enquanto Sam comia, seus olhos examinavam a multidão. Depois de um minuto, viu uma cortina de cabelo preto conhecida se dirigindo a ele: Xiao Yu, a moça que ele vira David Renfrew abordar naquele dia em um restaurante.

— Oi — ele disse quando ela se aproximou.

Ela olhou para ele, surpresa.

— Ah, Liang Cheng — disse, usando o nome chinês dele. — Li um artigo no jornal sobre a competição. Torci por você. Como foi seu banquete? Deu tudo certo?

— A minha vez ainda não chegou — ele disse. — Sábado à noite.

— Desejo sucesso para você.

— Muito obrigado. E você? Como está?

— Muito bem. *Hao jiu bu jian.* — Faz muito tempo que não o vejo.

— Para falar a verdade — Sam respondeu —, eu vi *você* há uma semana, mas acho que não percebeu. Foi em um restaurante. Eu estava do outro lado. Vi David Renfrew ir lá falar com você.

Estavam conversando em chinês, mas ao dizer o nome de David, ele retomou o inglês. Aquele som deixou a boca de Xiao Yu tensa.

— Desculpe — Sam disse quando percebeu.

— Não precisa se desculpar. — Mas olhou para o relógio com um gesto abrupto.

Ele tinha tocado em um ponto sensível. Algo tinha acontecido. Sam se lembrou do estranho tremor que sentira ao ver Xiao Yu e David juntos. Sentira aquilo no minuto em que David lhe perguntara o nome dela. Não sabia dizer por quê. Às vezes, não era necessário saber, só sentir.

— Preciso ir — ela disse.

Olhando para ela, viu que não estava imaginando coisas. O queixo dela era o das mulheres desprezadas: orgulhoso e retesado.

— Por favor, cuide-se.

— Você também — ela respondeu. — Desejo-lhe sucesso.

— *Man man zou.* Caminhe devagar — ele disse, enquanto a observava acenar e se virar e desaparecer no aglomerado humano da noite. As pessoas passavam sob as luzes, acotovelando-se, carregando consigo sua conversa e sua risada. Ela desapareceu.

Jiang e Tan falavam, e ele voltou-se mais uma vez para eles, desviando-se da multidão. O lugar dele era com os dois. Comeu as costeletas de cordeiro que os dois colocaram em seu prato com amor e escolheu pedaços suculentos para colocar no deles.

* * *

Antes de encerrar o dia de trabalho, Zinnia passou na sala de Carey.

— Já deu algum telefonema?

— Não. — Ele ficou irritado. — Vou dar quando puder.

Ela lhe lançou um olhar desgostoso, que ele sabia ser uma das armas mais intoleráveis e eficientes do arsenal dela.

— Mas você precisa telefonar logo. Rápido.

— Por quê?

— É quinta-feira. Amanhã, todo mundo vai sair para o fim de semana.

Carey apertou os lábios.

— Eu detesto misturar trabalho e prazer.

— Fala sério! É nisso que você acredita?

— É.

— É a sua filosofia?

— É.

— Quem levou Matt para sair, naquelas noites, quando ele conheceu Gao Lan?

Carey suspirou.

— Fui eu.

— E olhe só o que aconteceu.

— Tá bom, Zinnia, Deus do céu! O.k., eu ligo. — Derrotado de novo por uma chinesa. Não era páreo para elas. Dispensando-a com um aceno, estendeu a outra mão para o telefone. — Vou ligar.

Carey teve sorte na quarta ligação, e dentro de uma hora já estava a caminho de um restaurante para se encontrar com uma mulher com quem tinha saído alguns anos antes. Continuava solteira, era a informação que ele tinha. Assim que ele ligou e ela atendeu, ele viu que era verdade, porque a mulher ficou nervosa. Sim, claro que ela se encontraria com ele. Hoje à noite? Claro. Ficaria decepcionada quando percebesse que a ligação de Carey não era de teor pessoal. Que seja. Zinnia tinha razão, ele precisava ajudar. Por isso ligou.

O restaurante ficava na zona nordeste da capital, em um bairro que no passado abrigara escritórios diplomáticos e hotéis, mas que agora tinha sido engolido pelo inchaço implacável dos prédios comerciais. No interior, o lugar guardava certa semelhança com a decoração antiga, com banquinhos de pedra e mesas de madeira trabalhada. Ele chegou primeiro e ficou bebendo chá, de olho na porta para vê-la chegar.

Morar na China era uma coisa romântica. Havia beleza naquilo. Ele ouvia papagaios berrando em gaiolas do outro lado do salão, captava o vaivém do clima alegre da hora do jantar local. Sempre havia algo para agradá-lo. Comida maravilhosa. Mulheres lindas. Nunca deixavam de atraí-lo, apesar de ainda não ter encontrado nenhuma com quem realmente desejasse ficar.

Ele sabia que ficar ali era meio que uma tática de adiamento, uma forma de esticar sua juventude. Teria muito mais chance de encontrar uma mulher nos Estados Unidos. Homens *laowai*, mesmo os mais malucos pelas garotas chinesas, geralmente voltavam para seu país natal para se casar. Escolhiam alguém de sua própria laia. Garotas que tinham conhecido na escola. Moças da cidade em que nasceram. Mulheres que se pareciam com a mãe deles, com eles próprios. Mas não Carey. Estendeu a mão para pegar seu copinho de chá aromático, de porcelana grossa, e deu um gole enquanto ouvia o burburinho de conversas em mandarim que tomava conta do ambiente. Ele não voltaria a seu país dessa forma.

Mas a questão era provavelmente discutível: a hora de voltar já tinha chegado e passado. Ele passara do auge em algum momento de seus trinta e tantos anos. Agora tinha 45. Se voltasse, seria o mesmo que dar um passo atrás: na carreira, na sociedade, entre os amigos e em relação a tudo que se referia a mulheres. Ali, era como se ele fizesse parte da realeza. O simples fato de ser estrangeiro lhe conferia valor inquestionável, mas um valor que ele não podia levar consigo. Ou voltava para seu país e aposentava para sempre aquela parte de si que aprendera a adorar aquela posição, ou ficava na China. Para envelhecer aqui. Para escolher uma mulher. Era só escolher. Morrer aqui. Ficou olhando tristonho para o céu azul de porcelana de outubro que enxergava através da janela.

A porta se abriu e Yuan Li entrou, chiquérrima com sapatos de salto alto de oncinha e uma franja da moda no cabelo preto. Ela estava gloriosa, agora na casa dos trinta anos, confiante. Talvez ele devesse considerá-la mais uma vez. Carey ficou brincando com a idéia. Ela era gentil, companheira, adorável. Mas ele lembrava que ela o entediara e, por isso, ele terminara tudo. Sem dúvida que iria terminar de novo com o passar do tempo se reatassem, e era por isso que não o faria. Estava claro que ela estava disposta. Dava para ver pela maneira como ela olhava para ele. Não, disse a si mesmo, não demonstre interesse, não assim. Seja amigável.

Durante a primeira hora do encontro, ele a envolveu em uma conversa agradável e solícita, que abordou todo tipo de informação: trabalho, parentes, viagens, passatempos, férias. Ele já estava na China havia bastante tempo para saber como uma refeição deveria se dar, com uma longa troca de amenidades e climas antes de qualquer indicação ou revelação ou apresentação de um pedido.

Finalmente, depois de terem conversado muito e de o prato que ele pediu ter chegado e ter sido comido, ele disse, como quem não quer nada:

— Ando procurando uma pessoa. Gao Lan. Lembro que ela era sua amiga, não é isso?

Enquanto ele falava, observava-lhe o rosto. Primeiro, viu uma sugestão de insulto. Agora ela tinha entendido por que ele telefonara. Então viu nos seus olhos cautela e cálculo. Ótimo. Isso significava que ela a conhecia.

Ainda assim, demorou um pouco para responder.

— Faz algum tempo que não a vejo. Talvez um ou dois anos. Não sei onde ela está neste momento.

O garçom chegou com a conta, que Carey pagou.

— Então, não sei muito bem — Yuan Li prosseguiu.

— Se souber de alguma coisa, eu agradeceria se me dissesse.

— Posso procurar saber.

— Obrigado — ele respondeu e voltou delicadamente ao assunto anterior, o aluguel de um prédio do qual ela fora gerente de projeto. Ao todo, passara com ela mais de duas horas naquela noite. Consumiram três entradas frias e três pratos principais, além de um pequeno mar de cervejas, em sua maioria, era preciso admitir, bebidas por ele. Agiram com educação e se despediram como amigos, trocando até abraços calorosos, que poderiam significar algo mais. E tudo isso só por causa das poucas frases proferidas no meio, lançadas de modo despreocupado sobre a mesa: Sabe onde ela está? Não. Pode descobrir? Vou tentar. Obrigado.

Carey levou Yuan Li até a calçada e a pôs em um táxi. Acenou carinhosamente enquanto o carro se afastava pela rua. Ah, a vida aqui era boa, à sua maneira: o peso da história, os resquícios de gentileza e o prazer do agora. Ele gostava da liberdade e do jeito direto das pessoas, que tinham sua própria forma de coexistir com as opressões do governo. Não era tanto que as pessoas gostassem do governo ou o aprovassem, o que era irrelevante, de todo modo; a questão é que elas sabiam conviver muito bem com isso. Contra todas as probabilidades, apesar do tom fortemente cinzento, Carey considerava a China um lugar prazeroso.

Ele suspirou. Será que tinha ficado tempo demais ali? Será que deixara tudo azedar? Será que caíra em uma armadilha? Talvez devesse ser um pouco mais parecido com os outros advogados da firma, como Matt: devia ter se instalado em Los Angeles, passando apenas curtas temporadas ali. Mas ele fora seduzido pela China. Sentia-se extremamente bem ali. Quando chegou, nunca mais quis ir embora.

Estendeu a mão para chamar um táxi. Mas aquele não era seu mundo e nunca seria, não importando quanto tempo ficasse ali. Ele sempre seria um forasteiro, e apesar da mistura tão deliciosamente calorosa de polidez, gentileza e convenções sociais, os chineses nunca chegavam a acolher de fato os forasteiros.

Então, se voltasse para casa... Mas estava tentando enganar a quem? Era tarde demais para voltar. Estava velho demais. Entrou em um carro que saiu pela noite de Pequim, pensando então onde iria para beber, ouvir música, esbarrar em velhos amigos e, talvez, com sorte, encontrar novos. Ele indicou um clube para o motorista, um endereço num *hutong* perto de Sanlitun, e se recostou no banco para observar a cidade que adotara passar por ele numa sucessão agradável de luzes, arranha-céus misturados com as lanternas vermelhas antiquadas que ainda enfeitavam os restaurantes, como o fizeram durante séculos, em qualquer lugar em que as pessoas se reunissem para comer e cimentar suas relações.

Talvez ele fosse obrigado a ficar.

O dia seguinte era sexta. Maggie passou na casa de Sam para deixar um presente de boa sorte. O táxi ficou esperando com o motor ligado enquanto ela batia no portão. Foi uma batida educada, para avisar de sua presença; ela não achava que ele estaria lá; se não estivesse, sua intenção seria deixar o presente na frente da casa. Onde era o lugar dele.

Mas os passos dele atravessaram o pátio, um pouco impacientes. Então ele abriu o portão e, quando a viu, mudou de expressão.

— Oi — ele disse.

— Oi. — Ela sorriu um pouco. Ele tinha ficado feliz de vê-la. — Trouxe uma coisa para você. Não posso entrar nem nada, sei que você precisa trabalhar, só queria lhe entregar isto. Para dar sorte.

— Você é muito gentil — ele disse.

— Você vai ter que me ajudar.

Ela voltou para o táxi e ele a seguiu pela calçada. Quando se aproximaram do porta-malas, o motorista soltou a trava e ela mostrou a Sam o que havia lá dentro, uma árvore perene em um vaso que tomava todo o espaço.

Ele ficou olhando. Era a última coisa que esperava.

— Eu trouxe isto para o seu pátio — ela disse. — Vai ficar alta.

Tiraram o vaso dali juntos e ele o ajeitou ao lado do portão. Tinha o formato de uma coluna em espiral.

— Claro que, se você não gostar, tudo bem — ela disse. — Se algum dia eu voltar a Pequim e vier jantar no seu restaurante e ela não estiver em destaque, não vou me magoar. Prometo.

— Vai ficar aqui — ele disse e, pelo jeito como ele sorria, ela sabia que era verdade. — Obrigado.

— Sem problema — ela disse. Tinha sido fácil escolher uma, com Zinnia guiando-a pelo mercado de flores da cidade e submetendo os vendedores a inquéritos penetrantes a respeito da adequação de diversos arbustos e árvores em vaso a um pátio de Pequim. A idéia toda era um tanto antiquada agora, Zinnia confidenciou a Maggie de passagem, já que ninguém mais tinha pátio. Aquele era um modo de vida que desaparecera. Ainda assim, fecharam na árvore em espiral, e Zinnia fez o assistente do jovem vendedor carregá-la para fora. Depois de colocá-la no táxi, Zinnia disse de repente que iria pegar o próximo; seu horário de almoço tinha acabado. Maggie via os olhos dela pensando no trabalho que a aguardava em sua mesa.

— Obrigada — ela disse.

E agora lá estava a árvore no chão, na frente do portão de Sam, e ele olhava para a planta. Ele tinha gostado.

— Aliás, adorei as memórias do seu pai. Achei lindo — Maggie disse.

O táxi continuava lá com o motor roncando.

Ele ergueu os olhos devagar.

— Ele veio. Está aqui.

— O seu *pai*?

— Ele conseguiu um visto, comprou uma passagem. Fez isso mesmo. Ele está aqui.

— Você disse que ele jamais viria.

— Eu disse errado — Sam respondeu. — Foi Xie que o trouxe até aqui. Acho que nada mais o teria trazido.

— É lá que ele está?

— Em Hangzhou.

A novidade, e a expressão do rosto dele, fizeram com que ela sentisse uma onda de felicidade.

— Que maravilha. Que bom para você. Que bom. — Ela olhou para o táxi. — Preciso ir.

Ele assentiu.

— Obrigado pela árvore.

— É para dar sorte — ela disse.

Ele respondeu:

— Eu aceito.

Naquela tarde, Maggie trabalhou em sua matéria. Ainda não sabia como ela terminaria, mas não havia razão para não avançar nela.

Como geralmente fazia quando dava início a um artigo, ela simplesmente começou a escrever, seguindo a espinha dorsal do tema, que neste caso era a conectividade. Passou algumas horas recriando cenas, conversas e explicações, montando um corpo com base na idéia central, que eram suas sensações em relação ao que ele lhe mostrara.

Depois, havia a questão da força propulsora do texto. Pegou uma folha nova de papel e escreveu seis palavras com letra de forma, em três linhas:

DEZ CANDIDATOS.
DEZ BANQUETES.
DUAS VAGAS.

Pela lógica, era este o próximo passo: o anúncio, o turbilhão da preparação, o banquete em si. Ela escreveria tendo isto em mente. Prendeu a folha na parede à sua frente. Agora podia voltar ao início. Ligou o computador mais uma vez e abriu um arquivo novo. Assim como acontecia com qualquer página em branco, as possibilidades eram infinitas. Digitou as palavras *Sam Liang* e tomou um susto tal que quase quebrou a cadeira. Alguém batia à sua porta.

Apertou o rosto no olho-mágico. Era Zinnia, inclinando-se na direção do pequenino círculo de vidro com aquele ar apressado no olhar. Maggie puxou a porta e a abriu.

— Oi.

Zinnia passou apressada por ela, seus olhos brilhavam de triunfo.

— Desculpe! Desculpe ter aparecido sem avisar, mas fiquei sabendo agora mesmo, e estava aqui perto.

— Pode vir sem avisar quando quiser. O que ficou sabendo?

— Sei onde Gao Lan está.

— Sente-se. — Maggie a conduziu até o sofá. — Onde?

— Aqui. Não é longe. Ela mora no Dongfang Yinzuo. O Kenzo Oriental. É um grande conjunto residencial e comercial no centro.

— Como você descobriu?

— Carey descobriu.

— Ela trabalha ou mora lá?

— Mora. Ainda não sei onde ela trabalha. Mas já liguei para ela. Está em casa hoje. Disse que podemos ir nos encontrar com ela daqui a uma hora. Quer ir?

— Quero! — Maggie respondeu.

— *Zou-ba* — disse Zinnia, feliz. — Vamos.

Ela nem chegou a se sentar. Virou-se para a porta e Maggie a seguiu.

No banco de trás de um táxi, engasgando pelas ruas engarrafadas na direção do Dongfang Yinzuo, Gao Lan fechou os olhos e aninhou nos braços seus pequenos pacotes. No colo, carregava um pacote de chá, um *oolong* de orquídea excepcional e tira-gostos. Sementes de melão, biscoitos, as coisas que deveriam ser servidas a visitas e que ela não tinha em casa.

O homem dela não estava na cidade. Estava em Taipei com a mulher e os filhos, razão pela qual ela podia receber essa gente. Ela não ia querer que o homem passasse nem perto disso. Ele não sabia que ela tinha uma filha. Se soubesse, poria fim ao emprego dela. Isso seria impensável. Shuying e os pais dela viviam com o dinheiro que ela enviava todo mês, apesar de não terem a menor idéia do que ela realmente fazia. Ela mandava para lá quase tudo que ganhava. Não fazia nada além de ginástica na academia, que ele pagava. Comia no apartamento, gastando o mínimo possível. Às vezes, caminhava. Nunca comprava nada, só caminhava. Quando ele vinha para a cidade, ela comprava as comidas de que ele mais gostava logo antes de sua chegada. Quando ele estava lá, ela só pensava em agradá-lo.

Antes de Shuying nascer, sua vida tinha sido diferente. Deixou escapar uma risada irônica. Certamente não estava vivendo a vida que seus pais tinham em mente para ela. Longe disso.

Eles eram antiquados, as primeiras pessoas que ela conheceu a expressarem saudade da Revolução Cultural. Continuavam a ver tudo aquilo como uma experiência que tivera dimensões trágicas, mas também nobres. Por ter sido criança durante os otimistas anos 1980, quando empresas estatais fechavam por todo lado, Gao Lan se lembrava de ter vergonha dos pronunciamentos dos pais. O padrão de vida melhorava amplamente. Todas as outras pessoas recebiam bem as mudanças. Parecia a ela, então, que só sua mãe e seu pai olhavam para o passado com nostalgia.

Achavam que ela deveria escolher uma vida simples perto de casa, mas ela tinha outras idéias. Foi para a escola, se saiu bem em inglês e se mudou para Pequim, para trabalhar. Havia serviço no setor internacional. O salário era modesto, porém suficiente. Nunca foi estável, porque as empresas apareciam e sumiam, mas geralmente havia alguma coisa.

E foi maravilhoso ser jovem e solteira na cidade naquele tempo, com as coisas abrindo com tanta rapidez. Ela ia com as amigas a clubes, a festas, a recepções. Aprendeu sobre a vida, sobre ser independente e sobre se apaixonar.

Viu garotas a seu redor que saíam à noite como ela, formavam ligações como ela, mas que depois revelavam que eram casadas. O marido vivia em alguma outra cidade. Às vezes havia um filho, e nesse caso a criança geralmente ficava com os avós. As mulheres viviam como se fossem solteiras. Não eram libertinas, mas quando se sentiam atraídas por alguém, tinham um caso. Gao Lan se lembrava de como tinha ficado chocada na primeira vez que uma delas lhe confessara que era casada, que tinha uma filha. "Tenho duas cabeças", a mulher tinha dito. "Dois corações. Um ama a minha filha e sente falta dela. O outro está aqui."

Com o tempo, Gao Lan compreendera que muitas daquelas moças, quando jovens, tinham se casado com alguém que os pais escolheram para elas. Naquela idade, a única coisa que entendiam era obediência. Mas agora que a coisa já estava feita, achavam mais fácil viver longe do marido e levar a vida por conta própria.

Gao Lan naquela época, em que era jovem, era orgulhosa: ela própria escolheria o trajeto de sua vida. Agora, é claro, o mais provável era que fosse ficar sozinha para sempre, principalmente levando em conta o que tinha feito nos últimos anos. Mas, naquela época, ela só tinha alegria e liberdade.

Em seu quarto ano em Pequim, começara um relacionamento com um estrangeiro. No início, ele a entusiasmara de uma forma especial: talvez simplesmente por ser estrangeiro e tão diferente. Ele era forte, para começar. Dava conta dela com segurança. Ela adorava aquilo, mas, com o tempo, passou a ver o lado ruim do relacionamento: ele sempre tinha que estar no controle. Marcava um encontro com ela e se mostrava todo animado, aí ligava uma hora antes e desmarcava. Reagia com frieza se ela demonstrasse gostar muito dele.

Livre-se dele, as amigas lhe diziam. Mas ela se sentia vazia quando tentava. Por mais imprudente que fosse, ela gostava dele. Sempre voltava para ele, mesmo quando ele a enfurecia. Sentir-se cuidada e aceita se transformara em um jogo entre os dois.

Nessa época, conheceu Matt. Estava numa boate com algumas amigas. O outro homem a irritara, e fazia uma semana que ela não falava com ele. Estava entediada, cansada; apesar de ser cedo, já estava pronta para ir embora. Então viu Matt do outro lado do salão no exato instante em que ele também a viu. Não deu para dizer quem abordou quem primeiro; caminharam um na direção do outro, sorrindo. Conversaram. Ele era cortês e encantador. Ela queria saber tudo sobre ele. Seu inglês era claro, fácil para ela entender. Ela lhe falou de sua vida, de sua infância em Shaoxing, de seus pais. Ele pareceu se interessar por tudo que ela disse.

Depois de um tempo, o amigo dele, outro americano da mesma empresa, mais magro, mais velho, mais anguloso, quis ir embora. Matt não quis saber. Queria ficar com ela. O outro homem ficou aborrecido. Finalmente, Matt disse que poderiam ir se ela fosse com ele. O outro homem resistiu. Os dois discutiram, em inglês rápido e arrastado demais para que ela compreendesse; então, de repente, estava tudo bem e ela estava saindo dali junto com eles. Foram para outro bar. Ela e Matt ficaram sentados juntos, conversando. Foram de um lugar para o outro. Ela sentia o desgosto do outro homem, mas nem ela nem Matt estavam dispostos a abandonar a companhia um do outro.

Finalmente, às quatro da madrugada, os três saíram do último bar. Ela e Matt foram primeiro. Sentaram-se no banco de trás do carro, bem pertinho.

"Quer ir para algum lugar para continuar a conversar?"

"Quero", ela respondeu. Não queria sair do lado dele nunca mais.

O rosto dele estava a alguns centímetros de distância no escuro da madrugada. "Ou quer ir para casa comigo?"

"Quero", ela disse. "Isso."

Ele se inclinou para a frente, disse o endereço num arremedo decorado de chinês e, assim que relaxou de novo sobre o banco, enfiou a mão embaixo da saia dela. Ela ficou surpresa. Nunca tinha conhecido ninguém tão livre. Era como se o fato de ela ter dito sim tivesse feito estourar a tensão de não ter certeza, que os mantivera afastados durante todas aquelas horas, e agora ele não agüentava esperar nem mais um segundo. A excitação dela cresceu com a dele e, quando chegaram ao prédio dele, mal conseguiram entrar e pegar o elevador.

Ele agiu com pureza e alegria em relação a ela; ela sentiu que nunca conhecera um homem de coração tão aberto. Estando com ele, ela rompia todas as suas próprias regras (*Se for estrangeiro, tem que ser um que more aqui, nunca um turista nem um visitante, nunca, porque um homem assim vai embora logo.*), mas ela também se sentia incomensuravelmente feliz. Ele estava presente. Com ele, ela se sentia notada.

Depois, ele não caiu imediatamente no sono, como esperava ela. Continuou acordado, e conversando. Contou-lhe de sua vida, suas viagens. Falou de sua esposa. Ela ficou deitada em cima dele feito uma criancinha, escutando, acompanhando, percebendo que nada era simples. As coisas eram boas com a esposa, mas não perfeitas. Ele a amava, mas queria um filho, e ela, não. Que estranho, Gao Lan pensou, com a mão solta sobre o peito dele, ela lhe dizer não.

Ele já tinha lhe dito que voltaria à China depois de algumas semanas. Prometeu ligar para ela. Então foi embora. À medida que os dias foram passando, ela finalmente cedeu e atendeu aos telefonemas do namorado e compreendeu um pouco melhor que, à sua própria maneira, tinha usado Matt. Ela passou a se sentir melhor depois da noite que passaram juntos, mais segura.

Reatou com o outro homem. Logo de cara, ficou difícil. Ela começou a pensar em Matt. Quando ele voltou, ela estava louca de ansiedade. O dia que ele mencionara chegou e passou. Ela não parava de olhar o celular. Se ele estava em Pequim, por que não tinha tido notícias dele? Esperou mais meio dia, então ligou para o celular que ele tinha lhe dado.

"Olá, Gao Lan." A voz dele tinha um tom pesado. Ele não queria falar com ela. Ela se afundou com a velocidade e a profundidade de uma âncora de pedra.

Mesmo assim, ela foi calorosa e alegre, e disse que deveriam se ver. "Não sei", ele respondeu, com uma polidez perplexa, como se estivessem em uma ligação de negócios. "Tenho compromisso o dia inteiro... Tenho uma coisa para fazer à noite..." Ela o escutava virando páginas. "Gao Lan, sinto muito. Parece que não vai dar."

Ela ficou chocada com a grosseria dele. A impressão que ela fazia sobre ele desmontou.

"Ei", ele ia dizendo. "Só vou ficar uns dois dias aqui."

Uma enxurrada de xingamentos queimava na garganta dela, mas ela se limitou a algumas poucas frases frias. "A minha opinião é a seguinte. Já fizemos coisas demais para você deixar a situação assim. Seja lá o que tenha a dizer, pode falar na minha cara."

Um silêncio se instalou. Ela ouviu um suspiro longo e pesado.

"Encontre-me às quatro horas no Anthony's, em Wangfujing", ela prosseguiu, com mais firmeza. "Fica logo atrás do hotel Pacific."

Um longo silêncio, então ele disse: "Tudo bem."

Ela já estava esperando quando ele chegou. Entrou pronto, como se tivesse ensaiado, o que certamente tinha feito. Com habilidade, depositou seu corpo grande e quadrado no assento ao lado dela. "Antes que eu diga qualquer outra coisa", ele começou, "quero que você saiba que a nossa noite juntos foi especial para mim. Extremamente especial".

Ela não se comoveu. Agora ele parecia muito superficial. "Mas?", ela perguntou.

"Mas foi só isso. Não posso repetir. Sinto muito."

"Sem problema", ela disse. "Tudo bem. Mas você pode me *dizer*. Na minha cara. Só isso." O que ela disse quase não fez diferença. O choque tóxico que ela sentira quando ele a dispensara pelo telefone precisava ser colocado para fora para ser apagado.

"Certo", ele disse, impotente. De repente, parecia sem forças. "É a minha mulher", ele disse, como se aturdido pela força de suas próprias emoções. "Meu lugar é com ela. Eu a amo tanto, não posso mentir para ela. Ela nunca iria saber, provavelmente nunca descobriria, mas, mesmo assim, não posso fazer isto."

"Na noite em que ficamos juntos você não pensou assim."

"Eu não pensei em nada além de você! Sinto muito. Assumo a responsabilidade. Mas não posso fazer de novo. Não consigo desligar a realidade duas vezes. Sinto muito."

"*Bu yong*", ela disse. Não se arrependa. "Eu não me importo", ela completou, coisa que não era totalmente verdade; e arrematou: "Mas eu queria ouvir você dizer", isso era verdade.

Pouco tempo depois, descobriu que estava grávida. No final do verão seguinte, Shuying nasceu. Para Gao Lan, ela sempre fora filha do outro homem, porque tinha sido ele que a irritara e a magoara e que também a carregara às alturas. Era ele que, apesar de suas noções sinistras de certo e errado, tinha se transformado em parte do padrão de sua vida. Com Matt, ela só havia estado uma vez. Uma vez, seguida pelo insulto de sua rejeição. Quais eram as probabilidades? Nenhuma. Quase nenhuma. Nada mais.

Gao Lan ficou longe de Pequim quase um ano. Voltou com uma história de ter ido para casa para ajudar com uma doença na família, mas o trabalho tinha se tornado irregular. O mundo tinha avançado. Ela já não tinha mais tanta demanda quanto antes. Era difícil ganhar dinheiro suficiente para si mesma, muito menos para mandar para casa, para que seus pais pudessem cuidar do bebê.

Ela também se agoniava com sua incapacidade de identificar o pai de Shuying. Por causa daquela única noite com Matt, não dava para ter certeza. Era como se estivesse sendo castigada o tempo todo por aquela noite. A dúvida a impedira de dizer a qualquer um dos homens que havia um bebê. Ela sabia que era um erro. Mas, no começo, achou que o melhor seria simplesmente esperar um pouco, até Shuying crescer e se transformar na pessoa que seria, até começar a se parecer mais claramente com um ou com outro. Então ela abordaria o homem. Por ora, continuava trabalhando.

Perdeu o emprego. Não conseguiu arrumar outro. Recusou-se a desistir. Saía todos os dias para fazer entrevistas até perder o apartamento também, então foi morar com amigas, primeiro uma, depois outra. Os pais telefonavam sempre. Precisavam de dinheiro. Shuying, sua pequena *yang wan wan*, sua bonequinha estrangeira, ela era o sol e as estrelas, mas precisava de tanta coisa... Então a amiga disse que ela precisava encontrar outro refúgio, porque ela devolveria o apartamento e voltaria para Xangai. E essa foi a última parada de Gao Lan.

Ela se lembrava de ter conhecido uma mulher; não era alguém que conhecesse bem, só uma amiga de uma amiga, que lhe dissera que podia se dar bem trabalhando para um homem, como mulher sustentada. A mulher disse isso em parte como elogio à beleza de Gao Lan; nem todas as mulheres eram qualificadas para isso, só aquelas pelas quais certos homens pagariam. Na época, Gao Lan rira acanhada. Esperara por um momento e situação totalmente diferentes para perguntar a alguém o que um homem daqueles exigia, e o que dava em troca, e como o trabalho de *ernai* poderia ser providenciado.

Ela ainda via com clareza o primeiro homem que a tivera, Chen Xian, de Hong Kong. Cinqüenta e seis anos, cabelo tingido de preto, rico, cuidadoso com o quanto gastava em tudo, inclusive ela, mas justo. Ele a usava para seu prazer, às vezes de forma dura, mas era direito dele. Estava pagando por isso. Ele era sempre doce com ela. Dele, ela se lembrava com afeição.

Ele a encontrara para sua primeira entrevista num bar perto de Sanlitun. Era um lugar pouco iluminado, e os dois se acomodaram em um sofá para conversar. Ela sentia que ele a olhava. Afinal ele perguntou se ela queria dançar. Ela disse que sim e os dois foram para a pista. No começo, dançaram separados, mas ele logo a puxou para si e ela sentiu quando apalpou seu corpo. Dava para ver que ele tinha gostado dela. Ela também tinha gostado dele. Daria tudo certo.

Saíram juntos mais algumas vezes e, no quarto encontro, ele fez uma oferta.

"É assim que funciona." Estavam em um bar. Ele fez sinal para mais uma rodada de uísque. O copo dele estava vazio, apesar de ela mal ter tocado no seu. "Eu lhe pago três mil *ren min bi* por mês, mais um apartamento. Você ganha uma inscrição na academia do térreo. Eu passo uma semana e meia por mês em Pequim, talvez duas. No resto do tempo, espero que você me preserve a imagem."

Ela engoliu em seco. O pagamento era muito mais do que ela poderia ganhar em um emprego, ainda mais porque não teria custo de vida. Ele era velho. Para isso ela não ligava. Viu a mão dele erguer-se do colo, morena, segura, com as unhas bem-feitas. Por um instante, ela pensou que ele pegaria nela, mas, em vez disso, contou dinheiro, três mil, o primeiro mês. Ela não conseguia desgrudar os olhos das notas. "O que me diz?", ele quis saber.

Ela disse que sim. Ficaram juntos oito meses e então ele a abandonou, mas só porque a esposa dele exigiu. Ele permitiu que ela ficasse mais dois meses no apartamento. Esse era o tipo de pessoa que Chen Xian era, gentil.

Desde então, ela passara por seu aprendizado. Uma parte tinha sido cruel, e outra, satisfatória: como o dinheiro que podia mandar para os pais. *Isso* era satisfatório. Era bom saber que Shuying estava bem cuidada.

À medida que a menina crescia, era frustrante ver como ela se parecia com a mãe, e não com qualquer dos dois homens. Mas Gao Lan continuava bastante segura de que ela não era filha de Matt. Ela não estava desenvolvendo o mesmo tipo de corpo de Matt, para início de conversa. Gao Lan tinha que abordar o outro homem, e sabia disso. Vivia planejando e adiando. Não suportava pensar em falar com ele, agora que estava se vendendo para sobreviver. Isso sairia mais caro do que estava disposta a pagar. Ela não suportava a idéia de contar para seus pais, que a amavam; como podia contar para ele, que brincara com ela durante meses e a largara com tanta crueldade? Quando ele deu fim à relação num telefonema conciso e abrupto, ela exigiu que se encontrassem para conversarem pessoalmente. Tinha dado certo com Matt, e apesar de a relação deles estar terminada, o fato de conversarem cara a cara fez com que ela se sentisse melhor. De Matt, recebera pelo menos um nível mínimo de respeito humano. O outro homem não lhe dera tal coisa. Quando ela pediu, ele desligou o telefone na cara dela. Não havia como lhe falar sobre a filha.

No começo, raciocinou que logo arrumaria um emprego de verdade e, depois disso, iria atrás dele. Mas isso não aconteceu. Três meses, ela calculou. Seis. Então o prazo se transformou em um ano. Depois, em dois.

Finalmente fora falar com ele havia pouco mais de um ano. Tinha desistido de esperar. Levou uma foto de Shuying. A resposta dele foi expulsá-la de seu escritório com xingamentos por sugerir que qualquer filha dela pudesse também ser dele. Fazia anos que ele não a via. Era ultrajante. Se ela tentasse contatá-lo de novo, ele a arruinaria.

Gao Lan sabia que ele era bem relacionado. Poderia fazer com que fosse mais difícil do que nunca para ela voltar a trabalhar, se quisesse. E ela teria que voltar a trabalhar de verdade algum dia, ou estaria acabada. Passaria a ganhar menos quando o fizesse, e ainda não sabia como iria se virar, mas também sabia que não tinha escolha. Em poucos anos, seu tempo teria chegado ao fim.

Pouco depois disso, ela ficara sabendo que Matt tinha morrido. Ainda se lembrava de sua reação física: um frio na barriga. Sentiu então que gostava dele, apesar da brevidade de seu encontro, pois sabia que seu corpo, em suas reações viscerais, era incapaz de mentir. No entanto, continuava sem acreditar que Matt pudesse ser pai de Shuying.

Depois que o acordo foi aprovado, seus pais a pressionaram para que entrasse com processo de paternidade e ela disse tudo bem, mas não contra o outro homem; contra Matt. Ele não estava mais aqui. Não poderia se vingar dela, pelo menos não deste lado do véu.

Não que a esposa dele fosse ficar contente. Gao Lan tremeu. Aquela era a mulher que viria falar com ela agora. Então, que fosse. Da mesma maneira que diziam que todos os homens eram irmãos, todas as mulheres eram irmãs, e Gao Lan estava disposta a lhe dizer a verdade. Ela a enxergaria com respeito. As duas mulheres já tinham uma conexão, por causa de Matt.

No apartamento, depois de ela preparar o chá e colocar flores em um vaso simples, a campainha tocou. Ela abriu a porta e viu duas mulheres. Uma era americana, a viúva: mais velha, charmosa com seus ângulos, suas sardas e seus olhos castanhos, como alguns ocidentais eram. Quase simpática.

— Bem-vindas, bem-vindas — Gao Lan disse, convidando-as para entrar. Estava feliz porque não precisaria usar inglês. Aquela moça de óculos grandes, Chu Zuomin, obviamente estava ali para traduzir.

Na sala ela serviu o chá, que permaneceu lá, intocado. Ela e a garota chinesa jogaram conversa fora sobre o apartamento, e Gao Lan esperou até que a viúva de Matt desse início à conversa.

No entanto, a mulher não estava com pressa. Seguia tudo que a tradutora fazia, observando gestos, conversando, adicionando pequenos incrementos de relacionamento. Elogiou o complexo grande e moderno, o bairro. Quis saber de restaurantes próximos, e Gao Lan lhe falou da rua Fantasma, um quarteirão próximo cheio de lugares para comer, uma das razões por que tantos homens mantinham as amantes no Dongfang Yinzuo, já que poucas coisas na vida importavam tanto quanto a proximidade de uma boa refeição. A viúva até elogiou a pequena Shuying por ser inteligente e bonita. Parecia que ela estava imaginando maneiras de introduzir o assunto, como se estivesse estudando Gao Lan centímetro a centímetro. Finalmente, disse entender que Gao Lan estava se esforçando muito na empresa de logística.

Gao Lan ficou olhando sem entender nada.

— Logística?

— Achei que você trabalhasse em uma empresa de logística.

— Ah. Meus pais devem ter lhe dito isso.

— Disseram.

— Bom, é o que eles pensam. Você me culparia? Claro que eu lhes digo isso. Não é verdade. Não consegui arrumar esse tipo de emprego. Trabalho para o homem que aluga este apartamento. Naturalmente, eu não ia querer que eles soubessem disso.

Gao Lan percebeu que a tradutora assumiu um tom rosado ao colocar isso em inglês.

— Achei que o apartamento fosse seu — disse a viúva.

— De jeito nenhum. Morar aqui é parte do meu salário.

— E o que você faz? — perguntou a viúva.

— Tudo que ele quiser — Gao Lan respondeu. — Entende o que eu quero dizer ou não? Ele tem esposa e filhos em Taiwan. Só vem aqui às vezes.

— Ah — a viúva disse de sobressalto, quando ouviu a tradução. — Eu não sabia.

— Meus pais também não sabem — ela lembrou.

— Não saberão por meu intermédio — a americana disse. — Não se preocupe.

— *Bie zhaoji* — Chu Zuomin traduziu.

Gao Lan preencheu o silêncio que se seguiu a isso dizendo a elas que podiam se servir de sementes de melão e de docinhos. Elas agradeceram, mas na verdade não comeram nada, mais uma vez demonstrando educação.

Então a mulher de Matt se aprumou na cadeira.

— Posso fazer uma pergunta? — ela disse.

— Por favor.

— Eu compreendo, sim, por que você procura o apoio do pai da sua filha. Por que *deveria* fazer isso. Mas eu quero saber por que você processou o meu marido. Por que não o outro homem?

Um silêncio pesado se instalou, daquele tipo que precede o primeiro trovão de uma tempestade. Como a viúva sabia? Finalmente, Gao Lan o rompeu com uma risada curta e formal.

— Você lançou a sua rede bem aberta.

— Se fosse o seu marido, você faria algo diferente?

— Suponho que não.

A mulher prosseguiu.

— Olha. Eu sei que existe a possibilidade de Shuying ser filha de Matt, e a possibilidade de que ela seja filha desse outro cara. Você é a mãe. Só você pode dizer o que é mais provável. Então, a única coisa que pergunto é: Por que Matt? É porque você acha que ela se parece com ele? Porque, vou dizer, eu fui lá e a vi de mente aberta e, para ser sincera, não me pareceu.

Gao Lan assentiu. Era verdade; Shuying não se parecia muito com Matt. Ela tomara consciência disso desde que a menina deixou para trás os macacõezinhos e já não era mais bebê.

— Eu procurei o outro homem primeiro.

A americana endireitou as costas ainda mais na cadeira.

— E?

Gao Lan era uma mulher que detestava demonstrar medo, mas aquele homem ela temia. Ela já fizera muitas coisas na vida que demonstravam coragem: tinha se virado sozinha, tinha recusado as sugestões de maridos vindas dos pais e ido para Pequim para fazer as coisas do seu jeito. Aquele homem era diferente. Ela não dizia mais o nome dele. Ela nem gostava de pensar nele.

— Ele me ameaçou — ela respondeu.

— O quê?

A viúva americana quase se levantou da cadeira, em um gesto abrupto, instintivo.

— Ele disse que se eu voltasse a fazer isso, sugerir que Shuying era filha dele, ou se fizesse algo a respeito, ele se asseguraria de que eu nunca mais trabalhasse em Pequim.

— Ele não pode fazer isso.

— Pode sim. Ele pode espalhar fofoca sobre mim com facilidade, se quiser.

— Ele sabe qual é o tipo de trabalho que você faz?

— Não agora — Gao Lan respondeu. — Pelo menos, acho que não. Mas segredos são difíceis de guardar. Se ele descobrisse e espalhasse — os olhos dela percorreram o apartamento, a praça central reluzente lá embaixo, do lado de fora das janelas —, as portas se fechariam para mim.

— Mas se ele for o pai, ele é responsável por Shuying, sob os termos do Acordo. Ele tem que tomar conta dela.

— Pedir a ele que faça isso é a mesma coisa que pedir a pele para um tigre.

Os olhos da americana se suavizaram com a compreensão.

— Percebo por que você se sente dessa maneira. Mas, *mesmo assim*, ele não pode intimidá-la. Eu não conheço as leis aqui, mas ele não poderia fazer isso nos Estados Unidos. Impossível.

Gao Lan sentiu um frisson de surpresa. Alguma coisa na americana tinha mudado. Parecia que ela não tinha gostado nada de saber que aquele outro homem a ameaçara.

— Mas, infelizmente, não sei de nada que possa detê-lo aqui na China — ela disse.

— Eu sei — disse a viúva. — Carey poderia detê-lo. Ele poderia dar um jeito nesse homem. Carey James? Está lembrada? Você o conheceu.

Gao Lan não reconheceu o nome de cara. Sacudiu a cabeça.

A estrangeira fechou os olhos.

— Na noite que você conheceu o meu marido. Na noite que vocês dois ficaram juntos. Na primeira vez.

— A única vez — Gao Lan disse. — Estou lembrada. O amigo do seu marido.

Agora ela se lembrava de Carey: alto, loiro, distante. Era ele que estivera com Matt, que pedira a ele que se despedisse dela e fosse para outro lugar.

— Ele vai ajudar — disse a viúva. — Eu garanto. Isso se a criança for do outro homem, não de Matt... e vamos saber a resposta daqui a alguns dias.

Gao Lan resolveu colocar em palavras o que notara um minuto antes.

— Por que você me ajudaria? Se Shuying não for filha de Matt?

— Vou dizer por quê. Uma mulher não fica parada enquanto vê outra ser ameaçada. É uma lei da natureza, no meu ponto de vista.

A chinesa traduziu aquilo, apesar de Gao Lan perceber que era capaz de mais ou menos acompanhar o inglês da mulher de Matt.

Então Gao Lan sentiu a própria guarda baixar e viu que lágrimas se acumulavam em seus olhos pela primeira vez.

— Sabe de uma coisa? Sinto muito em dobro. Primeiro e para sempre, sinto muito por ele ter deixado este mundo. Eu fiquei muito triste quando soube.

Isso fez com que as lágrimas da viúva começassem a escorrer.

— Sinto muito também pelo que fizemos juntos. Foi só uma vez. Achei que seria um segredo seguro, independente de você e da sua vida. Água de poço que não interfere na água do rio, foi o que eu pensei. Estava errada. *Duibuqi.*

— Isso significa sinto muito — disse a srta. Chu.

A americana assentiu, agora com rastros brilhantes pelo rosto.

Gao Lan prosseguiu.

— Mas quero lhe dizer uma coisa. Foi Matt quem acabou com tudo entre nós. Não eu. Eu quis continuar. Sinto, mas é verdade: eu quis sim. Ele disse não, que não o faria, porque amava você. Disse que tinha feito aquilo uma vez e teria que viver com a idéia, mas nunca mais repetiria. Ele me disse: "Eu a amo tanto." Foi o que ele disse.

Gao Lan teve que parar, já que tremia enquanto a chinesa passava tudo para o inglês. A americana escutou, então estendeu o braço e passou os dedos secos nas costas da mão de Gao Lan.

— Obrigada — ela disse.

— Tome um pouco de chá — Gao Lan disse, com um gesto para a mesa.

As duas outras mulheres balbuciaram em concordância, apesar de continuarem sem tocar nas xícaras.

— Há mais uma coisa — a americana disse.

— *Hai you yijian shi* — a srta. Chu traduziu.

A viúva enxugou o rosto com as costas da mão num movimento que obviamente fizera muitas vezes antes. Gao Lan ficou com pena dela.

Então Maggie abriu a bolsa que trouxera consigo e pegou um envelope, e dele tirou uma fotografia. Ela a entregou.

— Já viu isso? — disse, e a srta. Chu traduziu.

Gao Lan se inclinou para a esquerda para segurar a imagem embaixo da luz. Viu uma esquina, pessoas no chão, um carro na calçada. Engoliu em seco.

— É o acidente. — A voz da viúva estava embargada.

Gao Lan olhou para a foto de novo. Seu coração foi parar na boca. Era Matt. No chão, com uma mulher debruçada por cima dele.

Quando Gao Lan ergueu os olhos, eles estavam cheios de lágrimas mais uma vez. Ela devolveu. Não queria mais olhar para aquilo.

Mas a viúva a deteve.

— Espere. — Apontou para a foto. — Está vendo esta mulher?

— Estou.

— Carey diz que se parece com você.

— Comigo? Mas como? — Gao Lan olhou mais de perto. — Talvez. De certo modo.

— Então, está dizendo que não é você?

— Como poderia ser eu?

— Você não estava lá?

Gao Lan ficou olhando fixamente para a imagem enquanto escutava o chinês da srta. Chu. Ela? Em São Francisco? Ajoelhada por cima de Matt no momento de sua morte?

— Não. Nunca fui nem a Hong Kong. O lugar mais longe de casa a que já cheguei é aqui, Pequim.

A americana olhou para ela de novo. Depois para a foto. Uma tensão se esvaiu de seu rosto.

— Tem razão — disse lentamente. — Percebo. Não é você. — Ela olhou para Gao Lan durante um longo momento, então guardou o recorte na bolsa. — Devo ligar para você quando chegar o resultado do laboratório?

— Por favor — Gao Lan lhe deu um cartão, sem cargo, sem empresa. Só o nome dela em dois tipos de caracteres chineses diferentes e um número de celular. — Pode entrar em contato a qualquer hora. Escuro ou claro.

— Vou entrar — respondeu a mulher de Matt, e lhe entregou seu próprio cartão. Maggie McElroy. Colunista, revista *Mesa*. — Olhe, eu não disse e você não perguntou, mas também quero que saiba uma coisa. Se Shuying for filha de Matt, não vai ter nenhum problema comigo. Eu cuido de tudo.

— Obrigada — disse Gao Lan.

Ela se levantou com as duas e as acompanhou até a porta, onde ela e a viúva apertaram as mãos uma da outra por um segundo.

— Três dias, talvez quatro — a esposa de Matt disse. — Eu ligo para você.

No dia seguinte, sábado, tio Xie morreu. Sam ligou de manhã para lhe dar a notícia. Ela o consolou, compartilhando aquele peso, como amigos tinham feito por ela durante aquele ano. Ela também disse que sentia muito pelo momento. Dificilmente poderia ser pior. O banquete dele era naquela noite.

— É verdade — ele disse. — Está tudo uma loucura. Tanto que só tive tempo de ligar para uma pessoa para falar sobre isso. Só você. E não é engraçado eu ligar para você? Alguém que só conheço há uma semana?

— Como pode dizer isso? Estivemos juntos em Hangzhou. Eu conheci o seu tio.

— Ele gostou de você. Todos gostaram de você.

— Foi por isso que você me ligou — ela disse. — Porque eu estive lá. Eu vi quanto ele o amava. E ele também acreditava em você. Sinto muito, Sam. Sei que é um golpe.

— É mesmo — ele reconheceu.

— E não pense em mim como uma entrevistadora. Não mais. Já passamos dessa fase. Já escrevi quase todo o artigo, só deixei uma parte em branco, o fim. — O que eu quero dizer — ela explicou, com delicadeza — é que agora, quando conversamos, é como amigos. Eu não anoto mais nada. Não uso mais nada. Pode dizer o que quiser sem se preocupar.

— Eu não estava preocupado — ele disse.

— É só para você saber.

— Bom, pode ser que você queira escrever isso — ele disse. — Está acontecendo uma coisa estranha em Hangzhou. Vai além de tio Xie. É na cidade toda. É muito raro. O bambu está florescendo.

— Na cidade toda?

— Vai tomar a província toda antes de terminar.

— O que isso significa?

— O fim de uma era.

Ela refletiu sobre a questão por um segundo.

— Se houver uma nova era, Sam, acho que vai ser sua. Desejo-lhe boa sorte hoje à noite. Sinto muito pelo seu tio, mas também acho que, se ele estiver em algum lugar, observando, é o que ele deseja também. Uma refeição maravilhosa. Então, boa sorte.

— Obrigado — ele disse.

Um silêncio se instalou e então, quase que para sua própria surpresa, ele disse:

— Eu gostaria que você viesse.

— Esta é a sua noite. Não precisa me convidar para estar lá.

— Eu sei. Convidei porque quis.

— E se eu atrapalhar? É importante demais.

— É exatamente por isso que eu quero que você esteja aqui, por ser importante. Eu me sinto melhor quando você está por perto.

Ela ficou em silêncio. Então:

— Tem certeza?

— Tenho. Por favor, venha, bem antes do júri. Venha às seis. À casa do meu avô, atrás do portão vermelho, onde logo será meu restaurante. Você sabe. O Liang Jia Cai.

13

Quando é que o bambu floresce? É possível esperar a vida toda pela resposta e ainda assim não a obter. O bambu pode florescer apenas uma vez a cada cem anos. Mas, uma vez que começa, todos os bambuzais a seu redor também florescem, por centenas de quilômetros, por toda a região. Todos os bambus florescem e espalham sementes e morrem. Então, pode parecer que o florescimento do bambu é presságio de desgraça. Mas muitas são as histórias de ondas de fome, de homens enlouquecidos pela falta de comida, e de repente, naquele momento, o bambu floresce. Os ratos do bambu se entopem de sementes e procriam demais; as pessoas esfomeadas os comem e suas vidas se salvam. Sementes suficientes chegam ao solo para dar origem a novas plantas, e o ciclo do homem e sua comida começa mais uma vez. Portanto, o florescimento do bambu significa tanto o fim quanto o começo.

— Liang Wei, *O Último Chef Chinês*

Mais tarde naquela mesma manhã, Maggie foi até o escritório para dizer a Carey o que desejava que ele fizesse.

— Devo receber os resultados em dois dias, três no máximo — ela disse. — Se ela for filha de Matt, demonstre total cooperação.

— Não podemos fazer nada diferente — Carey disse, e Zinnia assentiu.

— Mas se não for, se ela for filha do outro sujeito, quero que você ajude Gao Lan. Zinnia contou, não é? Sobre as ameaças que ele fez a ela?

— Contou sim — respondeu Carey. — E continuo dizendo que não tem nada a ver com você.

— Ela tem medo dele — Maggie retrucou. — Mais do que devia ter, acho, mas ela tem. Ela incorporou esse medo. Ele passou a fazer parte dela. — *Como eu fiz com o meu luto durante todo o ano que se passou.* — Ela não tem como se aproximar dele. Alguém precisa intervir.

— Qual é a sua idéia?

— Que você diga a ele quais são as responsabilidades dele. Só um homem pode fazer isso. E um advogado. Em vinte minutos, você consegue enfiar bom senso na cabeça dele.

— Ainda não sei bem se é o nosso papel.

— Se eu pagar por hora e pedir que você faça isso, vai ser o nosso papel?

Ele ergueu as mãos.

— Tudo bem. Já entendi. Tudo bem.

Ela e Zinnia trocaram olhares de satisfação.

— Mas, primeiro, pega o resultado do exame. O.k.? Me liga. A hora que for. — Então, ele lançou seu sorriso mais sacana para ela. — Porque você sabe: eu fico acordado até bem tarde.

Na hora do almoço, Maggie parou em um restaurante Sichuan de Chongqing e pediu saborosas e macias tiras de filé de enguia com pedaços de pimentão e dentes de alho levemente grelhados. Assim que experimentou, viu que não conseguiria parar de comer, de modo que continuou a beliscar pedacinhos até consumir quase tudo que estava na travessa. Enquanto comia, deixou a mente divagar. Pensou no que errara em sua vida e no que acertara. Matt tinha sido um acerto. Ela ainda pensava assim, mesmo agora, depois de Gao Lan. O.k., ele pisara na bola. Ela também sabia que ele devia ter sofrido por aquilo. Nada pesava mais sobre Matt do que uma confissão guardada. Pobre alma. Ela de repente desejou que ele tivesse lhe contado enquanto estava vivo, para que ela pudesse ter perdoado. Ela o teria perdoado, da mesma maneira que o perdoava agora. O amor deles tinha sido maior do que um erro.

Ela se lembrava do dia, um ou dois meses antes de ele morrer, quando os dois estavam prontos para sair mais uma vez de viagem. Normalmente, gostavam de viajar. Naquele dia, porém, ela acordou ciente de que não queria ficar longe dele. Não sentiu a costumeira ânsia por liberdade, por espaço, por uma casa tranqüila só para ela ou um quarto de hotel. Queria que os dois pudessem ficar em casa.

Não havia nenhum pressentimento. Ela não fazia a menor idéia do destino que se abateria algumas semanas depois. Só sabia que, naquele momento, ela o amava de um jeito diferente, não queria deixá-lo. Pensou sobre isso enquanto comia as balas em formato de milho do saquinho que ele deixara para ela na escrivaninha.

Naquela noite, ela bateu no portão vermelho de Sam exatamente às seis e, por cima do muro, escutou o *pfit-pfit* já familiar dos sapatos de tecido dele enquanto atravessava o pátio para abri-lo. Viu o brilho de suor de ansiedade por cima de suas bochechas.

— Grande noite — ela disse baixinho.

O avental dele já estava vincado, e, por baixo, o suor se acumulava na camiseta. Ela teve vontade de abraçá-lo, só um apertão rápido de apoio, mas segurou-se e deixou a solidariedade se exprimir apenas em seus olhos. Não seria correto extrapolar aquele limite e jogar os braços ao redor dele. Nada deveria abalar seu equilíbrio naquela noite. Além do mais, ela estava escrevendo uma matéria sobre ele. E ainda não tinha aquele último parágrafo, cheio de importância, ainda por escrever, sobre esta noite.

— Pelo menos, estamos no horário.

— Que bom.

Deram a volta na tela e ela reparou na árvore em espiral que lhe dera de presente, lindamente colocada perto de uma mesinha de pedra com quatro banquinhos de pedra. Sentiu uma onda de carinho.

— Eu sei que vai ser maravilhoso. Estou sentindo.

— Dos seus lábios para os meus deuses da cozinha.

Subiram os degraus da varanda até o salão de jantar, e ele abriu a porta para ela.

— Fico pensando sobre o seu pai — ela disse —, sobre o fato de ele ter vindo. Ele vai estar em Pequim hoje?

— Disse que sim. Pode ser que venha hoje à noite. Não temos certeza. Todo mundo está morrendo de tristeza por causa de Xie.

— Espero que consigam deixar de lado.

— Estamos tentando.

— Ele está gostando de ter voltado, o seu pai?

— Está adorando! Você tinha que ouvi-lo falar. Como a Associação de Alimentação e Restaurantes de Zhejiang o recebeu com flores, só pelo fato de ele ser um Liang. Eu disse a ele que era merecido. Veja o que eu fiz aqui.

Ela o seguiu pelo salão, iluminado com lanternas de seda em formato de lótus, arranjado com uma mesa magnífica para o júri.

— Está lindo — ela disse.

O salão já não estava mais vazio como antes, mas pronto para a ocasião. Havia velas enormes em suportes altos, que, ela sabia, ele acenderia depois. Havia divãs embutidos nas paredes. Portas fechadas escondiam salinhas particulares. O mundo lá fora tinha desaparecido. Ela sentia a impressão estranha de que poderiam estar parados em quase qualquer momento da história.

A cozinha estava bem diferente do salão sereno, cheia de gritos, de caos. Por cima de todas as superfícies, havia tigelas e cestas e travessas de ingredientes frescos e com todo tipo de legume e de erva e de pasta, picado e moído e misturado. Havia frangos e patos recém-abatidos. Um dos velhos tios de Sam (estes eram os outros dois, os que ela não tinha conhecido) preparava uma das aves, virando a carcaça quente e fresca no colo.

— Conhece meu Segundo Tio, Tan? — Sam disse.

— *Ni hao*. — Tan fez uma mesura com a cabeça.

— E este aqui é Jiang, o Primeiro Tio — disse Sam.

— Olá.

— A jornalista! — disse Jiang, em inglês. — Muito bom. Entre!

— Só vou observar — ela disse. — E, por favor, saibam que sinto muito por sua perda.

Sam traduziu e os dois tios agradeceram.

— São seus assistentes? — ela perguntou a Sam.

— Na verdade, cada chef tem direito a três assistentes. Eu só estou usando dois. Como sabe, meu Terceiro Tio não pôde viajar. Estes dois estão sendo maravilhosos.

— Tenho certeza que sim — ela disse.

Então examinou o recinto, as fatias brilhantes de cebolinhas, verduras e brotos, montes pálidos de repolho, quadrados brancos reluzentes de tofu. Uma tigela azul e branca continha cabeças de peixe cru, carne rosada, pele prateada, olhos brilhantes e lustrosos. Ah, a sopa, ela pensou, sentindo-se cada vez mais animada. De Hangzhou.

Sam enchia um molde redondo à sua frente. No fundo havia um naco quadrado de carne de porco marrom-escuro grelhada na brasa, com a gordura e a pele viradas para baixo. Ao redor da carne de porco, ele colocou arroz misturado com castanhas de ginkgo, tâmaras, brotos de lótus, fungo prateado, fungo de pinho.

— Porco *dongpo* de oito tesouros — ele disse. — A minha versão de um clássico. — Fechou tudo com papel-alumínio, bem apertado. — Vou assar no vapor por duas horas. O molho marrom vai penetrar em tudo. Mas vou tirar um pouco da gordura antes de servir e... espera só. Você vai ver. Vamos falar muito disso.

Do outro lado da cozinha, Tan tinha terminado de preparar o frango e agora se aprontava para esculpir os legumes, nabos e rabanetes compridos, do tipo *daikon*.

— Ele é ótimo com a faca — Sam disse, olhando para o tio. — Ele é que me ensinou. Agora olha aqui.

Sam pegou o frango morno e fresco de Tan e o posicionou na tábua de corte. Com uma faca pequena e afiada, cortou na borda da cavidade do corpo do frango e foi deixando a lâmina penetrar. Separou a pele da carcaça com amor, de milímetro em milímetro, separando a carne sem deixar o menor corte ou rasgo. Mal dera tempo de ela respirar. Em um minuto ele já tirara toda a pele do frango, em uma peça só, e a exibia, sorridente.

— Uau, parabéns! — ela disse.

— Que tal isto? — Ele estava orgulhoso de si mesmo.

— Você devia ter sido cirurgião.

— Não! Eu devia ter sido isso aqui, exatamente o que eu sou. Bom, chamamos isso de pijama do frango. — Ele colocou a pele de lado. — Observe. Depois você vai ver.

— Eles conseguem tirar a pele desse jeito? — Ela olhou para os tios.

— Não — Sam respondeu. — Não conseguem. Nenhum dos dois. Não há muitos chefs capazes de fazer isto. A gente tem que saber sentir — Ele passou para o chinês e gritou alguma coisa para o tio Jiang, que estava na mesa seguinte picando ingredientes que Sam combinaria para rechear a pele do frango: repolho, cogumelos secos exóticos, pele de tofu, cebolinha e presunto de Yunnan curado com sal.

— Você devia colocar arroz no recheio — Jiang disse em chinês.

— Não — Sam insistiu. — Arroz, só no fim.

Isso porque já havia o arroz suculento das formas de carne de porco, de sabor profundo por causa do molho cor de mogno e seus oito tesouros, e o porco *dongpo* em si. Era arroz suficiente.

Maggie não compreendia aqueles arroubos de chinês, mas viu quando o Segundo Tio de Sam, Tan, levantou-se do outro lado da cozinha e ergueu a tampa de uma jarra de pedra grande. Ele a ergueu e a inclinou para encher uma xícara, que bebeu bem rápido.

— *Xiao Tan* — Jiang o repreendeu.

Tan ergueu a mão. Não queria nem saber.

— Meu coração é velho — reclamou.

— O meu também! Como você acha que eu me sinto, agora que o Pequeno Xie se foi deste mundo? Igual a você. Estou queimando por dentro. Mas agora estamos precisando de total atenção. Temos que ajudar o sobrinho.

— Eu estou atento — Tan resmungou, mas cobriu a jarra e voltou aos seus legumes. Ele ficou vermelho, reluzente, visivelmente mais feliz depois da bebida. Maggie observou tudo aquilo.

Sam também observou.

— Tan passou metade da noite acordado — explicou. — Meu pai ligou para ele e o acordou no segundo em que aconteceu.

— É muito difícil para eles. E para você.

— É sim. Obrigado.

Mas ela continuava sentindo um mal-estar no ar. Sam e Jiang não gostavam de ver Tan bebendo. Seria melhor para ela sair da cozinha e ir dar uma volta antes de o júri chegar.

— Você se importa se eu for dar uma olhada por aí?

— Vá — Sam respondeu. — Vá aonde quiser.

Ela deslizou para fora da cadeira. Sam estava debruçado em cima de suas receitas. Ela trocou gestos de cabeça e sorrisos com os tios e empurrou a porta pesada para abri-la. Gostou de como era difícil de abrir. Gostava que algumas coisas fossem pesadas: um espeto de mexer na lareira, as cobertas da cama, as teclas de um piano. Matt era pesado, bem maior do que ela. Um peso protetor.

No salão de comer, as luminárias de madeira de pé formavam rodas de luz contra o breu da estrutura bem encaixada do telhado e das lajotas pretas do piso. As janelas altas se escancaravam para o pátio, onde as luzes do jardim brilhavam entre as flores em vasos e as peças de madeira trabalhada.

Ela deu uma olhada nas pequenas salas reservadas. Duas tinham mesas redondas e cadeiras. Uma tinha um piano. Um piano! A visão do instrumento sempre a lembrava do aconchego do apartamento da mãe. Ficou imaginando se estava afinado.

Atravessou o pátio. A luz começava a desaparecer no céu. A segunda sala de refeições ficava ali. Aquela era diferente, com paredes brancas, arte contemporânea e também portas que davam para reservados.

Ela olhou dentro da menor sala, que dava para a face norte. Não tinha sido restaurada. Era ali que ele tinha ficado enquanto a casa era reformada. O teto alto de madeira estava gasto, com metade da pintura descascada. As paredes estavam cheias de rachaduras. Azulejos pretos e brancos cobriam o chão, com algumas peças faltando.

Ela apagou a luz e foi até a última sala, que dava para a face sul. Era onde ele vivia agora. O quarto era aconchegante, continha uma vida. A cama estava amarrotada. Um laptop piscava em cima da mesa. Havia roupas dobradas em pilhas embaixo da janela.

Ele tinha lhe dito que fosse aonde quisesse, mas aquilo já era xeretar. Aquele era o quarto particular dele. Ela não entrou, só ficou parada à porta, olhando.

Como nos outros aposentos, este também tinha janelas altas. Tinham tela e estavam abertas, presas por correntes. Através dela, ela enxergava pedaços de telhados e de céu.

Ela se apoiou no batente da porta. Era confortável. Na China, encontrava-se calmaria em lugares inusitados, e mais uma vez ela teve a sensação curiosa de estar em qualquer ponto no tempo. Ela se sentou como se o peso de sua vida lhe tivesse sido tirado, como se o mundo que conhecia lhe tivesse sido arrancado. Aquele era um lugar estranho, longe de casa. Ela realmente não pertencia a este cenário. Então, por que a idéia de surpresa vinha à tona toda hora, erguendo-se dentro dela como uma bolha, dando a impressão de que talvez fosse ser interessante ficar ali?

Ela saiu do quarto de Sam Liang. Ao atravessar o caminho pelo pátio, escutou as vozes em chinês vindas da cozinha. A interação de sons era como música abstrata para seus ouvidos. Quando abriu a porta da cozinha, viu que Jiang discordava de Sam em algo. Tan estava afastado, sozinho, esculpindo seus legumes com vontade. Já tinha feito pássaros e animais. Parecia meio abatido.

— Bem na hora certa — Sam disse a ela. — Eles vão chegar logo.

— Você estava discutindo com ele? — ela disse quando Jiang retomou sua tarefa.

— Ele achou que eu estava usando caranguejo demais.

— E por acaso isso é possível? Como?

Ele deu uma risada.

— Achei que não — ela respondeu, triunfante. — Qual é a receita?

— Tofu-esponja. É uma receita bem simples, mas na versão imperial, que é a mais altiva. O negócio é que se você ferver o tofu bem rápido, por meia hora, ele vai se encher de buracos. Vira uma esponja, pronta para esguichar molho quando é mordida. Bom, a receita normal pode mandar temperar com cebolinha e molho de ostra. Sabe como é, qualquer coisa. Mas não eu. Estou preparando uma redução com trinta caranguejos.

— Mas parece maravilhoso!

— E nem uso a carne. Só as conchas, a gordura, as ovas. Tudo reduzido e engrossado até ficar na espessura certa para mergulhar o tofu e ficar lá dentro. Até que alguém morda. É uma receita de artifício. Percebe? Chega à mesa parecendo uma coisa. A comida mais simples do mundo. Mas daí, quando você experimenta, vê que é outra coisa.

— Não dê ouvidos a eles. Simplesmente faça.

Sam parou e virou a cabeça na direção de um som, no portão. Uma batida. Estava baixinho quando chegou à cozinha, lá no fundo, mas aquela era a casa dele e ele sabia muito bem o que era.

— Primeiro Tio! Eles chegaram.

— Ah! — Jiang arrancou o avental e alisou as calças, ansioso de repente, atarantado.

— Você está ótimo — Sam disse. — Vá.

Maggie segurou a porta pesada aberta e viu quando ele parou para acender as velas e acender mais lâmpadas para iluminar os versos escritos a mão espalhados pelas paredes. Então ele se apressou para o portão.

— Quantos juízes são? — ela perguntou a Sam.

— Seis. Todos especializados em comida, do Ministério da Cultura e da Associação de Restaurantes de Pequim.

— Lá vêm eles. — Ela espiou pela porta.

Sam largou a faca e foi até o lado dela para espiar pela fresta. Os jurados foram entrando, todos homens, com um membro sênior, todos com ternos escuros, sorridentes, enquanto o Primeiro Tio os recebia. Era correto que ele o fizesse: era o mais velho. Quando os acomodou em seus assentos, ao redor de pratinhos diminutos de picles e favas assadas com sal, serviu um chá *oolong* aromático e raro enquanto fazia uma pequena introdução brilhante à tradição culinária da família Liang.

— Agora! — ele sibilou por entre os dentes quando voltou para a cozinha, apressado. — Está pronto?

Mas Sam já estava com as primeiras entradas arranjadas para servir. Depois de um pequeno intervalo para que os comensais relaxassem, Jiang levou um picadinho de ervas silvestres e tofu seco, bolinhos macios de glúten com sabor levemente adocicado e vagem-jacinto. Ele retornou ao pato avinagrado cheiroso, regado com vinagre Shanxi. A última entrada era marisco fresco com molho grosso de soja, vinagre e ervas aromáticas.

— Isso é *nong* — ele disse, aproximando o molho dela, para que sentisse o cheiro. — O sabor concentrado e escuro.

O ruído de gente comendo e risadas se fazia notar na sala de comer a intervalos regulares. As entradas foram consumidas, junto com o chá e os primeiros brindes com vinho.

O próprio Sam levou os primeiros pratos principais. De acordo com o padrão clássico, começou com receitas fritas, crocantes e de aparência delicada: filés de enguia salgados similares a pequenas pastilhas translúcidas, que lembravam a descrição que seu pai fez da refeição que preparara para a mãe e o filho no pântano; um refogado aromático de cebolinhas amarelas incrustadas de minúsculas ostras fritas delicadas.

De volta à cozinha, ele refogou folhas de mostarda suculentas com macarrão de pele de tofu bem comprido e achatado e brotos de soja grelhados, encorpados e frescos. Eles brilhavam no prato, envoltos por um molho leve e cristalino. Depois, vieram espetinhos de cordeiro, grelhados com todo o cuidado, cobertos de gergelim.

Do outro lado da cozinha, Sam reparou que o Segundo Tio parecia radiante demais com a faca na mão. Tinha bebido demais. Estava tão mal que usava uma faca para entalhar verduras; era preciso afastá-lo da comida. Sam e Jiang teriam de fazer tudo sozinhos. Será que conseguiriam?

— Quando Baba chega a Pequim? — Sam perguntou, em chinês, numa altura em que só Jiang escutaria.

Jiang entendera; lançou um olhar discreto na direção de Tan.

— Na verdade, ele já está aqui.

Sam se virou de supetão.

— Já chegou?

— Faz algumas horas.

— Por que não ligou?

O tio mais velho olhou para ele com muita paciência.

— Esta noite é sua.

Sam compreendia, mas mesmo assim: ficar longe da casa de sua infância?

— Onde ele está?

— Na casa de Yang. Não é longe.

— Pode ser que precisemos dele — disse Sam.

— Pode ser que sim — Jiang concordou. — Mas vamos esperar. Sabe, sempre foi difícil para seu pai ser filho do pai dele. Ele nunca foi o original nem o verdadeiro, só o filho. Ele sabe muito bem que você está aqui sozinho há quatro anos conosco. É assim que ele quer que você vença hoje à noite. — Jiang ergueu uma sobrancelha branca. — Eu concordo com ele.

— A menos que precisemos dele — Sam contemporizou.

A essa altura já se ouvia um arroubo de sucesso vindo da sala de comer, o som de conversa agradável, risadas, pessoas se deliciando, compreensível em qualquer língua. Todos na cozinha sorriam, Jiang, Sam, até Tan, ainda de lado, esculpindo nabos.

Sam fez um sinal para Jiang, assinalando uma pausa. Hora de servir vinho de Shaoxing, espesso, aromático, em diminutos copos de pedra. Tio Jiang serviu da jarra grande para uma menor, mais preciosa, que seria levada à mesa; tinha gravadas as palavras do poeta Po Chu-I, do século IX: *O que eu poderia fazer para aliviar um coração rústico?* Sam planejara assim cada pequeno detalhe, para sustentar o tema da refeição. Posicionou a jarra com suas palavras na bandeja. Torceu para que os comensais tivessem seus próprios pensamentos rústicos na cabeça. Talvez assim eles se lembrassem das palavras de Confúcio: *Com grãos toscos para comer, água para beber e o meu braço dobrado como travesseiro, eu continuo sendo feliz entre estas coisas.*

Quando a bandeja ficou pronta, Jiang fechou a jarra de vinho e a guardou bem no alto do armário, fora de alcance.

— Eu vi! — Tan disse.

— Espero que sim! — Jiang disparou em resposta.

Enquanto os jurados bebiam e brindavam os pratos à mesa, Sam tirou a próxima receita do forno, um frango perfeitamente robusto, bem assado, com cor de mel amarronzado. Não, ela pensou, não é frango: aquilo era a *pele* do frango.

— Tem algum frango aí dentro?

— Nenhum — ele respondeu. — Legumes picados e presunto. Corta-se como um bolo. Aqui, entramos na parte do menu que brinca com a mente. Você vê uma coisa e sente o gosto de outra. O objetivo disso é despertá-lo, fazer com que perceba que estava devaneando. Entende o que quero dizer?

— Eu me sinto assim o tempo todo aqui — ela disse. — Parece que toda a minha vida antes de eu vir à China foi um devaneio.

— *Wo yiyang* — Sam respondeu. Eu também.

Ele se voltou para Jiang e Tan, que tinha se levantado de seu canto como que por mágica, para se juntar a eles no balcão central. Os três rapidamente criaram uma travessa monumental, ajeitando o frango crocante inteiro sobre uma camada quebradiça de espinafre frito junto a um nabo esculpido no formato de uma mulher branco-perolada, com vestido esvoaçante e olhos e lábios destacados por corante de alimento, as mãos abertas em um gesto de gentileza universal. A criação provocadora foi levada ao salão, destrinchada e recebida aos berros pelos comensais. Na cozinha, Sam ergueu o suporte de assar no vapor para conferir as costeletas nas folhas de lótus. Estava quase na hora.

Atrás deles, ouviram um grito. Maggie se virou e viu a mão de Tan erguida, agarrada pela outra que mal escondia um jorro de sangue. Ele tinha se cortado. Ela pegou um pano limpo e pulou na direção dele, aplicando pressão sobre o ferimento.

— Obrigado, Maggie — Sam disse, e então, em chinês, para Jiang: — Vamos passar para a sopa.

Ele a preparou em uma enorme sopeira azul e branca: o caldo de peixe intenso e absolutamente delicioso, as bolinhas de peixe como se fossem nuvens frescas, o tofu sedoso, as folhas de mostarda. A enorme travessa era pesada demais para Jiang.

— Deixe que eu levo — disse Sam, erguendo-a.

Quando ele entrou na sala com a sopa, fez-se ouvir um murmúrio geral de aprovação que logo virou aclamação. Ele lhes disse que a sopa era uma homenagem a Hangzhou.

Então estavam prontos para o tofu com molho de caranguejo. O dedo de Tan tinha parado de sangrar e estava com um curativo, de modo que

Maggie se aproximou para observar. Sam reduziu o caldo e então o engrossou com emulsão de gordura e ovas de caranguejo. Só o suficiente, ele lhe explicou, para que penetrasse no tofu e lá ficasse.

Quando o molho estava no ponto, ele colocou lá dentro as fatias de tofu esponjoso e as cobriu com o caldo.

— Isso se cozinha em fogo baixo. O tofu vai absorver todo o molho. Parece só tofu, uma receita de camponeses, quando chega à mesa. Daí o caranguejo esguicha quando se morde. É muito bom. Toma. Experimenta. O gosto vai ser esse. — Ele pegou uma colherada e colocou em um potinho limpo, que ergueu e levou na direção dos lábios dela. — Pode provar.

Ele abriu a boca e deixou que o caldo se derramasse. Era sabor de caranguejo multiplicado muito mais vezes do que ela jamais imaginou ser possível.

— O que é? Nunca experimentei um sabor de caranguejo tão intenso.

— O segredo são as carapaças — ele respondeu. — A parte que a maioria das pessoas joga fora. Está quase pronto. — Ele ficou próximo ao tofu, monitorando o cozimento. — Agora! Vamos.

Ele pegou a travessa de aparência rústica que selecionara e dispôs o tofu sobre ela. Yuan Mei disse que não havia nada mais sofisticado do que as tigelas e travessas mais simples. Aquele prato indicava "comida simples". Servia para completar a ilusão: tudo se estraçalharia quando o comensal sentisse o gosto do molho de caranguejo. Este, ele pensou, pode ser seu melhor prato.

— Pronto? — Jiang perguntou e logo levou o prato na direção da porta. Bem naquele instante Tan se levantou, perdeu o equilíbrio e caiu para trás, bem em cima de Jiang.

A travessa voou das mãos do Primeiro Tio. Todo mundo viu. Mas ninguém podia fazer nada para impedir que o prato traçasse um arco no ar e se espatifasse no chão. Cacos de louça grandes e quebradiços caíram por cima do tofu com molho de caranguejo.

Todos ficaram parados, em círculo ao redor do estrago, olhando.

Sam arfava. Os trinta caranguejos. A glória do sabor.

— Quem tirou essa cadeira do lugar? — Tan perguntou, irritado. — Sobrinho? Foi você? Não estava aqui antes.

Sam o ignorou e se voltou para Jiang. Estava pálido.

— Agora vai faltar um prato — disse.

— Vou ligar para o seu pai.

— Deixa que eu ligo — disse Sam.

— Sobrinho — Tan insistiu, com a voz bêbada. — Você tirou do lugar?

Sam só olhou para ele. Sabia quando era hora de armar uma couraça para conseguir seguir em frente, e esta era uma dessas horas. Ele virou para o outro lado. Enquanto digitava o número de Liang Yeh no celular, de canto de olho, viu quando Maggie foi até onde tio Tan estava e colocou as mãos nos ombros dele. Na outra ponta da linha, o telefone tocava.

— O senhor deveria se sentar e descansar um pouco enquanto limpamos tudo — ele a ouviu dizer. — E não diga mais nada a Sam agora. — Com gentileza, empurrou-o para a cadeira.

Em seu estado de embriaguez, uma estrangeira se aproximar dele e de fato tocá-lo era demais; fez exatamente o que ela disse e se afundou em sua cadeira, mudo.

— *Wei?* — Sam ouviu Liang Yeh dizer do outro lado.

— *Wei* — Sam respondeu. — Pai. Preciso de você. Por favor, venha agora mesmo.

— Meu filho, isso...

— Agora — Sam interrompeu. — Estou falando sério. Por favor.

— O q...

— Tivemos um acidente.

Silêncio. Escutou pequenos sons longínquos.

— Estou indo agora mesmo — Liang Yeh respondeu.

Demorou só alguns minutos até ele chegar, um homem pequeno de mais idade, que entrou pela porta dos fundos da cozinha com passos silenciosos.

Tan ergueu os olhos para ele, sem entender nada:

— Como foi que você entrou?

— Por mais longe que um homem possa ir, ele sempre sabe como voltar ao lugar onde nasceu — Liang Yeh brincou.

— Baba — Sam disse, e os dois se aproximaram.

Sam ficou abraçando o pai durante muito tempo. Ele sentia que Maggie o observava, incapaz de tirar os olhos deles. *Este sou eu. Dê uma olhada. Ele faz parte do pacote.* Os dois se afastaram e ele a apresentou.

— Olá — ela disse, sorrindo para ele.

Ela estava no chão, limpando o resto de caranguejo. Ela insistira em fazê-lo, enquanto ficava de olho em Tan. Sam ficou agradecido.

Ele levou o pai até a área de cozinhar, dando-lhe explicações, e fez com que experimentasse o molho de caranguejo que acabara de se perder.

— Maravilhoso — Liang Yeh sussurrou de olhos arregalados, o rosto aberto em um sorriso de surpresa. Era uma expressão que Sam acreditava nunca ter visto no rosto do pai antes. — Quantos caranguejos?

— Trinta.

— Trinta! — As sobrancelhas grisalhas de Liang Yeh se arquearam. — Magnífico! Eu adoro caranguejo.

— No que diz respeito a caranguejos — Tan cantarolou —, minha mente é viciada neles, minha boca aprecia o sabor deles e não me esqueci deles nem um dia da minha vida.

— Você está bêbado — Liang Yeh disse.

— Mas falou bem — Jiang disse. — Isso é Li Yu, 1650. Palavra por palavra.

— Ainda assim, está bêbado. Velho amigo. — E Liang Yeh abraçou Tan, que chorou um pouco em seu ombro, e então Jiang, que o abraçou de maneira forte e silenciosa.

Eles tinham se encontrado algumas horas antes, mas ainda pareciam comovidos por estarem juntos: agora eram velhos, mas estavam reunidos.

— Senhores — disse Sam. — Preciso de mais um prato. Rápido.

Mas Liang Yeh estava em seu próprio ritmo, como sempre. Agora ele olhava para a mulher branca ali no canto, com o traseiro para cima, limpando o chão.

— Ela é... — ele disse.

— Não, Baba. Só amiga. Na verdade, está me entrevistando para uma revista. Então, meio que amiga. Uma colega.

— Meio que amiga — Liang Yeh respondeu. — Ela não fala?

— Não. Mas, que eu saiba, você fala inglês. Agora, vamos. Um prato.

— Certo. — Com relutância, ele deixou de lado as especulações naturais advindas da visão de Maggie no chão de Sam. — Em que ponto está?

— Aqui. Está vendo o menu? — Sam apontou para um ponto na página.

— O tofu-esponja — disse o pai. — O que mais pode me dizer sobre a sala, os poemas, o serviço de mesa?

— Há os versos pregados na parede — Sam respondeu. — Escolhemos um texto de Su Dongpo, um poema sobre percorrer o Grande Canal de barco. Tio Jiang fez a caligrafia. Diz o seguinte:

O som de cortar peixe vem da proa
E a fragrância do arroz cozido, da popa.

— Muito bem — disse Liang Yeh. — Deixe-me ver a decoração do salão. — Ele espiou pela fresta da porta. — Você deixou tudo lindo.

— Tenho certeza de que podia ter feito melhor — Sam respondeu, ciente de que não podia, mas usando a modéstia automática que era típica dos chineses.

Sam ficou surpreso ao perceber que estavam conversando em chinês. O pai não falara muito na sua língua-mãe quando Sam era pequeno, teimava em se ater a seu inglês simplificado, passando assim uma imagem simplificada de si mesmo para o mundo. *Não é por menos que você se retraiu.* Agora o mandarim profundo de Pequim, cheio de *rrrrr*, voltava a se instalar no pai.

— Você também sabe falar — ele disse para Sam, admirado.

— Ainda estou aprendendo. Depois, eu lhe mostrarei a casa. Reformei tudo, menos o quartinho virado para o norte. Foi onde eu fiquei morando durante a reforma. Mas não é mais como você se lembra, Baba. Só tem um pátio.

— Este era o pátio da minha mãe — Liang Yeh disse baixinho. — Chao Jing. — E Sam viu a chuva encher seus olhos. — Era aqui que ela passava a maior parte do tempo. A cama dela ficava ali. — E ele apontou para as salas reservadas. — Certo. — Afastou-se da porta. — Prossiga. E o que mais está servindo?

— Levamos o vinho de Shaoxing na jarra do "coração rústico"... Sabe qual? — disse Sam.

— E como sei! É do meu pai. — Liang Yeh o seguiu de volta à área de preparo dos alimentos, pegou o menu e o examinou. — O tofu-esponja era sua segunda receita de artifício.

— Era. A primeira foi a pele crocante de frango inteira, recheada com outras coisas.

— Então você perdeu uma receita de artifício. Precisamos de alguma coisa intelectual — disse Liang.

— Ou histórica — disse Sam. Ele passou para o inglês. Chinês era para alusão, inglês, para precisão. Agora que sabia falar os dois idiomas, entrara em outro domínio na relação com o pai. Aquilo mudava tudo entre os dois. — Sabe, a nostalgia tem muita força aqui neste momento, por causa da rapidez com que as coisas mudaram. Qualquer coisa que realmente prenda a atenção de uma pessoa culta é automaticamente provocadora; desencadeia uma enxurrada de idéias na cabeça das pessoas.

— Certo. — O pai examinou os balcões, fez um levantamento dos ingredientes. — Será que dá para ganhar um pouco de tempo? — Continuavam falando em inglês. — Servir alguma outra coisa?

— As costeletas de porco em folhas de lótus — disse Sam. — A receita de tio Xie. Estão prontas.

O pai dele se virou.

— Ele lhe ensinou? Ótimo. Faça isto, então.

Quando Sam tinha acabado de servir as costeletas, conversar com os comensais e voltar, Liang Yeh já estava com uma receita a caminho. Sam observou enquanto ele trabalhava com farinha de castanha, fubá e carne de porco picadinha. Ele fazia aquilo com tanta facilidade... *Por que escondeu durante tantos anos? Por que se recusava a cozinhar? Valeu a pena ter tanto medo assim?*

— Você não vai precisar desta carne de porco, vai?

— Não — disse Sam. — Tirei da parte de cima das costeletas.

— Nunca desperdice comida — disse Liang Yeh.

Jiang soltou uma risadinha do lugar onde estava, cortando, mas Sam não riu. Respirou fundo, adorando tudo aquilo. Ele se sentia em casa: na cozinha, ao lado do pai. Era a raiz de seu acorde, apesar de nunca tê-lo ouvido tocar antes.

— Sim, Baba — ele respondeu, obediente. — Não desperdicemos comida.

O pai preparou três receitas frias sem carne, uma de palitinhos de pepino macerados com molho e outra de fatias finíssimas de nabo-melancia rosado com molho leve. Grãos de soja grelhados na brasa (que tinham sobrado dos preparativos da véspera) tinham sido temperados com folhas rasgadas do cedro chinês.

Depois, preparou a carne e a massa. Primeiro, marinou a carne de porco picada. Enquanto pegavam o tempero, ele trabalhou com a farinha de trigo e um pouco de gordura até chegar ao peso exato desejado, aí fez bolinhas com a massa e as passou no gergelim. O próximo passo foi adicionar castanhas d'água picadas à carne e fritá-la rapidamente sobre uma chapa com alho, gengibre, cebolinha e soja até ficar marrom bem escuro e macio. Então ele pegou outra *wok*, colocou de ponta-cabeça em fogo alto sem nada dentro, até ficar bem quente; depois disso, apertou as bolinhas de massa até se transformarem em pequenos discos e as espalhou por todo o interior da panela, apertando um pouco com os dedos.

— Esta é mais uma receita da Imperatriz Viúva — ele disse ao filho. — Esta aqui lhe veio em sonho. Sabia disso? A Velha Buda sonhou, e aí ordenou a seus chefs que a preparassem. — Ele sorriu. — Na verdade, não é nada má — disse.

A *wok* com os disquinhos de massa dentro voltou para o fogo, de ponta-cabeça e um pouco inclinada, agitada com cuidado e observada o tempo todo, até que todos os bolinhos estivessem marrom-dourados e prontos para serem retirados dali.

— Separe-os — Liang Yeh disse e entregou a travessa fumegante para Sam. — Recheie com a carne.

Sam começou a fazer isso; seus dedos voavam. Cada bolinho emitia um pufe cheiroso de vapor quando ele o abria e enfiava a carne. Nesse ínterim, o pai voltou a atenção para a outra tigela de massa, esta de farinha de sorgo e castanha, e a sovou até pegar o ponto. Dali, tirou uma fornada rápida de minúsculos cones em formato de dedal.

— Depois de todos esses anos? — Sam disse, pois reconheceu o que o pai estava fazendo: *xiao wo tou*. Era a receita que o obrigara a fugir de Gou Bu Li naquela noite. Era a receita rústica preferida da imperatriz, que Liang Wei avisara o filho para nunca fazer. — Por que agora?

— É melhor do que viver assombrado por fantasmas, não é? Além do mais, é uma outra ressonância do seu tema rústico. Para quem conhece história, a conexão vai agradar.

Ao observar a rapidez com que o pai trabalhava, era impossível para Sam acreditar que aqueles dedos tinham permanecido por 40 anos em estado de repouso.

Os cones de sorgo foram ao forno apenas por um instante (o combustível era escasso na rota de fuga da imperatriz) e logo saíram. Ele os ajeitou em uma travessa simples com os bolinhos minúsculos recheados de carne.

— Pense nisto como um intervalo à beira da estrada — ele disse ao filho enquanto ele ajeitava tudo ao redor de um nabo que Tan transformara em um cravo cor-de-rosa frágil.

— Devo contar a história por trás disso aos jurados? — Sam perguntou antes de levar a bandeja. — Porque acho que eles não vão saber.

— Claro que saberão — respondeu Liang Yeh. — É a Imperatriz Viúva.

— Irmão — Jiang o repreendeu. — Eles não vão saber. Isso foi esquecido.

Liang Yeh deu de ombros.

— Então, deixe estar.

Sam pegou a travessa das mãos do pai. Viu que ele ficava diferente ali, leve, quase à vontade, como deve ter sido quando jovem. A capa do exílio que não lhe caía bem tinha desaparecido, os ombros já não pendiam mais em sua ansiedade. Sam desejou que a mãe estivesse ali para ver. Ela amava Liang Yeh, amava sua gentileza e seu humor mordaz; ela ficaria contente de vê-lo tão feliz. Sam sentiu uma pontada de nostalgia, desejando que todos estivessem juntos, os três, com o pai daquele jeito, ali na China.

De volta à cozinha, Sam percebeu que Maggie agora estava sentada, observando. Ela prestava muita atenção. A presença dela o lembrava de que a maior parte das pessoas não observava as coisas com muita atenção. Bom, mas este era o trabalho dela. Ela era repórter. Ele se sentia bem sabendo que ela estava lá. Ela via tudo. Quase parecia que ele próprio enxergava sua vida com mais clareza quando ela estava ali para testemunhá-la. Mas logo ela iria embora.

— Quanto tempo mais você vai ficar na China? — ele perguntou.

— Tento não pensar sobre esse assunto.

— Por quê?

— Acho que eu não quero ir embora. Eu nunca achei que fosse gostar daqui, não tanto assim. Mas gostei. Eu me sinto bem.

— Então fica — ele respondeu.

— Não posso. Preciso trabalhar. Aliás — ela disse, mudando de assunto rapidamente —, seu pai é ótimo. Ele não perdeu a habilidade. Achei que você tinha dito que ele nunca cozinhava!

— Faz muitos anos que não cozinha — Sam respondeu. — Ele só é naturalmente ótimo. Ele é o último chef chinês.

— Não, Sam — ela disse. — Você é que é.

Ele sorriu.

— É por isso que eu não quero que você vá embora.

— Eu sinto a mesma coisa.

— Então, quem sabe você volta.

Ela não disse nada. Ele segurou a primeira forma por cima da pia e, com o apoio de uma peneira, desenformou tudo em uma peça só. Abriu a fenda só um pouquinho e um pouco de gordura de porco caiu na pia e chiou.

— Sobrinho! Seu juízo desapareceu e o abandonou! — Jiang voou para cima dele, vindo do outro lado da cozinha.

— Está lembrada? — Sam disse a Maggie, em inglês. — Eu disse que isso ia dar briga. — Então, retomou o chinês. — Tio, a gente não precisa de toda essa gordura.

— Mas esta receita é *you er bu ni.* — O sabor da gordura que não é oleoso. — Este é o objetivo!

— Esta gordura é suficiente.

— Deixe-o em paz! — exclamou Liang Yeh. — Você acha que ele não sabe qual a quantidade certa? Até a última gota? Só de olhar?

Algo se transformou no ambiente. Até Maggie sentiu os pelinhos do braço se arrepiarem.

— Talvez você tenha razão — disse Jiang, em chinês.

— Obrigado, pai — Sam disse, usando o inglês. Então, em chinês: — Já está muito encorpado. E esta é a primeira receita com arroz que servimos. Garanto que, para o *meishijia*, a gordura o aguarda, delicada e aromática como um suflê, logo embaixo da pele. — Ele se voltou para o pai. — Você serve. Por favor. Eu servi os seus bolinhos de sorgo e os sanduichinhos de carne de porco.

— *Xiao wo tou* e *shao bingjia rou mo* — o pai dele disse. — Aprenda os nomes em chinês.

— Vou aprender — Sam disse.

E Liang Yeh pegou a bandeja com um floreio, erguendo-a. Ouviram os passos elegantes dele pelo piso, o barulho dos pratos colocados na mesa e depois, dos jurados, gritinhos de descrença, submissão, quase um choro baixinho.

— Eles vão comer a gordura — Tan previu.

— Aposto cinco para dois que eles não vão comer — disse Sam. — Cem *kuai*.

— Fechado — Tan disse, satisfeito. Ele tinha cozinhado para *meishijia* a vida toda. Sabia que iam comer a gordura.

Jiang se afastou para deixar Liang Yeh entrar de volta à cozinha e espiou pela fresta da porta.

— Você ganhou — ele disse a Tan. — Estão comendo. Mais algum prato?

— Mais um — Sam disse. — A última metáfora. Agora ficou fácil. Eu preparei o caldo ontem. — Tirou da geladeira uma tigela grande com cerca de seis xícaras de um caldo endurecido com aparência encorpada. — Caldo de cordeiro. Fervi durante três horas: carne e osso de cordeiro com vinho e todo tipo de ervas aromáticas. Então deixei esfriar, tirei toda a gordura. — Ele colocou o caldo endurecido em uma panela. — Todo grande banquete termina com peixe — ele disse a Maggie, em inglês. — Vamos preparar carpa com caldo de cordeiro.

— Acho que nunca ouvi falar desta combinação — Maggie disse.

— É uma conclusão literária. O último prato cria uma palavra, talvez a palavra mais importante de todas na linguagem culinária chinesa: *xian*, o sabor fresco e limpo. O caráter de *xian* é formado de dois componentes: o caráter do peixe combinado ao caráter do cordeiro. Neste prato, os dois se unem, se misturam. Simbolizam *xian*. São *xian*.

— É difícil fazer a carpa e o cordeiro combinarem?

— Mais do que você imagina. Tem a ver com o equilíbrio de sabores. Cordeiro cozido no vinho é adocicado e forte. A carpa é carnuda e também é forte. Se você conseguir achar o ponto exato, fica perfeito.

O caldo ia esquentando.

— O cheiro é maravilhoso.

— Observe — ele disse. — Por mais cheias que as pessoas lá do outro lado estejam, vão tomar a sopa toda.

Ele juntou o peixe ao caldo, deixou ferver e imediatamente pôs em uma sopeira de porcelana do tipo *famille-rose*. O aroma era de dois cheiros fortes naturais, de cordeiro e de carpa, transformados em um só.

— Hmm — ela sorveu o ar. — No começo, havia a Palavra.

Ele riu para ela, deliciado, e tirou o avental.

— Pronto!

Ergueu a sopeira. Tinha chegado ao fim.

A sobremesa era uma travessa de frutas raras, cortadas e esculpidas em flores e outras formas geométricas que cabiam na boca, reunidas em mosaico de modo a formar um dragão voador amarelo. E no estilo imperial, com cinco garras em vez de quatro. Esta era mais uma das criações de tio Tan.

A formação de imagens temáticas com frutas e legumes era um truque comum da culinária chinesa, praticado nos melhores restaurantes, de modo que, quando Sam levou o mosaico de frutas para a mesa, o único comentário que suscitou foi a perfeição do dragão e a maneira agradável como o encerramento reforçava as raízes da família Liang na culinária imperial. Foi só depois que os jurados começaram a mordiscar as frutas que as exclamações de agradável surpresa mais uma vez se ergueram da mesa. Nenhuma das frutas era o que esperavam. Vinham de todos os cantos da China e seus territórios, como as iguarias que sempre eram levadas ao imperador. Havia mangostões, jacas e geléia fria de lichia do sul, melão Hami bem alaranjado de Xinjiang, jujubas, málus e azarolas do nordeste da China.

Se os integrantes do júri comessem a quantidade suficiente de frutas para enxergar a frase escrita ao longo da pintura de pêssegos da travessa, também achariam um trecho da famosa descrição que Yi Yin fez das frutas que eram levadas à corte como tributo, escrita no século XVIII a.C.: *Ao norte da cordilheira Chao, existem todos os tipos de frutas consumidas pelos deuses. Os cavalos mais gordos são necessários para colhê-las.* Se eles comessem o suficiente, chegariam a esses versos e a conexão se completaria.

Sam não sabia se eles chegariam à citação ou não, mas a essa altura percebia que não fazia diferença. O ato em si bastava. Havia totalidade no ato.

Agora, vindos do salão de comer, ouviam-se vivas e chamados. Maggie pegou no braço dele.

— Acho que estão chamando você.

Então, lá foi ele. Eles ficaram em pé, gritando de tanta alegria, aplaudindo.

— Maravilhoso!

— Inesquecível!

— Os Liang voltaram!

— Obrigado — ele disse em resposta. — Obrigado.

Ele sentia que praticamente vibrava de felicidade. Apresentou seus assistentes, o pai e os tios, um por um. Curvou o corpo. Agradeceu mais uma vez.

Depois de ouvir os nomes, um dos jurados se dirigiu ao pai de Sam.

— Você é Liang Yeh? Filho de Liang Wei?

— O próprio — o senhor de idade respondeu.

— Que interessante. Há outra face do nome da família!

— Sim — Yeh respondeu com simplicidade, sorrindo para o jurado, sem dizer mais nada.

Sam observou. Lembrou-se do que o Primeiro Tio tinha lhe dito a respeito de Liang Yeh trabalhar sob a fama do próprio pai, e mais uma vez viu o pai de outro jeito, não como seu pai, mas como um homem com suas próprias montanhas particulares à frente.

Sam continuou a agradecer aos jurados pelos elogios, ciente de que eles logo iriam embora. Os comensais chineses nunca se demoravam à mesa, como os ocidentais faziam. Depois de terminar uma refeição e tomar o tempo necessário para trocar impressões de satisfação com a comida, gratidão e admiração, eles se levantavam ao mesmo tempo e, educadamente, saíam juntos. Era o costume.

Sam percebeu seu problema. Alguém precisava sair, rápido, para destrancar o portão. Originalmente, essa tarefa seria de Tan, mas Tan estava sem condições. E ele próprio não poderia fazê-lo. Na posição de chef, tinha que acompanhar os jurados até a porta.

Com a cabeça só um pouquinho esticada, ele conseguiu chamar a atenção de Jiang e fez um sinal em direção à frente da casa. Jiang compreendeu. Assentiu com a cabeça em um gesto discreto e se afastou do grupo, em silêncio, para abrir o portão.

Quando Jiang Wanli percebeu o sinal do sobrinho, lembrou-se de que Xiao Tan não estava em condições de correr para abrir o portão. O sobrinho tinha razão. Ele pediu licença, voltou para a cozinha e a atravessou rapidamente, para sair pela porta dos fundos. Passou apressado pela mesa de pedra onde o sobrinho matava seus animais, passou pelo pequeno arco e saiu para o pátio, sem fazer ruído nenhum com seu corpo velho e magro. O céu agora estava limpo por cima das folhas das árvores, as pequenas luzes brilhavam ao longo do caminho. Ele ficou sob as sombras da lateral, perto da varanda sul, na frente do único quarto que o sobrinho não reformara. Apertou o velho cardigã em volta do corpo.

Bem quando deu a volta na tela de cerâmica, ouviu a porta do salão de comer principal se abrir. O sobrinho os conduzia para fora. Ele estendeu o braço, tremendo um pouco, e virou a tranca para soltar o portão. Pronto. E agora? Já estavam no meio do pátio. Para onde ele podia ir? Havia a porta da pequena guarita. Ele não sabia se estava trancada. Experimentou a maçaneta. Ela virou. Ouviu a voz do sobrinho se despedindo, movendo-se na direção da parede coberta de cerâmica. Abriu a porta e entrou, trêmulo.

Era um cubículo apertado, cheio de poeira. O grupo saiu de trás da tela, e as palavras dos jurados flutuaram pela janelinha gradeada e chegaram a ele. "Obra de arte... *Meizhile*... Lindíssimo... Superior a todos, talvez à exceção de Yao... É... Que pena, não é mesmo?... Mas ele é filho do ministro!... Ah, sim... É uma pena..." Jiang ficou imóvel na escuridão, só escutando. Segurou a respiração para não espirrar. "Que pena..." A voz deles tornou-se inaudível quando chegaram à rua.

Velho tolo, Jiang disse a si mesmo, *você já sabia disso. Ouviu da boca do Mestre das Redes no dia em que levou o sobrinho para conhecê-lo*. Mesmo assim, aquilo doía. Porque a refeição daquela noite exalara a fragrância de um gênio.

Quando o Primeiro Tio voltou a trancar o portão e retornou à cozinha, encontrou a família se abraçando, servindo vinho. Até mesmo Tan recebeu permissão para beber mais. O Jovem Liang e o Velho Liang estavam de braços dados, o sobrinho e o pai, uma visão que Jiang vivera o suficiente para ter. Todos estavam felizes, até mesmo a estrangeira, que, ele reparou, não tirava os olhos do Jovem Liang. Se o sobrinho não percebia por que ela estava ali, era cego. Talvez Jiang devesse puxá-lo de lado para explicar.

— Tio! — Sam exclamou. — O que achou? Eles adoraram!

— É verdade — disse Jiang, o coração inchado pelo garoto que cozinhara tão bem. Não, decidiu, ele não lhe diria o que acabara de ouvir ao portão. Deixaria que ele saboreasse seu sucesso. De todo modo, tecnicamente falando, aquilo não era nada que o sobrinho já não soubesse. Ele também tinha estado na empresa do fornecedor de peixe naquele dia. Ele sabia.

— Ouça — exclamou Liang Yeh. — Garanto que amanhã, a esta hora, vai estar *kuai zhi ren kou*. Nos lábios de todos. Você vai conseguir! Tenho certeza!

— Concordo — disse Jiang.

Tan virou mais um copo de vinho.

— Agora vamos comer! — ele disse. — Antes que eu morra de fome.

— Vamos ter que sair? — Jiang reclamou.

Os quatro olharam para o que restara da cozinha. Parecia um cenário de guerra.

— Não há nada para comer aqui — Sam disse, desolado.

Todos aceitaram no mesmo instante. A conversa passou para uma discussão animada sobre a escolha de restaurantes. No final, ficou decidido que os três anciãos comeriam *jing jiang rou si*, uma receita local, celestial de tão deliciosa, feita de carne de porco desfiada em um molho picante, enrolada em invólucro de tofu com cebolinha. Essa especialidade estava disponível em muitos locais espalhados por Pequim, mas eles tinham que comer o mais bem preparado e mais suculento, e, para isso, precisariam se deslocar até um restaurante na região nordeste da cidade.

— Eu não vou — o sobrinho disse. — Não agüento comer agora. Vão vocês.

Os três saíram juntos na direção da beira do lago para pegar um táxi, acomodar-se com todo o conforto no interior e bater um papinho com o motorista a respeito da localização do restaurante, que ficava em uma rua pequena e que era fácil de passar batido na primeira vez.

Jiang apertou a mão do sobrinho uma última vez. Ele entendia um pouquinho de inglês e, antes de se afastarem, escutou quando o Jovem Liang disse para a moça americana:

— Vamos. Vou trancar o portão e a levo para casa.

14

Yuan Mei escreveu que cozinhar era parecido com um casamento. Ele disse: "Duas coisas servidas juntas devem combinar. Claro deve ser servido com claro, espesso com espesso, duro com duro, macio com macio." As coisas dependem da combinação correta.

— Liang Wei, *O Último Chef Chinês*

No domingo pela manhã, Maggie acordou com uma mensagem por e-mail do laboratório de DNA: o resultado estaria disponível na internet às nove da manhã, acessível com a senha dela; para ela, na China, seria meia-noite de segunda-feira. Ela voltou ao rascunho de seu artigo. Sentiu a velha emoção da criatividade enquanto seus dedos voavam por cima das teclas. Quanto tempo fazia que ela não escrevia com tanta animação? Realmente, aquela culinária era mais do que comida; era *guanxi*, relacionamento, carinho. Ela visualizava tio Xie e sua família junto com Sam enquanto escrevia, o aconchego e o amor e o pesar da casa em Hangzhou.

Também havia outro nível, que ela só foi compreender depois de ver Sam servir seu banquete. Além de conectar as pessoas, a comida servia de mediação entre os chineses e sua cultura. Com suas referências à arte e às conquistas da civilização, aquilo fazia o comensal se conectar à sua própria alma. O.k., ela percebia que era uma atitude de clubinho fechado, e talvez possível apenas em uma sociedade fechada com história extensa, mas ela nunca estivera em um lugar em que a teia de relacionamentos fosse tão rica.

Na noite seguinte, segunda-feira, depois de passar o dia todo caminhando pela rua, ela resolveu começar a última parte. A entrevista coletiva estava marcada para terça-feira à noite. Ela assistiria pela televisão, rezando, repetindo mantras o tempo todo. Por enquanto, escreveria sobre o banquete em si, sobre o triunfo dele, mesmo depois da perda do tofu-esponja com molho de trinta caranguejos. Que molho. Genial.

Ela chegou o mais perto possível do final, do ponto antes de precisar parar. Ela só poderia terminar depois que os vencedores fossem anunciados. E apesar de ter tomado cuidado para parecer imparcial no texto, ela sabia que desejava muitíssimo que um deles fosse Sam.

Ela pensava sobre o assunto enquanto fechava o arquivo e desligava o computador. Gostava dele. Ela mesma estava surpresa com isso. Quando viajava, como regra geral, ela não fazia amizades verdadeiras. Não que fosse antipática, pelo contrário. Fazia há anos a sua coluna. Considerava-se especialista em relações transitórias. Tinha aprendido a criar amizades em pouco tempo, permitia que as relações dessem prazer a ambos os lados e um toque humano ao trabalho, e então as largava. Às vezes, havia alguns telefonemas e e-mails depois, mas a maioria dessas conexões da coluna, mesmo as que na hora pareciam muito promissoras, logo se perdia. Ela nunca se sentia como estava se sentindo agora, com vontade real de adiar sua partida de um lugar porque estava gostando tanto de estar perto de alguém.

Será que era ele ou a família dele? Eram as duas coisas, além de todo o mundo dele. Talvez ela fosse romper seus padrões nesta reportagem e os dois de fato ficariam amigos. Nada além disso, ela tinha certeza, porque nunca o vira olhar para ela de outra maneira, mas amigos. Percebeu que gostaria de conhecê-lo. Ela gostaria de ficar lá e manter-se conectada a ele por mais um tempinho.

Havia tempo, pelo menos no que dizia respeito à *Mesa*. Ela só precisava entregar o texto dali a oito dias. Isso era bem mais tempo do que necessitava para pegar o resultado do laboratório, tomar uma providência a respeito dele, saber o desfecho do concurso e escrever as últimas frases de sua reportagem.

Ela simplesmente poderia ficar lá: começava a perceber que estava gostando daquele lugar. Ficaria lá, aproveitaria bastante e colocaria um fim ao passado. Havia outra coisa que, ali, ficava em foco nítido e puro: todas as suas lembranças. Ela passou para o sofá em frente às janelas e ficou observando os prédios iluminados. Nunca suas lembranças tinham ficado tão claras. Ela era capaz de enxergar tudo: o lado negro de Matt, o claro também. Os momentos e os lugares de sua vida em que realmente se sentira em casa. A verdade de certos momentos.

A última manhã da vida dele flutuou à sua frente. Ele estava se trocando, preparando-se para pegar o avião para São Francisco. Primeiro, ela lhe preparara um café.

Ela se lembrava que era de torrefação francesa, trazido por ela da Louisiana, e que exalava um cheiro delicioso de caramelo queimado. Só por causa daquele café, ele declarara que era difícil passar um único dia, uma única noite longe dela. Ele a lisonjeara. Café era a única coisa que ela fazia. Ela se lembrou de como deu risada daquilo enquanto voltava para o quarto com uma xícara de café na mão, com os primeiros raios de sol além da janela. Ela se lembrava da calma que sentia quando estava com ele. Ela se lembrava mais uma vez da sensação gostosa de não querer que ele saísse, e a sensação simultânea de ainda ter tempo de sobra, anos. Na época, ela tinha 39.

Ficou deitada na cama, observando enquanto ele se levantava e se vestia. Ainda tinha a sensação de que eles deveriam mudar a agenda, tomar alguma providência em relação a tantas viagens. Aproximar-se mais do tipo de vida que ele desejava. Talvez aquele fosse o momento.

"Andei pensando", ela disse, da cama. "Comecei a desejar que não precisássemos passar tanto tempo afastados."

Ele olhou para ela, surpreso.

"Sem viajar?"

"Foi só uma idéia."

Ele fechou o zíper e afivelou o cinto.

"Vamos conversar sobre o assunto quando eu voltar."

"Certo." Ela ficou um pouco surpresa com a reação dele. Para ela, só o fato de falar sobre aquilo era um grande passo. Meio que esperava que ele agarrasse a oportunidade com unhas e dentes. Mas ele estava preocupado com a viagem a São Francisco. Estava atrasado.

Ele se aproximou da cama e deu um beijo nela, mas foi breve, casto, o beijo de um homem cuja mente já tinha saído pela porta e estava no lugar onde ele deveria estar. Nada de balinha em forma de milho. "A gente se vê hoje à noite", ele disse, e saiu porta afora. Ela nunca mais o viu.

Ainda conseguia visualizar aquela porta, lisa, clara, vazia, que ele fechou suavemente atrás de si. Aquela era a porta que separava sua antiga vida e o ano que veio depois. O mundo de agora. Ela ainda conseguia ouvir os passos dele atravessando o hall, suaves e precisos para um homem do tamanho dele. Escutava o ronco do motor do carro, o gemido da marcha a ré pela entrada da garagem, o barulho desaparecendo enquanto ele se afastava. Alguns dias depois, ela foi ao aeroporto buscar o carro, entorpecida, tremendo, olhos inchados, quase fechados, de tanto chorar. Assinou formulários e escreveu *Falecido* em uma linha em branco. Levou o carro para casa, saiu e nunca mais entrou nele. Vendeu o carro. Então mandou suas posses para o depósito. Vendeu a casa. Todas aquelas coisas faziam com que ela se sentisse mal: era assim que explicava aos outros quando alguém perguntava. Para poder se livrar do inquérito. Ela não podia se permitir ter uma vida se ele não tinha mais. Principalmente porque ele não merecia nem um pouco aquele destino, era um homem bom demais.

Bom... ela pensava agora. Talvez nem tanto.

O relógio mostrava quase meia-noite. Estava na hora de ver se Shuying era filha de Matt.

Abriu o computador, conectou-se à internet e entrou com sua senha. Então, por questões de segurança, digitou-a mais uma vez. Depois, os quatro últimos dígitos de seu cartão de crédito e o nome de solteira da mãe.

Ficou olhando para a tela, esperando. *Agora estamos quites. Nunca mais vou me sentir culpada por não ter lhe dado um filho.* Estranhamente, ela se sentia serena.

Então, apareceu. Bem na frente dela.

Matthew Mason e Gao Shuying.

Combinação: negativa.

Ela leu de novo. De novo. Não acreditava. Então ela saiu do site, desconectou-se da internet, reconectou e começou tudo de novo. A mesma seqüência. Clicou pela segunda vez em "Obter resultado". Lá estava.

Matthew Mason e Gao Shuying. Combinação: negativa.

Maggie ficou olhando fixo para as palavras. Sentia-se como um carro cujo motor tivesse morrido, deslocando-se até sua parada silenciosa.

Leu o que a página dizia mais para baixo. Os resultados laboratoriais por escrito estavam sendo enviados para ela, com cópia para a Calder Hayes, em Pequim.

Chegariam em 36 horas. Isso ainda dava dois dias antes da audiência. Não era muito tempo. Mas era suficiente.

Gao Lan tinha lhe dito que ligasse a qualquer hora. Como tinha dito mesmo? *Escuro ou claro*. Mas já passava da meia-noite, de modo que Maggie esperaria. Sempre existia a possibilidade de o empregador dela estar na cidade.

Carey era diferente. Maggie sabia que ele estaria acordado. Era possível que estivesse com uma mulher, ela supôs, mas duvidava que isso o impediria de atender ao telefone.

Sua intuição estava certa. Ele atendeu imediatamente.

— Você disse que eu poderia ligar a qualquer hora — ela o lembrou.

— Claro que sim.

— Bom, saiu. Shuying não é filha de Matt.

Nenhum som. Só a respiração dele.

— Que alívio — ele finalmente disse.

Maggie escutou o raciocínio complexo por trás das palavras dele. Estava contente. Mas agora pensava que tinha contado a ela, que a tinha feito passar por tudo aquilo, por nada. Não, ela pensou, por tudo. Ela endireitou as costas na cadeira.

— Você vai receber a sua cópia dos documentos na quarta-feira de manhã. Mas não precisa esperar até lá, certo? Pode ligar para o ministério?

— Sim, sim. É a primeira coisa que vou fazer amanhã. E tem mais uma pessoa no alto da minha lista: Andrew Souther. É esse o cara, é o nome dele. Eu arranquei de Gao Lan.

— Como fez isso?

— Tem um restaurantezinho perto do zoológico de Pequim que serve comida Uighur... você devia experimentar.

— Ah — Maggie respondeu.

— Vou marcar uma reunião com ele aqui no escritório. Vou chamar alguns outros advogados para participar, só para transmitir a minha intenção muito bem.

— E qual é? — Maggie perguntou.

— Quero esclarecer bem a lei para ele.

— Obrigada. Era o que eu esperava.

— No começo, fiquei surpreso por você querer ajudá-la — ele disse.

Maggie falou devagar. Ela tinha refletido muito sobre aquilo.

— Nós temos uma conexão, ela e eu, por causa de uma coisa que aconteceu na nossa vida. Eu senti isso depois que a conheci, e daí a parte da rivalidade deixou de ter importância. Além do mais, eu sou humana... e conheci a menina.

— Bom, você estava certa. Alguém precisava mesmo intervir. Zinnia me explicou a situação um pouco melhor depois que você saiu, e Gao Lan, sinceramente, só vai poder trabalhar assim por mais uns seis ou sete anos. E a menina não tem culpa de nada.

— Bom, e eu preciso pagar a você para fazer isso? — Maggie perguntou. — Porque eu pago.

— Não! Sem problema. Mas preciso fazer tudo bem rápido, porque vou voltar para os Estados Unidos na semana que vem. Minha mãe está doente.

— Sinto muito — disse Maggie. — Eu não sabia.

— Ela está morrendo.

— Deve ser difícil.

— Não é nada repentino. Já faz um tempo que ela está doente. Mas eu preciso ir, sabe? É importante.

— Eu sei.

— Família.

— Certo. *Guanxi*.

Um sorriso apareceu na voz dele.

— Olha só... Você gostou da China!

— Engraçado você dizer isso. Passei a noite toda aqui sentada, esperando os resultados entrarem no site, olhando para Pequim pela janela. Isso afeta a mente da gente. Cheguei à conclusão de que a China me deixa chapada.

Ele riu.

— Sei do que você está falando. Este é o único lugar em que eu morei onde não preciso de nenhuma substância. Só estar aqui já basta. É como uma droga. E se por acaso for a sua droga, você nunca mais vai querer ir embora.

— Pensei sobre isso — ela disse. — Sobre ficar. Acredite se quiser. Mas é uma loucura.

— Não necessariamente — ele respondeu. — Quando as pessoas vêm para cá, fazem coisas estranhas. Espere só para ver.

Sam passou o primeiro dia depois do banquete limpando, recusando a ajuda do pai, feliz pelas horas passadas lavando louça e esfregando panelas e, finalmente, passando pano no chão; quando começou a limpar o piso, já estava tão cansado que mal se agüentava em pé. Terminou tudo no começo da noite, bem quando a luz clara do lago estava começando a desaparecer e, apesar de não ser tarde, ele desabou na cama e dormiu um sono instantâneo e abençoado. Foi um sono profundo, direto, sem sonhos, alheio aos ruídos noturnos da vizinhança lá fora. Quando ele acordou pela manhã, sentiu-se renovado. Fazia anos que ele não dormia tanto assim, mais do que era capaz de se lembrar, talvez desde que era criança. Levantou-se com uma espreguiçada fácil que parecia estar esquecida desde a infância. O serviço estava feito. Estava no passado. Agora ele esperaria, e procederia de acordo com o caminho que se abriria a sua frente.

Passou o dia com o pai, guiando-o pela cidade para mostrar como tudo tinha mudado. Não visitaram lugares famosos como palácios e templos, mas lugares de que o pai se lembrava de menino: o local onde ficava sua escola primária, que já tinha sido um *hutong* arborizado, agora apagado por um enorme prédio de apartamentos com fachada de concreto. Pegaram um táxi até o bulevar Chongwenmennei, agora um lugar amplo, sem alma, com o tráfego que escorria pelos cruzamentos que levavam a ruas e becos de aparência rude, quase triste. Aquilo tinha sido Hata Men, e foi a única coisa que fez os olhos do pai se encherem de lágrimas.

— Isso aqui era tão cheio — ele disse. — Tão alegre! A multidão, os vendedores... sempre caminhávamos por aqui quando saíamos para comprar comida. — Ele ficou olhando para a artéria moderna e ampla à sua frente como se não a estivesse enxergando, mas sim vendo um mundo inteiramente diferente. Minha mãe e eu.

— Eu sei — respondeu Sam. — Cristal Transcendente.

E a mão dele e a do pai se tocaram.

Naquela noite, eles se encontraram com Jiang e Tan para jantar no Fang Shan, no parque Beihai, outro restaurante de estilo imperial que fora inaugurado no ano em que *O Último Chef Chinês* foi publicado, e com o qual os três senhores de idade tinham antigos laços. Localizado numa área que no passado fizera parte da zona de diversão imperial, o lugar fora aberto por chefs das cozinhas do palácio que tinham sido fechadas na mesma época que o pai de Liang Yeh abriu o Liang Jia Cai. O Fang Shan fora um dos poucos restaurantes que o governo deixou aberto na década de 50. Durante longos períodos, atendeu apenas convidados do Estado, e passou toda a década da Revolução Cultural fechado. Agora, no entanto, assim como o restante da China, estava de volta e funcionava a todo vapor. Liang Yeh foi recebido como um príncipe que voltava após uma longa ausência, e os quatro foram pressionados a comer uma refeição extravagante, criada especialmente pelo chef. Sam não disse nada, mas achou a comida sem graça. Mas os petiscos do chá, os minúsculos bolinhos feitos com a intenção de limpar o paladar entre os pratos, esses eram excepcionais. Serviram até *xiao wo tou* e *shao bingjia rou mo*.

— Os seus, ontem à noite, estavam melhores — Sam sussurrou para o pai.

No dia seguinte, o pai de Sam, Jiang e Tan saíram para fazer uma excursão a um templo afastado da cidade; Sam ficou sozinho nos aposentos de sua casa, agora limpos e ordenados. O salão de comer ainda estava enfeitado com a caligrafia do banquete, e cada vez que Sam passava por ali a caminho da cozinha, lembrava-se da refeição, como tinha sido boa apesar da perda do molho de trinta caranguejos, a onda de triunfo que ele sentira quando os comensais o aplaudiram no fim. O resultado sairia naquela noite. A entrevista coletiva estava marcada para as oito, e os dois vencedores, os que ocupariam os lugares tão cobiçados do norte na equipe chinesa, seriam anunciados. Ele sabia que tinha uma chance. Ele tinha se superado. Cada vez que pensava sobre o assunto, sentia uma pontada de animação. Quando o fim de tarde chegou e o sol ia baixo no horizonte, ele não conseguiu mais ficar em casa. Além de tudo o mais, o lugar parecia vazio sem o pai, o que era estranho, porque Liang Yeh passara pouco tempo ali. Sam saiu, trancou o portão e começou a caminhar ao redor do lago.

Era o momento perfeito do dia. Logo o crepúsculo cairia; naquela hora, a luz comprida era maravilhosa. As ruas ganhavam uma segunda vida depois do anoitecer, principalmente nos meses quentes de verão e nas semanas douradas de outono. Caminhando ao ar livre, Sam sentia que a cidade, com os seus detalhes sutis acentuados pelas sombras, era toda dele. Era bom se sentir assim naquela noite. Ele queria vencer.

Caminhou pela beira do lago, por sua fileira animada de restaurantes, lojas e casas de chá, com os pedalinhos agora amarrados aos pequenos cais. As chances dele eram grandes. Tudo dependia de como tinha sido o banquete de Yao Weiguo: estava entre ele e Yao. Isso se uma das vagas fosse para Pan Jun, o que era praticamente certo. Sam sentiu a contração da frustração dentro de si. *É a vida*, pensou, *aceite*. Era o lado negro de *guanxi*, outra verdade de se estar ali. *Mesmo assim, eu posso vencer. Vai ser ou eu ou Yao Weiguo*. Enquanto caminhava, encostava no chão apenas com a ponta dos pés, como se estivesse se elevando no ar. A cada respiração, parecia que ele fazia uma oração ao destino.

No que as oito da noite se aproximaram, ele tinha se dirigido ao clube na ponta do lago e tomara um lugar confortável ao lado de uma antiga coluna de mármore que sobrara do passado, quando o lago era um lugar tranqüilo. Sam nunca o vira daquele jeito, mas seus tios tinham lhe contado. A maior parte do que via a seu redor agora tinha sido construída na última década.

Cinco minutos, pensou. Havia bares com aparelhos de TV atrás dele; já tinha estado ali. Sabia que era um lugar onde poderia ver o noticiário. Seus pés sabiam aonde deveriam levá-lo.

Entrou em um bar cheio de gente. Ouviu um paredão de vozes e o estalar de bolas de bilhar em uma mesa iluminada por cima, no canto. Havia uma TV na parede com imagens brilhantes e o som baixo; ótimo. Ele poderia ir até lá e aumentá-lo quando chegasse a hora.

Pediu um conhaque, que não era uma das bebidas da moda. Era o que os tios pediam quando saía com eles. Era por isso que ele gostava daquela bebida, e porque a tinha pedido naquele momento, para se sentir conectado a eles; isso e o sabor dourado e meio castigante que ele adorava.

Bebeu devagar, em pequeninos goles, segurando a ansiedade. Uma olhada para a tela, não, ainda não, um comercial. Então, o noticiário começaria. Ou passariam direto para a coletiva ao vivo ou exibiriam uma reportagem logo depois. Tomou mais um gole. Não conhecia ninguém naquele bar. Também era o único estrangeiro. Ele podia ter escolhido ficar com amigos naquela noite, ter reunido um grupo de apoio a seu redor. Conhecia gente suficiente em Pequim para isso. Mas não fez. Adiou a reunião, preferiu esperar. Daí, o pai e os tios foram passar a noite fora, e ele percebeu que queria receber a notícia sozinho. Então, estava ali. Porque com freqüência, na China, estar no meio de uma multidão era estar sozinho.

Chegara a hora. Ele assistiu à introdução da reportagem. Primeiro, foi um preâmbulo breve sobre a olimpíada de cultura, com uma montagem de artistas tradicionais e lutadores de artes marciais e chefs, e depois, um perfil similar do festival de arte contemporânea que estava marcado para ocorrer em paralelo. Finalmente, cortaram para a coletiva. Lá estava o comitê. Sam os reconheceu.

Sam levantou-se de sua banqueta. Estava prestes a chegar perto e erguer o volume quando algo próximo de um milagre ocorreu: um rapaz sentado perto dele se levantou e tomou a providência antes dele. Quando o som se ergueu, o locutor lia nomes, e fotos dos dez concorrentes apareciam na parte inferior da tela. Lá estava Sam. Ele se acomodou mais uma vez na banqueta, sério e em silêncio, na expectativa, enquanto sua mente dizia: *Sim, sim.*

O integrante mais velho do júri, um homem grave com rosto anguloso, fez um breve discurso cheio de floreios, redigido com muito cuidado, que culminou com a voz elevada a um grito abrupto e desacostumado para anunciar o nome do primeiro vencedor.

Pan Jun. Seu rosto, aumentado, destacou-se dos outros nove e foi para a parte superior.

Bom, Sam pensou, ainda cheio de força, disso ele já sabia. Desde o dia em que ele e tio Jiang tinham visitado o Mestre das Redes, quando ele viu Pan Jun e descobriu que ele era filho do ministro; desde então aquilo ficara bem claro. Ele umedeceu os lábios. Estavam que pareciam de papel.

Mais uma apresentação floreada, e então um segundo grito: Yao Weiguo. O rosto de Yao se destacou e subiu para o alto da tela, tomando seu lugar ao lado do de Pan Jun.

Sam se sentiu como se estivesse dentro de uma bolha de silêncio agonizante. *Mas eu preparei uma refeição maravilhosa.* Ficou olhando para a tela. *Como pude perder? Vocês adoraram. Todos seis.* Mas então a TV cortou a transmissão e foi em frente com o noticiário. Obviamente, a refeição de Yao tinha sido a melhor. Só isso. Simples.

Ele se virou para o outro lado sobre sua banqueta. Tinham voltado a baixar o som. Pegou o copo e tomou tudo que ali restava, feliz por estar sozinho, feliz por ninguém reconhecê-lo. Pagou ao atendente do bar. Agora, só desejava ir embora. Devia ir para casa.

Do lado de fora, o ar limpou um pouco suas idéias. Ele ficou lá parado, olhando para a água turva, as mãos nos bolsos. Lembrou-se da história que tinham lhe contado, como em séculos anteriores jovens estudiosos que não passavam nos exames imperiais se afogavam no lago. Algumas pessoas diziam ver seus fantasmas. Será que era só a derrota e o estado de espírito sombrio ou ele realmente era capaz de senti-los naquela noite? Ficou lá em silêncio, observando, afastado das vozes e dos sons das risadas que vinham das fileiras de luzes e restaurantes atrás dele, concentrando-se na água, que ele imaginava cheia de almas. Será que era real ou só uma sensação? Ele não sabia, mas apreciava o fato de sentir esse tipo de coisa aqui. Nos Estados Unidos, nunca tivera essa noção do passado. Talvez fosse natural. Aquele era o lugar de origem de metade dele.

Sentiu uma pontada pelo pai e pelos tios. Estava no rio da vida com eles. Tinha chegado a hora de conversar. Provavelmente estavam esperando que ele ligasse. Ele pegou o telefone e discou o número de tio Jiang.

— Primeiro Tio — ele disse ao escutar a voz de Jiang.

— Eu sei, meu filho, já soube — disse Jiang, baixinho. — Meu coração está amargurado demais para suportar palavras.

— Eu achei que tivesse uma chance, de verdade.

— E tinha! — disse Jiang. — Espere um pouco. Pronto. Seu Baba.

Sam esperou enquanto passavam o telefone para Liang Yeh.

— Sinto muito — o pai disse.

— *Wo yiyang* — Sam respondeu. Eu também.

— Eu contei para a sua mãe. Ela chorou.

Isso fez com que Sam se sentisse envolvido pela tristeza.

— Gostaria que você não precisasse contar para ela — ele disse, e, ainda enquanto as palavras lhe saíam da boca, viu que realmente não era o que ele queria dizer: gostaria de não ter fracassado, que seu pai tivesse boas notícias para lhe dar.

— Eu conto tudo a ela — Liang Yeh disse, surpreso.

— Eu sei, Baba. Tudo bem.

A culpa não era de seu pai. Ele tinha perdido, nada mais. A disputa era entre ele e Yao, e Yao vencera. Sam sentiu a cabeça latejar. Yao era um ótimo cozinheiro. Só isso, nada mais.

— Ba — ele disse —, escute. Quero que você e o Primeiro e o Segundo Tios tirem isso da cabeça. Aproveitem o templo. Vocês sabem como a comida aí é famosa, e sabem que não poderão aproveitá-la se estiverem com o gosto do amargor na boca.

— Sim, mas — respondeu o pai — como poderemos tirar isto da cabeça se sabemos que você não o fará?

— Mas farei, sim — Sam prometeu a ele.

E então Jiang e Tan, por sua vez, pegaram o telefone e ele lhes assegurou da mesma coisa, e lhes disse que comessem bem. Quando desligou, ficou contente por estarem viajando. Seria um alívio ficar sozinho agora.

Será que devia ir para casa, então? A lua estava estreita, quase desaparecendo, e mais tarde se ergueria no céu. Um dos charmes de seu pátio era que ninguém podia enxergá-lo de nenhum ponto do lado de fora. Será que isso bastaria para ele naquela noite? Ficar do lado de fora, estirado em uma cadeira de palha, com calça de pijama de amarrar, escutando as folhas? Era isso que ele tinha perdido por não ter sido criado na China. Se tivesse passado a infância ali, teria vivido noites como aquela ouvindo recitais de poesia. Não. Se tivesse passado a infância ali, teria sofrido.

A cabeça dele doía.

Preciso ir para casa, pensou. No entanto, sentiu dentro de si uma necessidade concomitante de risadas e incentivos de um amigo. Mas quem? Porque aquele era um momento de exposição.

Abriu o telefone e examinou a tela. Amigos de restaurante, amigos de noitada, amigos que conheciam mulheres. Ele tinha se ligado a muitas pessoas. Um desconhecido em um lugar distante tinha que conhecer muita gente. Essa era a almofada embaixo dele. Mas quão bem ele conhecia aquela gente? Havia poucas pessoas com quem tinha vontade de estar naquele momento.

Voltou ao nome de Maggie, parou nele, seguiu em frente. Ele a conhecera tão rapidamente, era difícil acreditar que ela estava lá havia menos de duas semanas. Logo iria embora. Era melhor se afastar agora. Avançou mais em sua lista.

Mas ela tinha estado lá. Ela estivera presente no banquete.

E, de qualquer forma, ele prometera lhe dar a notícia.

Retornou ao nome dela. *É com ela que você deseja conversar.* Ele apertou o botão e ficou escutando enquanto o telefone discava.

— Alô?

— Maggie?

— Sam?

— Sou eu — ele disse. O tom de voz cinzento provavelmente bastava, mas, caso não bastasse, ele proferiu as palavras. — Não consegui.

— *Não*? — ela perguntou.

— Não.

Ele ouviu a respiração longa e chocada dela.

— Como pode ser?

Ele quase deu uma risada. *Foi por isso que você ligou para ela.*

— Bom, uma vaga foi para Pan Jun, o filho do ministro da Cultura. Está lembrada do que eu falei?

— Ah, estou — ela respondeu. — A porta dos fundos.

— Um conceito muito importante; um dos aspectos fundamentais da vida aqui. Assim, só sobrou uma vaga, e todo mundo mais ou menos achou que a disputa ficaria entre mim e Yao Weiguo. Bom, ele venceu.

— Sinto muito.

— Não sinta. Ele é um ótimo cozinheiro, extraordinário. Às vezes, fica inspirado.

— Mesmo assim, eu sinto muito.

Ele quase sorriu. Era o som da voz dela.

— Onde você está?

— Em um restaurante. Acabei de pedir.

— Que restaurante?

Ela leu o nome para ele do menu.

— Conheço esse lugar. — Ele sentiu um clique de decisão dentro de si. — Espere por mim. Estou indo para aí.

— De verdade? Você vem?

— Vou. Pode esperar?

— Vou estar aqui — ela respondeu.

Maggie ficou sentada à mesa do restaurante de iluminação forte, imaginando em que tipo de estado ele estaria quando chegasse. Ela se sentia mal de verdade por ele. Deveria ter vencido. Ela tinha estado lá a noite toda naquele dia.

Enquanto esperava, resolveu pensar em coisas a dizer que o reconfortariam. Podia começar agora a ser sua amiga. A questão da entrevista estava fechada. A matéria tinha acabado. Tecnicamente, podia até ser que ela não tivesse terminado o último parágrafo, mas ela o redigira na mente. No instante em que desligaram o telefone, sentada ali àquela mesa esperando por ele, ela repassara várias vezes a frase final.

Quando ele entrou, ela o avistou primeiro, e viu quando ele curvou o corpo entre as mesas, ansioso, buscando-a com os olhos. Ela ergueu a mão e os olhos dele a encontraram e relaxaram um pouco. Então ele se aproximou e viu a comida dela, ainda intocada.

— Por que você não comeu?

— Estava esperando — ela respondeu.

Ele largou o corpo em cima de uma cadeira. Ela viu que o corpo dele parecia pesado. A postura dele era estranha.

— Nunca desperdice comida.

— Não vou desperdiçar. Achei que você poderia gostar de comer um pouco.

Ele respondeu, falando devagar:

— Acho que não consigo comer agora.

— Você deve estar furioso — ela disse.

Ele deu de ombros sem muita convicção.

— É o meu destino — respondeu.

— Também descobri um pouco de destino — ela disse — desde a última vez que nos vimos. O resultado do teste chegou.

Ele ergueu os olhos.

— Shuying não é filha de Matt.

Implicações rolaram pelo rosto dele.

— Isso é bom para você — ele disse.

— É. Estranho, mas é bom.

— Como assim, estranho?

— É o fim de Matt. O fim verdadeiro.

— Já faz um tempo que isso aconteceu — ele disse.

— Eu sei. — Ela olhou para ele. Seus olhos escuros estavam fechados, e ele apertava os dedos nas têmporas. — Está tudo bem com você?

— Estou lutando contra uma dor de cabeça. Por favor — ele disse. — Coma.

Ela pegou pequenos bocados das travessas e os mordiscou, mas ele, a cada instante que passava, parecia pior. Seus olhos assumiram a expressão inconfundível da náusea. Daí, claro, ela também não conseguiu mais comer. Todo o apelo se esvaiu da comida. Ela pousou seus pauzinhos.

— Sam — ela disse.

Ele fez uma careta ao escutar a voz dela.

— O que foi? — ela perguntou.

— É enxaqueca, acho. Faz tanto tempo que não tenho nenhuma, acho que desde criança. Não achei que fosse ter isso de novo.

Parecia que falar lhe causava dor.

— Também, com o que aconteceu hoje à noite! — ela observou.

Ele concordou com a cabeça quase imperceptivelmente.

— O que pode ajudar? — ela disse em tom bem suave.

— Se eu me deitar — ele respondeu, com esforço. — Em um quarto escuro, em silêncio... se eu conseguir dormir, nem que seja um pouquinho, passa.

— Vamos — ela disse, e fez um sinal para o garçom para pedir a conta.

Ela pagou, levantou-se, colocou-se atrás dele e passou as mãos por baixo das axilas dele. Ele estremeceu quando ela o tocou.

— Levante-se — ela disse, com suavidade. — Eu o ajudo a ir para casa.

Parece que a promessa o atingiu na parte de seu ser que ainda era capaz de alguma reação. Ele se levantou com ela e saiu caminhando firme, ainda que com uma das mãos por cima dos olhos.

— Não tem perigo, tem? — ela perguntou, e ele conseguiu sacudir a cabeça.

Aliviada, ela ergueu a mão para chamar um táxi.

Um carro encostou, ela o acomodou no banco de trás e então disse ao motorista sua pronúncia aproximada do cruzamento próximo à casa de Sam. Ela disse errado, sem dúvida, mas sempre conseguira chegar lá assim. Quando Sam ouviu, esboçou um leve sorriso em meio a sua dor. Proferiu algumas palavras no gemido gutural de Pequim e o motorista assentiu. Então ele se sentou, imóvel como uma pedra, de olhos fechados; cada som que ouviam durante o trajeto pelas ruas parecia ampliar sua dor. Maggie quase enxergava a cabeça dele latejando. Primeiro perder, depois aquilo. Ela o ajudaria a entrar em casa, para ficar em um lugar silencioso e escuro. Era tudo que ela podia fazer.

Ao chegarem ao portão, ele mexeu no bolso e achou a chave. Ela destrancou o portão e então voltou a fechá-lo atrás deles. Colocou a chave novamente no bolso dele. Sentiu a ponta do osso do quadril dele. Com a outra mão, pegou no cotovelo dele e o guiou. Ele mal conseguia caminhar. *Eu sei. Só mais um pouquinho.*

Para chegar ao quarto dele, ela contou os três degraus que conduziam à varanda. Depois de passar pela porta meio envidraçada, ela o conduziu pelo salão até seu quarto e para sua cama. Ele se deitou devagar, ansioso, sem desejar que ela encostasse nele, encolhendo-se todo até mesmo enquanto ela desamarrava seus sapatos. Ela apagou todas as luzes, e isso fez com que ele suspirasse aliviado.

Ela queria uma toalha úmida. O banheiro mais próximo que conhecia ficava do outro lado do pátio, no salão principal do restaurante. Bem ao lado da porta, ela encontrou um interruptor que fez os lustres brancos em forma de lótus se acenderem. Ela caminhou pelas lajotas escuras e com aparência líquida até o pequeno banheiro, molhou uma toalha na água fria, torceu e voltou.

Quando entrou mais uma vez no quarto dele, ele estava deitado, imóvel. Ela entrou pé ante pé. Toda a atenção dele estava voltada para dentro. Ela se aproximou da cama em silêncio e, sem querer assustá-lo, tocou bem de leve na testa dele, primeiro com os dedos. A cabeça dele fez um movimento em resposta. Ela colocou a toalha úmida nele, uma ponta primeiro, para que ele sentisse seu frescor molhado, e então o resto. Ele pareceu agradecido. Ergueu a mão e apertou a toalha contra as têmporas. Então a mão dele se estendeu e encontrou a dela e, de maneira rápida e natural, seus dedos se entrelaçaram. Ele lhe deu um apertãozinho de agradecimento. Então se retraiu e cruzou as mãos em cima do peito, imóvel, como estivera antes.

Ela se afastou. Quieta. Em silêncio. Ela queria que ele dormisse. A três passos da cama havia uma poltrona puída. Ela se acomodou ali sem emitir nenhum som, de centímetro em centímetro, e ficou lá sentada, em silêncio.

O quarto estava escuro, a única luz vinha dos dois quadrados prateados da iluminação da rua do *hutong* atrás, dobrados na junção entre parede e teto. Ocasionalmente, ela escutava sons vindos de fora, gente passando, alguns carros; mas o silêncio no quarto era quase total.

Ela podia ir embora, pensou. Ele estava bem acomodado. Agora certamente cairia no sono e, quando acordasse, estaria melhor.

Ela iria embora, mas não por enquanto. Naquele momento, queria observá-lo. O tempo foi passando. Ela viu sua respiração ficar profunda e regular. Quando um ruído se intrometia lá de fora, ele já não se contorcia mais. Ela achou que ele devia estar dormindo. Ela gostava da sensação de eternidade do quarto, da mobília antiga de madeira, da visão dele, tão indefeso. Fazia um ano que ela não ficava sozinha com um homem em um quarto enquanto ele dormia, e uma década desde que isso acontecera com alguém que não fosse Matt. Não, não era verdade. Ela e Sam tinham dormido durante algumas horas no quartinho do andar de cima na casa de tio Xie. Aquilo tinha sido diferente. Agora ela fazia vigília. Ela era a guardiã, ela tomava conta dele. Ficou com os olhos grudados nele até sentir que começavam a se fechar. Ela estava caindo no sono. Aquela poltrona era confortável. Essa foi a última coisa que ela se lembrava de ter pensado.

Quando ela acordou, sobressaltou-se. Ele estava acordado. Estava sentado na beirada da cama. Parecia tonto, e brilhava com um suor de alívio, mas voltara a ser ele mesmo.

Ela se movimentou.

— Está tudo bem?

— Está. Já passou. Eu caí no sono.

— Que bom.

— Obrigado.

— Eu não fiz nada.

— Você me trouxe para cá.

Ela deu de ombros.

— Você está se sentindo bem?

— Estou.

Ele parecia estar em um ponto intermediário estranho entre exausto e em êxtase. Massageou um círculo no couro cabeludo.

— Pronto. Deixe que eu faço.

Ela se posicionou atrás dele, mas o ângulo estava errado, apesar de ele ter girado o corpo para ajudá-la. Então os dedos dela se emaranharam no cabelo preso dele.

— Sente-se — ele disse, colocando as mãos na cama atrás de si.

Ela subiu, acomodou-se alguns centímetros atrás dele, e pegou no elástico coberto de tecido que prendia seu cabelo. Ele ergueu seus dedos cheios de prática para soltá-lo e tirá-lo dali. O cabelo caiu, liso e pesado. Ela nunca o vira solto. Ele parecia diferente. Ela colocou os dedos no meio dos fios para massagear a cabeça dele de baixo para cima, seguindo o trajeto que os dedos dele tinham traçado anteriormente.

Ela o viu relaxar. Os pontos de tensão na cabeça dele pareciam se dispersar. Sua coluna se endireitou. Ela demorou um pouco para chegar até a parte de cima da cabeça dele, até o ponto no meio da parte superior da testa dele, onde encerrou.

Ele pegou a mão dela enquanto ia se afastando, conduziu-a até seu rosto e a apertou contra a bochecha. Então, movimentou-se até que seus lábios se encontrassem no meio da palma. Ela sabia que ele a beijaria ali, e foi o que ele fez, mas em vez do beijo rápido que ela esperava, ele o fez lentamente, demorando-se bastante e com todo o cuidado e atenção que dispensaria se a estivesse beijando nos lábios. Não havia dúvidas a respeito do que ele queria dizer. Uma enxurrada de dor e esperança se derramou no cérebro dela, ameaçando fazer tudo entrar em curto-circuito, mas a mão dela se movimentou pelo rosto dele em resposta, por vontade própria.

O que fazer agora? Cruzar esse limite sem pensar? Nenhum dos dois era jovem. Eram fósseis. Ele era mais velho do que ela, e isso já queria dizer alguma coisa. Ela sabia pouco do passado dele, mas, pela primeira vez em sua vida, aquilo parecia não contar. Claro que ele trazia dor e remorso na bagagem. Assim como ela. Mas a dela era diferente: era total. Ficar viúva colocava um ponto final nas coisas. Não havia nada por terminar; tudo estava acabado. Ela estava vazia. Não carregava mais nada. Não esperava nunca mais amar. Não pense em amor!, recriminava a si mesma. Nem mesmo permita que esta palavra se forme. Este pode ser apenas um momento. Sem fingimento. Ela ficou imóvel, só movimentava a mão contra a boca dele.

No final, seu corpo decidiu por ela. Ele colocou a mão no vão entre os dedos dela com tanto amor que ela se viu inclinando o corpo para a frente, só um pouco, até se encostar nele por trás. Ela deixou a mão esquerda escorregar pela cintura dele, ele a pegou com a sua e, mais uma vez, seus dedos se entrelaçaram. Ficaram assim abraçados, trocando promessas e trepidações, tudo sem falar, tudo sem se apressar, porque os dois queriam ter certeza. Aquele longo instante foi como uma pergunta. Ela deixou que a pergunta se estendesse, adorando a sensação forte e encrespada da parte de trás do corpo dele. A mão dela brincava com a barriga dele e ele se inclinou na direção dela. Ela aproximou os lábios da nuca dele. Pronto. Tinha respondido. As mãos deles se soltaram, o corpo dele se virou e, num longo segundo, ela enxergou o potencial prismático da vida deles se desdobrar. *Não pense sobre isto*. Então ele estava de frente para ela, tirando sua roupa, colocando a mão com cuidado atrás da cabeça dela para trazer sua boca para mais perto, e ela sentiu o futuro e o passado se esvaírem dela.

Quando eles acordaram, a noite era profunda e fazia frio. Estavam nus. As pernas dela envolviam o corpo dele. Ela viu os cobertores no chão e se lembrou do momento em que foram chutados para fora da cama. Os olhos dele seguiram os dela, e os dois começaram a rir.

— Olhe só para nós — ela disse, encostando no peito dele. — Parecemos dois adolescentes. — Então, ela disse o que tinha tanto medo de dizer. — Sam, foi bom demais.

— Eu sei. — Ele a pegou por baixo das costelas e se espreguiçou, primeiro para trás, depois para a frente, carregando-a consigo. Ela sentiu um puxão de leve para cima e para baixo na coluna.

Ele a soltou. Havia um brilho em seu rosto.

— Quer sair da cama e ficar um pouco no pátio? A lua está no céu. A cidade está dormindo. Eu gosto desta hora — ele completou, mas em um tom diferente, como se agora fosse começar a falar a respeito de si mesmo para ela; como se houvesse muitas coisas que ela precisaria saber.

— Eu também gosto — Maggie respondeu.

Ele se levantou e tirou algumas coisas dobradas de uma pilha: pijamas; eram dele, mas serviam nela. Nada a ver com as peças grandalhonas que ela costumava pegar emprestadas de Matt. Matt. Ela engoliu em seco com a estranheza renovada do ato de pensar no marido. A fila tinha andado. Ela fizera amor com outro homem. Sam vestira o pijama e amarrava o cordão na cintura, à vontade na frente dela, o cabelo continuava solto. Ela esticou a mão, juntou os fios e soltou. O toque fez com que ele erguesse o rosto, feliz. Ela sentiu a mesma coisa. Aquela era a noite em que Matt começaria a se transformar em lembrança.

Sam ajeitou duas espreguiçadeiras de ratã no pátio e acendeu uma vela protegida entre as duas. Ficaram lado a lado, observando as folhas lá em cima. A lua minguante formava um C preguiçoso por cima do limite do muro.

— Que lugar calmo — ela disse. — Achei que o seu pai se hospedaria aqui.

— E está hospedado, naquele quarto. — Sam apontou para o quartinho virado para o norte, na frente do seu. — Mas ele foi fazer uma peregrinação com Jiang e Tan até um templo.

— Eles são religiosos?

— Só no que diz respeito à comida. Aquele lugar tem a melhor cozinha vegetariana do norte da China. Eles rezam com os monges, dormem no templo e comem como reis. Voltam amanhã.

— Então, eles já não estavam mais aqui quando você recebeu a notícia.

— Não.

Ela olhou para ele, do outro lado da vela. Algumas horas antes, tinham estado tão próximos, um dentro do outro. Ela tinha visto tanta coisa a respeito dele. Sentiu uma onda tomar conta dela. Tinha consciência de quanto queria que ele fosse feliz.

— Não se preocupe, Sam. Isso não significa nada. A sua carreira vai decolar. Nada pode impedir.

— Você parece os meus tios.

Isso é porque eu o amo tanto quanto eles, foi o pensamento que surgiu do subconsciente dela, mas que não podia ser proferido.

— Eles sabem. E eu também sei. — Então ela continuou falando, para que as palavras pudessem passar com mais facilidade. — E, com o tempo, o mundo também vai saber. Meu artigo vai ajudar. Você vai ficar feliz de verdade com este retrato do seu trabalho. E eu escrevi antes de isso acontecer — ela colocou a mão na perna dele —, então, não se preocupe. — Ela fez uma pausa. — Eu não achava que isso aconteceria, Sam.

— Eu também não.

Um sorriso se formou no rosto dela.

— E também não esperava que a comida fosse tão maravilhosa. Talvez seja por isso que esse artigo sobre você brilhe tanto. Sabe o que dizem por aí? Que um jornalista faz suas melhores reportagens sobre um lugar desconhecido na primeira vez que o vê e na última, quando está se despedindo, logo antes de partir. A última, chamam de canto do cisne. Então, talvez esse meu artigo sobre você seja só o primeiro que vou escrever sobre esse lugar e essa comida, e tudo parece tão maravilhoso... *é* tão maravilhoso... que aparece no texto.

— Adoro o fato de você entender tudo isso sobre a comida — ele disse. — O fato de você entender faz com que talvez... e espero que eu não esteja projetando... você venha a amá-la.

— Posso chegar lá — ela disse, com toda a seriedade. — Com tempo, e se for exposta a ela da maneira adequada.

— Aqui seria o melhor lugar para isso — ele observou.

Ela não falou nada. Achou que entendera o que ele estava dizendo de fato, e não podia prometer que ficaria, da mesma maneira que ele não poderia dizer que voltaria para os Estados Unidos. Ela se levantou, mudou um pouco o rumo do momento ao se espreguiçar, então pediu licença e saiu caminhando pela trilha do pátio na direção do salão de comer principal.

— Banheiro? — ele disse. — O do restaurante está fechado. Use o meu. — Ele apontou para uma porta no canto, entre o quarto em que ele vivia e o segundo salão de comer. Ela não tinha reparado nela antes.

Ela não pediria nada, decidiu, enquanto caminhava pelo pátio. Não esperaria nada. Um mundo os separava. Não havia jeito de algo entre eles se firmar para que pudessem continuar juntos. Ela já tinha se dado conta disso no início e, uma vez que se acostumou com a idéia, encontrou certa paz. Da mesma maneira que o fato de ser viúva lhe dera paz, apesar de ser uma paz de outro tipo, muito mais amarga. Ser viúva fizera com que ela sentisse que nada mais que ela perdesse para sempre realmente a magoaria. Mas estava errada, porque perder Sam a magoaria. Ela já sabia que seria doloroso.

O banheiro era pequeno e aconchegante, com um chuveiro. Ela se sentia confortável ali. Levou a toalha dele até o rosto, fechou os olhos e se afundou no tecido. Estava cheio dele, de seu cheiro; ela poderia ficar ali cheirando aquilo para sempre.

Era surpreendente a maneira como um sentimento tinha a capacidade de ser tão poderoso e, ainda assim, impossível. Até parece que ela tinha como ficar. Devolveu a toalha a seu suporte. A cidade estava tão silenciosa... Será que eram quatro da manhã? Cinco? Retornou por sob as folhas farfalhantes. Estava ciente da liberdade de seu corpo, do conforto de não estar usando roupa de baixo. Tinha uma sensação estranha e idílica de sempre ter morado ali e simplesmente ter esquecido, que tinha visto Sam estirado na espreguiçadeira daquele jeito cada dia de sua vida, com o peito nu, a calça de pijama de amarrar. Sentiu uma câimbra dentro de si.

Ele se afastou para o lado em sua espreguiçadeira.

— Fique aqui comigo. Tem lugar.

E ela se deitou ao lado dele, aninhada sob seu braço. Assim que ele voltou a abraçá-la e já estavam respirando juntos de novo, ela percebeu que relaxou. As idéias e as perguntas ardiam em sua mente.

— Eu gostaria de poder ficar aqui — disse, com sinceridade.

— Eu ia fazer esta proposta — ele respondeu.

Ela deu uma risada. Não parou para pensar se ele tinha falado por falar ou se era a sério. De algum modo, sentiu que, naquele momento, encaixada no braço dele, as poucas palavras que tinham proferido eram uma verdade simples e suficiente.

15

Neste livro humilde, tentei apresentar os fatos a respeito da culinária do palácio imperial chinês. Esse foi um lugar de beleza trágica. De tudo que aprendi lá, uma coisa se destaca. A comida sempre deve ser compartilhada. Quando meu mestre enviava suas porções intocadas dos enormes repastos imperiais para as famílias dos príncipes e dos principais burocratas, ele só as enviava como refeições completas para oito pessoas, acomodadas em caixas laqueadas. Nunca de outra forma. Sempre para oito. O ponto alto de cada refeição nunca era a comida em si, ele nos ensinou, mas sempre o ato de compartilhá-la.

— Liang Wei, *O Último Chef Chinês*

Acordaram com um som, cedo demais. Estavam nus embaixo dos cobertores, braços e pernas entrelaçados, como um único ser. Com Matt, quando acordava, ela sempre estava sozinha na cama. Isto era diferente. Ela se aproximou do cheiro de Sam, de seu cabelo preto, de seu corpo, do mesmo tamanho que o dela. Então o estrondo se ouviu mais uma vez, e logo atrás dele ela ouviu outro som, que reconhecia: o ranger do portão vermelho que se abria.

— Sam. — Ela deu uma cotovelada nele, cochichando em seu ouvido.

Ele se agitou. Então, ouviram a voz tremida de Jiang chamando.

— *Zizi!* Sobrinho!

— Eles chegaram — Sam disse.

Levantou-se da cama de um salto, sua pele de marfim escuro brilhou na frente dos olhos dela, as mãos rápidas para pegar a calça.

— Tome. — Jogou roupas para ela. — Desculpe. Droga. Não há privacidade nessa família.

— Mas o que eu faço?

— Nada. Aja de forma normal.

— Mas não é — ela disse. — Não é normal.

— Eu sei disso. Mas é o melhor tipo de anormal.

— *Zizi!* — Jiang chamou de novo, do pátio.

— *Wo lai!* — Sam respondeu. — Estou indo!

— Devemos dizer alguma coisa? — ela perguntou.

— Por quê? — ele disse. — Vão entender tudo no instante em que olharem para você. Você está aqui, no meu quarto, não são nem sete da manhã, e olhe só para você. Qualquer pessoa é capaz de ver. Você está reluzindo. É uma fonte de luz ambulante.

— Você também — ela disse.

Ele não parava de sorrir.

Ele fechou o zíper da calça.

— Vem logo.

E ele se virou e foi para o pátio.

Ela o seguiu um minuto depois, passou no banheiro, e então saiu, e lá estavam eles, um aglomerado de senhores de idade atarantados e cheio de amor.

— Miss Maggie! — Tan chamou, acenando para que ela se aproximasse.

Todos riam de alegria, dando-lhe as boas-vindas. Todos sabiam. Ela se sentia nua enquanto se aproximava deles e lhes dava bom-dia. Sentia como se eles tivessem visto tudo que ela e Sam tinham feito. No entanto, estavam felizes. Percebeu que ela mesma também estava feliz. Então relaxou.

Sam tinha ido para a cozinha e agora estava gritando que já estava preparando o café-da-manhã. E em inglês, para ela.

— Como estava o templo? — ela perguntou ao pai de Sam.

— Ah! Tão delicioso! Você nunca comeu uma refeição vegetariana assim. O pato de glúten, as ostras apimentadas crocantes feitas de bolinhos de arroz... você tem que ir lá.

— Seria necessário acordar cedo para rezar?

— Claro que sim! Às quatro e meia da manhã! Por que acha que chegamos tão cedo?

— Eu vou se ele for — ela disse, de brincadeira, lançando um olhar na direção da cozinha, onde Sam batia panelas.

— Nós vamos todos — Liang Yeh disse.

Jiang e Tan arrumavam a única mesa no salão de comer, que tinham colocado perto da janela para aproveitar melhor a luz da manhã. Arranjaram cinco lugares e prepararam chás de vários tipos. Ela tentou ajudá-los, mas eles a enxotaram para a cozinha.

Sam estava ao fogão. Ela se esgueirou para sua banqueta, no lugar em que já estava acostumada. Agora a banqueta era dela; encaixava-se a seu corpo.

— Eu me sinto tão pequeno pelo que aconteceu — ele disse.

— Eu também. Pequena. Apavorada.

Ela o observou enquanto o arroz cozinhava, feliz, apesar de nada ser certeza.

— O que você está fazendo?

— Mingau de arroz. É a comida mais simples do mundo, a mais básica. Mas é preciso tomar cuidado. É como o amor.

Ele olhou diretamente para ela; ela o sentia olhando através de suas roupas para seu corpo, para seu coração. Ele mexeu a panela.

— Primeiro, é necessária aquela fragrância do arroz recém-preparado. Depois, as coberturas.

Ele fez um gesto para o balcão lateral, que estava coberto de pequenas tigelas que tinha preparado enquanto o arroz aromático cozinhava. Havia quadradinhos minúsculos de picles crocantes, tiras de verduras, cubinhos aveludados de tofu, peixe de Hunan defumado cortado bem miudinho, juntado em uma pilha crocante e prateada. Havia amendoins, musgo de rio em tiras, fungos crocantes em calda e palitinhos de presunto salgado de Yunnan.

— Pode levar isso para lá — ele disse.

— Certo.

Ela se sentia bem carregando a comida dele, tinha seu lugar na ciranda. Colocou as tigelinhas na borda da roda do meio da mesa. Ela tinha visto a enorme travessa do mingau; Sam agora a esquentava, ao lado da pia, com água fervente. Deixou espaço para ela no centro da roda.

Ele trouxe a travessa. Toda a louça a seu redor formava um círculo agradável. Sentaram-se juntos.

— *Lai, lai* — disse Sam, Venham, e todos entregaram suas tigelas limpas para ele.

A primeira que encheu, entregou ao pai. Então serviu Jiang, o mais velho, e depois Tan. E então Maggie. Quando ele lhe entregou a tigela e seus dedos se tocaram, ele olhou para ela com alegria indisfarçável. Ela sabia que todos tinham visto aquilo. Aquele tipo de sentimento não podia ser escondido.

Ela examinou os condimentos. Selecionou verduras, pedacinhos de picles e bocadinhos de peixe. Seguindo mais uma sugestão dos olhos de Sam, pegou cubos escorregadios de tofu também. Pronto. Ele parecia contente. Ela sentiu mais uma onda de satisfação. Ele se importava com o que ela comia. Isso também era algo que ela nunca tinha conhecido. Ela e Matt sempre tinham sido servos da conveniência. Na casa deles, nunca poderia ter havido uma refeição assim.

Pauzinhos voavam à medida que todos iam empilhando ingredientes por cima do mingau, e a conversa em chinês soava como passarinhos dentro de uma caixa. Ela adorava aquele som. Se aprendesse a língua, se fosse capaz de compreendê-la, será que continuaria pensando assim? Será que ela continuaria se sentindo livre de seus grilhões, renascida? Talvez. Talvez ainda mais.

Ela misturou o mingau com a colher e o experimentou. Ah, que delícia. Ela estremeceu. Os sabores salgados e picantes em contraposição com a fragrância delicada do arroz, o peixe crocante em contraposição ao tofu e o mingau suave. Simplesmente divino. Ela viu que Sam olhava para ela e proferiu apenas uma palavra:

— Maravilhoso.

Os tios concordaram.

— Eu voltaria do além para isso — disse Jiang. — Como era aquele poema? Aquele que chama a alma de volta à mesa?

— Ah! Da dinastia Zhou — disse Tan.

Para a surpresa deles, foi Liang Yeh que começou a entoar, em inglês.

> Ó Alma, volte! Por que ir tão longe?
> Todos os tipos de boa comida estão prontos:
> Arroz, sorgo de vassoura, trigo novo, misturado com milhete amarelo...

Ele não se lembrava do verso seguinte. Jiang murmurou-lhe em chinês, e ele prosseguiu:

Costeletas do boi gordo, macias e suculentas;
Acre e amargo misturados na sopa de Wu.

Ó Alma, retorne e não tenha medo.

— Ah, a sopa de Wu — disse Tan, enquanto comia seu mingau.

Wu era a denominação arcaica para a região ao redor de Hangzhou, o que completava a conexão com a morte do amigo.

— Ao tio Xie — Sam disse, erguendo sua xícara de chá.

Todos beberam.

Depois disso, Sam voltou a encher as tigelas com mingau da travessa e os condimentos fizeram a volta mais uma vez.

— Você é um ótimo chef — Liang Yeh disse ao filho.

— Obrigado — Sam disse, e ficou vermelho.

Percebeu que Maggie estava olhando para ele. Aquele era o grande momento para ele, ela compreendeu. Mais do que o prêmio. Mais do que o restaurante.

— É, sim! Vi isso há três noites. Todos nós vimos.

— É — disseram Jiang e Tan, ao mesmo tempo. — Vimos, sim.

Por baixo da mesa, ela encostou no joelho dele. Ele pegou a mão dela e não largou mais.

Liang Yeh era capaz de sentir a eletricidade entre os dois.

— Agora, precisamos levar a sua amiga ao templo. O que nos diz? Fico feliz de ir lá de novo esta semana.

— Ela vai embora daqui a alguns dias — Sam respondeu.

— Vai embora? Não! Mas ela acabou de chegar! Não é? — Ele se dirigiu então a Maggie. — Você não acabou de chegar?

— Mais ou menos — ela respondeu. — Mas preciso voltar. Tenho emprego.

Ele ficou desolado.

Sam disse:

— Pai, tudo bem.

— Eu sei — Liang Yeh ergueu a mão. — Porque você vai voltar para cá. — Ele encostou de leve no braço de Maggie. — Não é verdade? Você não vai voltar? Bem rápido?

Todos eles a observavam.

Ela roubou uma olhadela de Sam. O rosto dele estava sorridente e sem medo. *Vá em frente*, ele parecia lhe dizer, *fale logo. Conte para eles.*

— Acho que sim — ela respondeu. — Vou, sim.

— Que bom. Está vendo? — disse Liang Yeh.

Seus olhos se apertaram de satisfação enquanto pegava fatias de verduras e de presunto e as colocava na tigela de Sam, e mais uma colherada do peixe crocante e prateado no dela.

— Agora comam, meus filhos. Temos mais um dia pela frente.

Nota da autora

O Último Chef Chinês é uma obra de ficção; no entanto, o mundo da culinária chinesa que ganha vida em suas páginas é real. Eu jamais poderia tê-lo capturado se não fosse pela ajuda de tantos chineses que compartilharam comigo seu conhecimento, suas análises, reminiscências e receitas, nem poderia ter escrito este livro sem as obras publicadas de gourmets literários, pensadores da culinária e poetas obcecados por comida de séculos e séculos passados.

Em sentido mais profundo, minha pesquisa se iniciou há trinta anos, quando comecei a fazer negócios na China. Ao chegar lá em 1977, para comprar produtos têxteis, apenas seis semanas depois do fim formal da Revolução Cultural, participei do meu primeiro banquete governamental e me vi com a mente e os sentidos em explosão com aquela culinária mais emocionante, diversificada e sutil do que qualquer comida chinesa que eu tivesse encontrado nos Estados Unidos. A verdadeira culinária só estava disponível a um punhado de pessoas na época, porque a população do país, além de pobre, também estava traumatizada por uma longa era de terrores sucessivos que tinham transformado muitos dos prazeres da vida, inclusive a comida, em males ideológicos. Naquela época, quando a maior parte das pessoas a meu redor tinha escolhas limitadas e alimentos racionados, eu, na posição de convidada de uma das maiores empresas estatais da China, tive muitas oportunidades, naqueles primeiros anos, de experimentar uma cozinha que era tão fantástica quanto incompreensível — para mim, uma moça inexperiente que tentava desesperadamente entender como fazer negócios em um país socialista.

Ao longo dos 18 anos seguintes, enquanto gerenciava minha empresa têxtil na China, passei a conhecer melhor essa culinária notável. Trabalhando com tecelagens provinciais estatais em várias partes do país e retornando à escola noturna para aprender chinês, eu lentamente fui vendo como *guanxi* — a rede de relacionamentos e responsabilidade mútua — se desenvolvia com uma sucessão de refeições especiais. Cada refeição celebrava nosso *guanxi* e o fazia melhorar. Essas refeições, ao longo de quase duas décadas, formaram a minha primeira educação na linguagem oculta da culinária chinesa — os códigos de sentar-se à mesa e de servir, as mensagens transmitidas por meio de um menu e os sinais sociais que substituem as conversas de negócios concretas que nós, os ocidentais, estamos acostumados a ter à mesa.

Em 1999, alguns anos depois de eu fechar minha empresa têxtil e ter publicado meu primeiro romance, comecei a escrever sobre comida chinesa para a revista *Gourmet*. Era o início da minha segunda educação em culinária chinesa. Ao cobrir o cenário da comida nas principais cidades da China, eu tive a oportunidade de entrevistar chefs, donos de restaurantes, gerentes de restaurantes, sociólogos, cozinheiros domésticos e comensais.

Ainda assim, para escrever *O Último Chef Chinês*, eu precisava saber muito mais. Quase todos os personagens do livro são especialistas em comida, e o livro-dentro-do-livro de mesmo nome é um falso clássico da culinária. Para criar este mundo de cozinheiros e comensais eruditos, e para criar citações de um clássico da culinária que todos eles pudessem admirar, eu tive que aprender o que eles sabiam. Felizmente, muito se escreveu ao longo dos séculos sobre a gastronomia chinesa. Eu digeri uma boa parte daquilo em traduções (minha alfabetização em chinês é pobre) e também voltei à China para entrevistar mais chefs e *restaurateurs*.

Ao mesmo tempo em que seria absolutamente impossível listar todas as pessoas na China que me ensinaram algo a respeito de culinária ao longo dos últimos trinta anos, certas pessoas foram tão generosas com seu tempo que merecem uma menção especial. Vivian Bao compartilhou comigo seu conhecimento sobre a cozinha de Xangai, ajudou-me a entrar em contato com diversos chefs em vários lugares e relatou suas lembranças pessoais da China em 1958, ano em que Liang Yeh partiu de Gou Bu Li, em Tianjin, até o litoral da província de Fujian. Yu Changjiang, um professor de sociologia na Universidade de Pequim com interesse especial em restaurantes e na cultura gastronômica, abriu meus olhos para o significado mais profundo da comida na China e me ajudou a ligar a culinária a padrões de ideologia, história e à economia chinesa contemporânea. Anthony Kuhn, então do jornal *Los Angeles Times*, apresentou-me a Yu Changjiang e traduziu algumas das suas teses acadêmicas para que eu pudesse estudá-las mais de perto.

Muitos donos e gerentes de restaurantes acharam tempo em suas vidas tão ocupadas para me ajudar a entender seu mundo. Em Pequim, Yu Jingmin (do Fang Shan), Li Shanlin (do Li Jia Cai), Li Jun (do Mao Jia Cai) e David Tang (do China Club) me deram, todos eles, preciosas lições. Em Xangai, Walter Wang, gerente do Xian Yue Hien, e o dr. Wang, um cozinheiro doméstico que demonstrou conceitos chineses de cura através da comida, foram muito solícitos, e eu agradeço a Willie Brent e Jocelyn Norskog Brent por terem me apresentado a eles.

No vale de San Gabriel, a leste de Los Angeles, Henry Chang (ex-Dong Lai Shun e Juon Yuan, em San Gabriel; hoje proprietário e chef do Chang's Garden, em Arcadia) esforçou-se muito para me dar uma visão completa de sua carreira e sempre foi generoso com receitas. As costeletas de porco assadas no vapor com folhas de lótus — as que o tio Xie de Sam o obriga a preparar repetidas vezes até ficarem certas — são criação dele. Wang Haibo, de Xangai (ex-chef e proprietário do Green Village, em San Gabriel), e Chen Qingping, de Chongqing (chef do Chung King, em Monterey Park), ensinaram-me muita coisa. Linda Huang (proprietária do Chung King) juntou-se a Henry Chang e Wang Haibo para me ajudar a compreender a diferença entre culinária chinesa e culinária sino-americana, e entre o comensal chinês e o norte-americano.

Minha viagem de pesquisa a Hangzhou, o lar da culinária com base literária da China, nunca teria sido bem-sucedida sem a ajuda de Dai Xiongping, que me apresentou a chefs e donos de restaurantes. O magnata dos restaurantes Wang Zhiyuan explicou sua fórmula de sucesso na nova China e me guiou por um tour pelas cozinhas cavernosas do Xin Kai Yuan. Wu Xunqu, que foi chef do Lou Wai Lou por 46 anos, explicou a história da culinária literária da cidade e cedeu sua famosa receita de frango-de-mendigo — mas não a receita completa, ele avisou, porque alguns ingredientes secretos tinham que continuar secretos. O chef aposentado Xu Zichuan abriu a porta de sua casa e de suas lembranças. Sua filha, Xu Lihua, gerente do Shan Wai Shan, apresentou-me à famosa sopa de cabeça de peixe do restaurante dela, que é preparada e servida por Sam nas páginas deste livro.

Fora do âmbito da comida, devo agradecimentos especiais a dois amigos. Zhan Zhao foi muito gentil ao compartilhar comigo seu conhecimento sobre o submundo da China moderna em que o amor em muitas formas, e em vários níveis, está à venda; ele até me ajudou a determinar o lugar exato em que Gao Lan moraria. O conhecimento de Tom Garnier sobre navegação possibilitou que eu descrevesse com mais precisão a viagem de Liang Yeh de Tianjin à província de Fujian.

Obras publicadas foram fundamentais para mim, em especial para compreender a culinária chinesa ao longo do tempo. Entre as fontes clássicas por escrito, baseei-me mais profundamente nas obras de Yuan Mei (1715-1797), com freqüência considerado o maior dos escritores culinários da China; Li Liweng ou Li Yu (1610-1680), um romancista erótico, produtor de ópera e epicurista que fez explodir o valor do rústico na culinária refinada; e Yi Yin (no alvorecer da dinastia Shan, datada de 1766 a.C., de acordo com a cronologia Han, mas hoje muitos acreditam que o ano certo seja 1554 a.C.), o primeiro grande gastrônomo da China. Ler trechos de *O Clássico da Medicina do Imperador Amarelo* (século 3 a.C.) me ajudou a enxergar o quadro filosófico por trás das teorias mais antigas de alimentos curativos. Os versos citados na última cena do livro foram tirados de dois poemas do período da dinastia Zhou (século 12 a.C.-221 a.C.), "As Convocações da Alma" e "As Grandes Convocações", traduzidos para o inglês por David Hawkes. Passagens relacionadas a comida do romance *Os Eruditos*, de Wu Ching-Tzu (1701-1754), serviram de inspiração. Até Confúcio escreveu sobre comida, e material dos *Analectos* me ajudou muito. Também aprendi muito com o poeta Po Chu-I (772-846) e com o poeta, calígrafo e ensaísta em prosa rimada Su Dongpo ou Su Shi (1037-1101), que ligou a culinária à estética da literatura clássica e foi uma influência importante para o crescimento da culinária literária em Hangzhou. A famosa receita de carne de porco *dongpo rou*, batizada em homenagem a ele e baseada em sua receita, aparece em cardápios chineses do mundo todo.

Fontes de pesquisa modernas sobre culinária chinesa também foram importantes. Uma das principais foi o notável *Gastronomia Chinesa*, de Hsiangju Lin e Tsuifeng Lin. Esse livro excepcional me ajudou a compreender os objetivos formais de sabor e textura, além dos princípios do desenvolvimento de um menu. Também tenho uma dívida com os ensaios acadêmicos sobre culinária através da História da China de K. C. Chang, Michael Freeman, Frederick W. Mote e Jonathan Spence, reunidos em *Comida e Cultura Chinesa*, editado por K.C. Chang. Uma dissertação acadêmica intitulada *O Sabor do Bom e do Belo: A Estetização da Comida e da Bebida na Cultura Tradicional Chinesa*, de Da'an Pan, também me ajudou, bem como o livro *Sistema Chinês de Curas Alimentares*, de Henry C. Lu.

Apesar de este ser um romance e quase todos os personagens serem imaginados, alguns acontecimentos históricos e personagens verdadeiros aparecem em suas páginas. Tan Zhuanqing, o mestre de Liang Wei na Cidade Proibida, foi um chef muito famoso em sua época, além de ser um estudioso admirado; seu nome até hoje é citado com freqüência em círculos culinários da China. Peng Changhai, o jovem amigo de Liang Wei no palácio, juntamente com Xie Huangshi, foi um verdadeiro aprendiz do palácio; o restaurante que ele abriu, com base nos ensinamentos culinários de Tan Zhuanqing, foi considerado um dos maiores restaurantes de Pequim nos anos 50. A Imperatriz Viúva de fato nutria um desejo acentuado no final da vida pelos bolinhos de sorgo-de-vassoura (*xiao wo tou*) que comia na estrada, durante a fuga da família real da Rebelião dos Boxers. Ela também, de acordo com a lenda culinária, de fato encomendou a seus chefs que criassem os bolos chatos de gergelim recheados com carne picadinha (*shao bing jia rou mo*) depois de os ter visto em sonho. Agradeço aos funcionários da cozinha do Fang Shan, o restaurante em estilo imperial do parque Beihai, em Pequim, por terem me mostrado como prepará-los.

O livro homônimo deste romance que é citado o tempo todo, o clássico da culinária de 1925 escrito pelo avô de Sam, é ficção: não existe. As idéias nele expressas se baseiam nas fontes clássicas já citadas. O Tratado dos Direitos da Criança também é invenção; não há nenhum acordo do tipo. Mas vários restaurantes citados no livro são reais: Fang Shan, Gou Bu Li, Lou Wai Lou e Shan Wai Shan.

Para os leitores que apreciariam experimentar as receitas descritas neste livro (quase todas elas fazem parte do repertório de um chef chinês contemporâneo), que desejem prepará-las por conta própria (alguns desses chefs deram suas receitas) ou que apenas quiserem saber onde achar ótima comida quando forem à China, convido-os a visitar o meu site: www.nicolemones.com.

Agradecimentos

Este livro jamais teria se concretizado sem a minha excepcional editora, Jane Rosenman. Sua paciência, seu conhecimento e sua benevolência excepcionais só são superados por sua capacidade precisa e quase surreal de enxergar os pontos fortes do livro e me ajudar a potencializá-los. Minha agente, Bonnie Nadell, viu o potencial deste livro desde a primeira vez que enunciei seu conceito e o apoiou durante todo o trajeto, desde os primeiros estágios da pesquisa até a última página. A edição atenciosa do manuscrito, feita por Katya Rice, aprimorou o livro imensamente. A equipe da Houghton Mifflin é o sonho de todo autor, em especial Taryn Roeder e Sanj Kharbanda.

Sempre terei uma dívida com Ruth Reichl por me incentivar a escrever sobre culinária chinesa para a revista *Gourmet* e por sua disposição de publicar artigos que localizassem a cozinha chinesa em contextos mais amplos de cultura, história, espírito e emigração. Minhas editoras na revista, Jocelyn Zuckerman e Amanda Agee, ajudaram-me a aprender a fazer um trabalho melhor. Em grande parte, foi por meio da pesquisa e dos textos que fiz para elas que ganhei conhecimento e segurança para escrever este romance.

Vários amigos me apoiaram, mas Barbara Peters, do Poisoned Pen, em Phoenix, Arizona, merece agradecimento especial. Ela sempre me incentivou, até me escreveu no período entre um livro e outro, para me incentivar a continuar. Todo escritor vive momentos em que duvida de si mesmo. Ela me ajudou a superá-los, e muitas vezes eu me peguei escrevendo e pensando nela.

Minha grande amiga Evelyn Madsen me acompanhou em uma viagem de pesquisa a Shaoxing e Hangzhou, levando consigo seu bom humor e seu paladar excelente a uma agenda enlouquecida de visitas a restaurantes, entrevistas com chefs e busca de lugares para ambientação de cenas. Eu sigo a regra de visitar todos os lugares que os meus personagens visitam, e ela fez com que isso fosse mais divertido.

Agradeço aos meus amigos Tom Saunders e Nancy Beers, que me deram, cada um por sua vez, um lugar para escrever quando eu precisava me isolar deste mundo para poder criar outro. Obrigada aos meus amigos apreciadores de comida Anne Sprecher, Linda Burum, John Wong e Ruth Parvin, por terem compartilhado comigo dicas e boatos sobre bons restaurantes e por nossas saídas divertidas e informativas.

Meu fantástico marido, Paul Mones, foi muito além de apoiar o meu ato de escrever: foi uma fonte inestimável sobre culinária chinesa. Talentoso cozinheiro de receitas *fusion*, na adolescência ele trabalhou como lavador de pratos num restaurante chinês para aprender as técnicas e de lá saiu para vencer o concurso estadual de carne de porco da Carolina do Norte. No nosso primeiro encontro, ele escolheu um restaurante chinês, onde percebemos instantaneamente que combinávamos. Nos meus trinta anos de viagens pela China, ele é a única pessoa que eu vi subir em cadeiras para fotografar tudo que chega à mesa.

Meus últimos e mais profundos agradecimentos vão para meus filhos maravilhosos, Ben e Luke. Além de apreciarem comida chinesa, eles sempre ofereceram amor, apoio e uma compreensão generosa a respeito de tudo que a criação de um livro envolve. Nem tenho certeza se eu teria sido capaz de produzir este aqui sem eles.

markgraph

Rua Aguiar Moreira, 386 - Bonsucesso
Tel.: (21) 3868-5802 Fax: (21) 2270-9656
e-mail: markgraph@domain.com.br
Rio de Janeiro - RJ